미래는 규제할 수 없다

패권국가로 가는 규제혁신

미래는 규제할 수 없다

구태언 지음

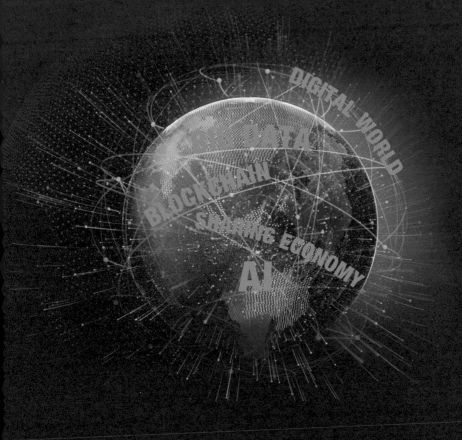

클라우드나인

프롤로그

법은 미래를 위해서 무엇을 해야 하는가

만약 누군가 나에게 최고의 밴드를 묻는다면 주저 없이 영국 헤비메탈 밴드인 '주다스 프리스트Judas Priest'를 꼽을 것이다. 귀를 찢을 듯한 현란한 전자기타 연주, 심장을 두드리는 격렬한 드럼 소리, 그리고 '메탈 갓Metal God'이라는 수식어처럼 날카로운 초고음의 보컬이 어우러진 주다스 프리스트의 음악은 대학 시절 나에게 단순한 선율을 넘어 눈앞의 현실을 타개해 나갈 깊은 용기를 안겨주었다.

주다스 프리스트 음악의 정점은 단연 1980년 발표한 여섯번째 앨범인 『브리티시 스틸British Steel』이다. 지금도 최고의 명반으로 손꼽히는 이 앨범은 전 세계적으로 큰 사랑을 받았다. 이 앨범의 대표곡이 바로 「브레이킹 더 로Breaking The Law」이다. 브레이킹 더 로는 틀을 깨부수라는 뜻이다. 법대생 시절부터 기존의 룰을 뒤엎자는 노래에 매료된 걸 보면 2012년 '혁신가들의 로펌'이라는 슬로건 아래 규제개혁을 목표로 하는 IT 전문 로펌 '테크앤로TEK &

LAW'를 시작한 것은 결코 우연이 아니란 생각이 든다.

불합리한 규제개혁이 먼저이다

2016년 1월 개최된 다보스 포럼의 핵심 의제는 4차 산업혁명의 이해Mastering the Fourth Industrial Revolution였다. 4차 산업혁명이란 3차 산업혁명을 기반으로 한 디지털과 바이오산업과 물리학 등의 경계를 융합하는 기술혁명으로 2020년 이후 꽃피게 될 것이라고 한다. 4차 산업혁명이 코앞으로 다가왔지만 우리의 준비는 미흡하기만 하다. 4차 산업혁명의 기반이 되는 인터넷 산업에 대한 그간의 대응만 봐도 그 심각성이 여실히 드러난다.

인터넷 산업이 태동하던 1990년대 말 2000년대 초 전자상거래와 포털사이트의 발달로 인터넷이 북적대기 시작하던 무렵에 명예훼손, 전자상거래 사기, 개인정보 거래 등 소위 인터넷 역기능이 함께 증가하기 시작했다. 이때부터 정부는 인터넷 산업의 역기능을 통제하겠다며 온라인 규제 도입에 착수했다. 소위 인터넷 기업들에게 역기능을 방지할 법적인 행위의무를 부과한 것이다.

인터넷 산업의 역기능은 오프라인의 불법이 온라인에 그대로 반영된 것에 불과하다. 그리고 그것은 우리나라의 문화 전반에 남아있는 불법 풍조에 있다. 하지만 정부는 인터넷 기업들이 장을 열었으니 책임도 지라는 태도로 일관했다. 지금도 정부의 역기능 규제 정책은 인터넷 기업에게 방지 의무를 부과하는 방식으로 이뤄지고 있다. 범죄를 막을 의무는 국가에게 있음에도 민간 기업에게 그 책임을 떠넘기는 행정 편의적 정책은 여전히 계속되고 있다.

그 결과 우리나라 인터넷 산업의 성적표는 초라한 수준이다. 규제가 강화되기 시작한 2000년대 이후 창업한 인터넷 기업 중에 글로벌 대기업으로 발전한 곳은 손에 꼽을 정도로 극소수다. 우리가 알고 있는 대표적인 인터넷 대기업인 네이버, 카카오, 옥션, 엔씨소프트 등은 1990년대에 창업해 선도기업이 된 덕분에 이후 불어닥친 규제를 이겨내고 대기업으로 성장했다. 나머지 기업들은 정부의 이중 삼중 규제와 경쟁의 치열함 속에 흔적도 없이 사라졌다.

우리나라 인터넷 산업의 초라한 성적표는 그간 정부가 인터넷 산업의 미래가치에 대한 정확한 평가에 기반을 둔 범국가적 정책을 연구하지 않고 그때그때 인터넷 산업에 대한 정부의 권한 강화를 위한 국내형 규제를 도입해온 지난 20년의 인과응보이다. 문제는 앞으로도 상황이 나아질 기미가 보이지 않는다는 점이다. 스마트폰을 매개로 인터넷 기업들이 전통산업에 진출하는 O2OOnline to Offline 시장만 봐도 혁신적인 스타트업들이 심각한 박해에 시달리고 있다. 전통산업을 지지하는 정부 부처들은 기존 시장 질서에 도전장을 내민 혁신 기업들의 편에 서지 않고, 방관하는 자세로 임해 결국 기득권을 보호하는 결과를 낳고 있다.

반면 미국과 중국은 다른 선택을 했다. 미국은 인터넷 산업에 대한 규제를 잘 도입하지 않는다. 오히려 인터넷 사업자는 그 이용자의 행위에 대한 책임을 면제하는 단순 전달자Carrier로 보고 규제를 배제하는 입장에 서 왔다. 연방의회에서 입법을 워낙 신중하게 하고 정부의 법률안 제출권이 없다 보니 새로운 현상에 대한 규제는 기본적으로 '관망Wait and See' 정책을 취한다. 이는 문제점이 두드러질 때까지 섣불리 규제하지 않는 입법 문화로 이어진다. 중국도 절대 해서는 안 되는 몇 가지만 법으로 규제하고 나머지는 모두 허용하는 '선 허용 후 규제' 정책을 펼치고 있다. 중국공산당의 선택은 인터넷산업 육성으로 미국 기업들의 서비스 침공에 맞서 중국 인민들의 산업과 데이터를 지켜내겠다는 것이다.

그 결과 미국과 중국은 4차 산업혁명을 주도하는 글로벌 인터넷 플랫폼 기업들을 줄지어 탄생시키고 있다. 이 서문을 쓰고 있는 오늘(2018. 8. 2) 애플의 시가총액이 1조 달러(약 1,131조 1,020억 원)를 돌파했다. 하지만 우리나라는 인터넷 포털과 검색광고 시장을 선점한 네이버와 카카오 정도가 이들 글로벌 기업들에 대항할 수 있는 수준에 불과하다. 이마저도 글로벌 플랫폼 기업들과의 경쟁에서 얼마나 버텨낼 수 있을지 장담하기 어렵다.

CPM을 지켜라

"CPM의 유출이 정보 좀비 국가를 낳기 전에 플랫폼 규제의 틀을 바꿔야 한다." C는 콘텐츠Contents, P는 개인정보Privacy, M은 돈Money이다.

오래전부터 정부 관료들에게 경고해온 이야기다. 인터넷 플랫폼 사업자를 쥐고 흔드는 규제가 바뀌지 않으면 모든 책임이 사업자에게만 돌아간다. 시민들의 책임의식이 높아질 기회는 사라진다. 그 결과 사이버 역기능은 계속되고 다시 플랫폼 규제가 강화되어 스타트업이 자생할 수 없는 악순환이 반복된다. 한마디로 생태계가 죽어버리는 것이다.

인터넷 산업은 전방위 산업을 지배하는 운영체제로 변신하고 있다. 국내 인터넷 기업들의 실패는 글로벌 인터넷 플랫폼에 의한 국내 콘텐츠의 해외 이전을 가져오고 우리 국민들의 개인정보 해외 이전으로 이어지며 결국 국부 유출로 국력의 급속한 쇠퇴와 해외 종속을 초래한다. 이미 오래전부터 국내에서 생산되는 콘텐츠의 상당한 비중이 해외 인터넷 기업들의 해외 클라우드 서버에 저장되고 있다. 이와 함께 이들 서비스를 이용하는 국민들의 이용기록, 즉 개인정보도 이들 해외 인터넷 기업들에 의해 장악된다. 이 콘텐츠와 개인정보의 장악은 결국 광고비와 서비스 이용료 등 국부의 해외 유출로 이어진다. 이대로 가면 우리나라는 정보와 돈을 글로벌 사업자에게 다 뺏기고 국내에 정보가 부재하는 정보 진공 상태로 빠져들게 될 것이다. 나는 이를 '**정보 좀비 국가**'라고 부른다.

정보의 국외이탈은 국가의 정보 주권에도 영향을 미친다. 나는 인터넷 산업의 우열에 따른 정보제국주의 현상이 이미 시작되었다고 보고 있다. 정보제국주의 시대에 정보에 대한 주권을 잃게 된 국가는 정보 식민지에 불과하다. 정보 진공 상태에 빠진 우리나라의 인터넷을 해외와 연결하는 해저 케이블이 끊기면 바로 국가적 블랙아웃 상태에 빠지고 말 것이다. 4차 산업혁명 시대에 인터넷 산업을 우대해야 하는 이유가 바로 여기에 있다.

늦었다고 생각할 때일수록 경쟁력 있는 경제 체계를 만드는 수밖에 없다. 결국 정부가 할 일은 서비스 산업과 기술을 가로막는 불합리한 규제, 그중에서도 플랫폼 사업자를 옥죄는 규제들을 대폭 혁파하는 것이다. 나머지는 기업의 몫이다.

산업사회 성공신화를 버려라

산업혁명 이후에 본격적으로 시작된 기술 진보의 역사는 시간과 공간 등 자연법칙의 제약에 의해 인간이 고통받아온 기아와 노동으로부터 해방돼온 역사라 할 만하다. 이러한 해방의 역사는 오늘날 급 진전된 정보통신기술ICT 혁명에 의해 가속화되고 있다. 기술의 발전으로 인간의 삶은 풍족해졌으며 인류 지식과 인식의 지평은 획기적으로 넓어졌다. 하지만 기술의 진보가 모든 지역, 계층, 세대를 행복하게 한 것은 아니다. 자동차의 등장으로 마부는 일자리를 잃었고 워드프로세서의 등장으로 타자수 역시 전문성을 잃었으며 우버의 등장으로 택시업계가 술렁이고 있다.

누군가는 기술 진보의 이득이 훨씬 크므로 부작용은 무시할 수 있다는 입장에 설 것이고 또 다른 누군가는 부작용이 인간 존엄을 저해한다면 이득이 아무리 크더라도 의심해봐야 한다는 입장에 설 것이다. 기술의 진보는 양면적 속성에서 비롯된 어려운 질문을 던지고 있다. 정보사회의 법은 이러한 딜레마를 해결하는 사명이 있다. 기술의 진보를 고양하는 동시에 인간의 존엄과 전통적 기본권을 지켜내야 하는 난제를 어떻게 조화롭게 이룰 것인가? 법은 경험에 기반을 둔 사회 다수의 합의를 원칙으로 한다. 사회 다수의 합의란 결국 기득권을 반영할 수밖에 없다. 결국 법은 기득권을 지키는 보수성을 본질로 사회를 규율하므로 '점진적 개혁'을 넘어설 수 없다. 반면 기술은 확립된 이론을 깨거나 뛰어넘음으로써 새로운 패러다임을 창조하는 이른바 '파괴적 혁신'이 지배하는 영역이다. 기술의 본질은 진보성에 있다.

새로운 기술을 채택한 세력은 기득권을 흔들고 기득권은 이를 방어하기 위해 법을 동원해온 역사가 반복되어 왔다. 때로 법은 기술을 선택해 지배권을 공고히 하기도 하고 때로는 기술이 법을 무찔러 새로운 기득권을 얻은 역사가 인류사회의 지배와 혁명의 역사라고 할 수도 있다. 문제는 지금의 글로벌 경제 전쟁 시대에는 파괴적 혁신을 잘 달성하는 국가가 생산수단을 독점하고 지배적 승자가 된다는 것이다. 이러한 현실에서 법과 기술을 어떻게 다룰지가 관건이다. 결론부터 말하면 기술의 발전에 따라 드러나는 전통산업과 혁신산업의 충돌적 현상을 선제적으로 간섭하거나 규제하는 것은 기술발전을 저해함으로써 경제전쟁에서 우위에 서기 어렵다는 문제를 낳는다.

핀테크, 헬스케어 테크, 카테크 등 4차 산업혁명 시대의 새로운 융합산업은 혁신적인 인터넷 기업들이 박차고 나가서 글로벌 회사들과 특허전쟁을 벌여야 하는 산업이다. 오프라인형 규제를 온라인형 규제로 바꾸는 전면적인 규제 변혁regulative transformation이 시급하다. 규제 변혁이란 규제의 플랫폼을 온라인 시대에 맞게 바꾸는 것으로 몇 가지 마이너한 규제 해소와는 차원이 다른 것이다. 모바일 시대에는 오프라인 시대와 다른 산업정책을 가져가야 한다.

4차 산업혁명의 시작으로 데이터 테크놀로지DT로 무장한 글로벌 인터넷 대기업들이 오프라인 산업 분야를 조만간 휩쓸게 될 것이 명백하다. 전통과 혁신 사이에서 규제로 상징되는 구체제ancien regime는 혁신의 편을 들어주기 어렵다는 역사의 명제 앞에 굴복해선 안 된다. 우리는 중국처럼 보호무역주의를 취할 힘이 없다. 유럽연합EU은 이미 때를 많이 놓쳐서 개인정보 해외 이전을 엄격하게 규제하고 공정거래법을 내세워 천문학적 과징금을 부과하는 보호무역정책으로 미국 기업들과 법률 전쟁을 벌이고 있다. 하지만 우리는 미국과 싸울 입장도 아니다. 지금 우리가 할 수 있는 일은 우리 정부가 획기적인 규제 변혁에 나서는 것이다.

역사상 새로운 위험 요소는 불안전하더라도 금지하지 않고 이용하면서 경험을 쌓아 안전한 방법을 발전시킨 나라가 결국 새로운 산업혁명의 승자가 됐다. 증기기관, 자동차, 원자력발전소가 그렇다. 안전유리가 발명되기 전에 자동차는 탑승자 살인 무기와 다름 없었다. 기득권층과 충돌 과정에서 발생하는 부정적 측면을 충분히 경험하고 사회가 자율적으로 해결할 수 있도록 인내하며 자율적 조정이 작동하지 않음이 명백해질 때 정부나 국회가 조정자의 역할을 하는 방향으로 법 정책이 운용돼야 한다.

기술의 진보 속도가 상대적으로 느렸던 산업사회에서는 기술과 사회진보의 방향에 대해 어느 정도 예측할 수 있었다. 이른바 테크노크라트technocrat로 불리는 지배 엘리트가 독점적 정보와 지식을 바탕으로 기술을 관리하고 규제하는 법을 만들었다. 이러한 시도는 상당 부분 효과적이기도 해서 기술에 대한 국가 리더십을 통해 짧은 시간 눈부신 경제 성장을 이뤘다. 바로 우리나라가 대표적인 성공사례로 거론되고 있다. 하지만 산업사회의 성공 신화가 정보 사회에도 여전히 유효하리라는 믿음은 과욕인 동시에 오산이다.

우리는 미래 예측은 고사하고 현재 상황의 정확한 파악마저 힘든 대규모 정보의 홍수 시대와 1인 미디어 시대를 살아가고 있다. 이러한 불확실한 상황 속에 종전 시대의 낡은 규제가 새로운 혁신 엘리트들의 시도를 규제하는 상황에 빠지고 있는데도 정부의 움직임은 미온적이다. 새로운 산업혁명의 시대에는 기다림과 자율 그리고 엄격한 책임의 균형미학이 법의 운용 철학이 되어야 한다.

미래 세대를 위한 법률은 없다

한국 경제가 디지털 마켓으로 변신하지 않고서는 4차 산업혁명을 주도할 수 없다. 디지털 마켓으로 전환하는 데 가장 큰 걸림돌은 규제 장벽이다. 피지컬 마켓에서 기득권자인 전통 산업자들과 정부가 규제 장벽을 지탱하고 있다. 규제 장벽 철폐를 통해 미래 한국의 성장동력인 디지털 마켓으로의 변신을 서둘러야 한다.

법률은 기득권을 위한 것이다. 미래세대를 위한 법률은 없다. 미래세대의 등장을 원한다면 기득권을 보호하는 법률의 체질을 바꾸어야 한다. 물론 전통과 혁신의 법률 전쟁은 역사와 함께해온 전쟁이라서 쉽게 끝나지 않을 것이다. 이젠 전통을 편드는 정부의 변신을 돕는 일도 중요하다. 새로운 산업혁명 시대에 정부가 그 역할을 다하기 위해서는 정부의 기능과 역할에 대한 밀도 있는 고찰과 재설계가 필요하다. 대통령직속 4차산업혁명위원회가 사회 각 분야의 산업에 대한 재설계를 추진하고 있다. 그러나 정작 그 변혁을 주도해야 할 정부의 디지털 변혁에 대해서는 논의하지 않고 사전적 규제 시스템의 사후규제 시스템으로 변화에 대해서는 상대적으로 소홀히 하고 있음은 핵심을 놓치고 있는 일이다. 골든타임이 얼마 남지 않았다.

이 책은 4차 산업혁명 시대에 우리가 반드시 마주하게 될 법률 이슈를 살펴보고 우리나라가 글로벌 플랫폼 전쟁에서 승자가 될 방법을 모색해 보고 있다. 아직 미흡한 생각이지만 규제의 본질적 변화와 정부의 디지털 변혁을 위한 논의의 첫발을 뗀다는 마음으로 부족한 글들을 모으고 다듬어 여러분께 내놓게 됐다. 아무쪼록 이 책이 정부와 기업과 시민 사회가 머리를 맞대고 4차 산업혁명 시대의 성공적 대응을 위한 대안을 고민하고 찾아가는 데 단초 역할을 하길 간절히 바란다.

2018년 8월 구태언

차례

9장 4차 산업혁명 시대와 사이버 보안 · 311

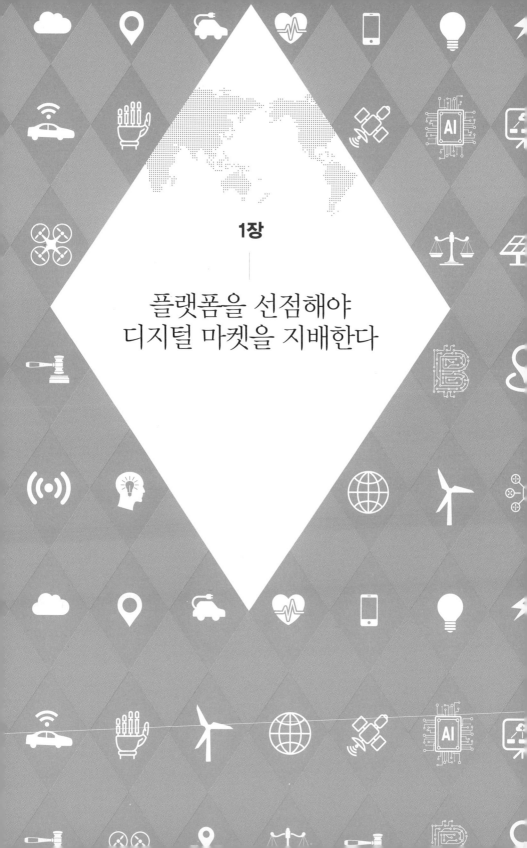

1장

플랫폼을 선점해야
디지털 마켓을 지배한다

기하급수 기업이 탄생하고 있다

현재 전 세계가 가장 주목하는 기업을 꼽으라면 단연 아마존 Amazon이다. 2018년 4월 발표된 미국 실리콘밸리 테크 기업들의 1분기 실적에 따르면 아마존은 510억 4,000만 달러(약 54조 9,854억 원)의 매출을 올렸다. 애플 609억 달러(약 65조 6,076억 원)에 이어 두 번째로 높다. 시가총액도 7,700억 달러(약 829조 5,210억 원)를 넘어서며 애플의 8,200억 달러(약 883조 3,860억 원)에 이어 확고한 2위 자리를 차지했다.

아마존은 장기적인 경기 침체로 대다수 산업이 움츠러든 와중에도 해마다 20%대의 높은 성장률을 기록하고 있다. 최근에는 애플이 주도해온 꿈의 시가총액 1조 달러(약 1,076조 5,000억 원) 달성 경쟁에서 아마존의 역전 가능성까지 조심스럽게 점쳐지고 있다.* 우

---

* 이 책을 출간하기 직전인 2018년 8월 2일에 애플이 시가총액 1조 달러를 달성했다.

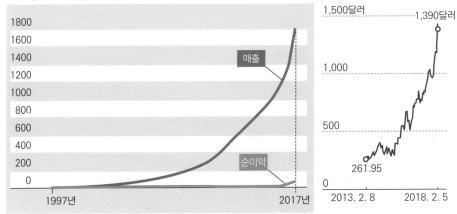

아마존의 매출과 순이익 추이 (단위: 억 달러)

아마존의 주가 추이

아마존은 장기적인 경기침체로 대다수 산업이 움츠러든 와중에도 해마다 20%대의 높은 성장률을 기록하고 있다. (출처: 야후파이낸스)

리나라의 경우 시가총액 1위 기업은 삼성전자로 2018년 5월 기준 335조 887억 원으로 평가받고 있다. 아마존의 절반에도 훨씬 못 미치는 숫자다.

아마존이 인터넷 서점으로 출발해 미국의 정보통신기술을 리드하는 애플, 구글, 마이크로소프트MS와 어깨를 나란히 하며 글로벌 기업으로 성장할 수 있었던 비결은 무엇일까? 그건 바로 미래 시장에 대한 정확한 예측과 적극적이고 공격적인 플랫폼 개척 덕분이다.

성공에 안주할 것인가, 혁신할 것인가

아마존은 1994년 세계 최초의 인터넷 서점으로 출발했다. 당시 책은 오프라인 서점에서 구매하는 것이 당연했다. 그러다 보니 아마존의 등장은 웃음거리에 가까웠다. 사람들은 아마존이 곧 문을

제프 베조스 순재산가치 추이 (단위: 십억 달러)

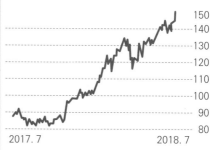

150
140
130
120
110
100
90
80

2017. 7   2018. 7

제프 베조스는 주가 급등에 힘입어 169조 원의 자산을 보유한 현대 역사상 '최고 부자'로 등극했다. (이미지 출처: 아마존, 그래프 출처: 블룸버그 억만장자 지수)

닫을 것으로 예상했다. 하지만 아마존은 매달 평균 34%의 매출 증가를 기록하며 창업 1년 만에 세계적인 인터넷 서점으로 성장했다. 10주년인 2003년에는 매출 67억 달러(약 5,536억 원)를 기록하며 글로벌 기업으로 도약했다.

아마존은 성공에 안주하는 대신 혁신을 선택했다. 서점을 인터넷으로 옮긴 것처럼 종이책을 전자책으로 탈바꿈한 것이다. 이전에도 몇몇 벤처기업이 전자책 단말기를 선보였지만 지금처럼 대중적인 기기로 발돋움한 것은 2007년 아마존이 전자책 리더 '킨들 Kindle'을 출시하면서부터다. 킨들은 종이책보다 3~5배 저렴한 가격으로 많은 양의 전자책 콘텐츠를 제공한다. 또한 발광체가 없는 전자잉크 디스플레이를 장착해 종이책과 비슷한 독서 환경을 지원한다. 음악을 들을 수 있는 MP3 플레이어 기능과 책을 대신 읽어주는 오디오북 기능도 탑재했다. 무엇보다 읽고 싶은 책을 배송 과정 없이 곧바로 읽을 수 있다. 이런 이유로 킨들은 순식간에 전 세

아마존의 대표 분야

❶	전자상거래	미국 전자상거래 시장점유율 1위(38.1%) 미국 가정 44달러 아마존 프라임 가입
❷	물류	물류센터 50개, 보잉기 40대, 트럭 4,000대, 드론배송
❸	식료품	아마존+홀푸드=미국 식료품 5위 기업
❹	패션	2021년 미국 소매의류 매출 1위 예측
❺	클라우드 컴퓨팅	미국 시장점유율 1위(41%)
❻	인공지능	인공지능 스피커 시장점유율 70.6%
❼	엔터테인먼트	아카데미 3개 부문 석권, 아마존 비디오 프라임 가입자 6,000만 명
❽	제약·의류	헬스케어 회사 설립 추진 미국 12개 주에서 약국면허 취득
❾	금융	6년간 2만 개 중소사업자 대상 대출 30억 달러 (3조 2,000억 원)
❿	우주관광	2018년 일반인 대상 우주관광 시작, 2020년 달 착륙 화물우주선 발사

계 독자들을 사로잡았다.

아마존은 종이책에 이어 전자책 분야에서도 1위를 주도했고 2011년부터는 종이책보다 전자책이 더 많이 판매됐다. 2017년 기준 미국에서 판매되는 종이책, 전자책, 오디오북의 아마존 점유율은 52%에 이른다. 특히 전자책 75%와 오디오북 95%가 아마존을 통해 거래되고 있다. 등장 당시만 해도 웃음거리에 지나지 않았던 아마존은 혁신적인 비즈니스 모델을 선보이며 전 세계 사람들의 책 구매 방식과 책 읽는 방법을 180도 바꿔놓았다. 아마존 창업자 제프 베조스는 성공 비결을 한 마디로 설명했다.

"아마존은 책이 아닌 콘텐츠를 팝니다."

아마존웹서비스

본사	미국 시애틀
창설	2003년 앤디 재시가 팀원 57명과 시작
주요 고객	삼성전자, LG전자, 익스피디아, 고드만삭스, 에어비앤비, CIA 등 100만 개인, 기업, 정부기관
클라우드 시장 점유율	44% (1위)
비즈니스 모델	서버·네트워크 대여, 맞춤형 분석 데이터 제공

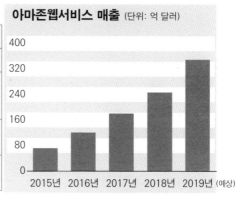

아마존웹서비스 매출 (단위: 억 달러)

아마존이 서점을 인터넷으로 옮기고 종이책을 전자책으로 옮긴 발상은 책을 단순한 상품이 아닌 지식 콘텐츠로 바라봤기에 가능한 일이었다. 아마존이 판매하는 건 지식 콘텐츠만이 아니다. 아마존은 인터넷 서점의 성공을 발판 삼아 책 이외의 다양한 품목을 온라인에서 판매하기 시작했다. 1998년부터 음반, 장난감, 패션 등으로 품목을 계속 확장했고 적극적인 인수합병과 투자로 신발 전문 쇼핑몰인 자포스, 패션 쇼핑몰인 6PM과 마이해빗닷컴, 유아동 쇼핑몰인 다이어퍼스닷컴 등 전문 쇼핑몰을 자회사로 운영하고 있다.

이유는 간단하다. 서점과 종이책이 인터넷으로 옮겨온 것처럼 대다수 오프라인 산업들이 온라인으로 옮겨갈 것을 예견했기 때문이다. 아마존은 미래 인터넷 시장을 선점하기 위해 공격적으로 사업 영역을 확장했고 그 결과 세계 최대 전자상거래 기업으로 발돋움했다. 하지만 아마존은 여기서 만족하지 않고 한발 더 나아갔다.

"인터넷이라는 마켓은 골드러시와 같고 브랜드는 시멘트 마르는 속도만큼이나 빨리 도태될 수 있다."

제프 베조스는 인터넷 시장의 속성을 정확히 통찰했고 4차 산업 혁명으로 눈을 돌렸다. 미래 시장을 주도할 4차 산업혁명 기술이야말로 전자상거래보다 훨씬 오랜 기간 아마존이 지속 성장할 수 있는 분야라고 판단했다. 아마존은 4차 산업혁명 시대에 주목받는 기술인 인공지능AI, 클라우드Cloud, 빅데이터Big Data 영역에서 기회를 포착해 경쟁사보다 빠르게 대응했다. 먼저 인터넷 산업에서 필수적으로 갖춰야 할 인프라이자 4차 산업혁명의 핵심 기술로 꼽히는 클라우드에 주목했다. 3억 명에 이르는 고객들의 거래 수요를 안정적으로 처리하기 위해 클라우드 인프라 구축에 지속적인 투자를 아끼지 않았던 그 노하우를 살려 2006년 클라우드 인프라를 서비스하는 아마존웹서비스AWS, Amazon Web Services를 출시했다.

클라우드는 문서, 동영상, 사진 등의 파일을 저장하는 인터넷 가상공간이다. 컴퓨터나 USB 수준을 뛰어넘는 대용량의 파일을 저장할 수 있고 인터넷이 가능한 곳이면 언제 어디서든 저장해둔 파일을 불러올 수 있다. 우리에게 익숙한 네이버 클라우드나 구글 드라이브를 떠올리면 이해가 쉽다. 다만 네이버와 구글은 개인을 상대로 인터넷 저장 공간을 빌려주는 반면 아마존웹서비스는 개발자와 엔지니어 등 IT 관계자를 주 고객으로 한다. 서비스 내용에도 큰 차이가 있다. 단순히 저장 공간만을 빌려주는 게 아니라 대량의 서버와 스토리지와 네트워크 장비 등 인터넷을 기반으로 하는 사업에 필요한 인프라를 대여해준다.

아마존웹서비스는 초창기에는 스타트업 등 작은 기업들이 주된 고객이었다. 인프라 구축에 필요한 초기 비용을 크게 줄일 수 있어

아마존은 2014년에 자체 개발한 인공지능 음성비서인 '알렉사'를 탑재한 음성인식 인공지능 스피커인 '아마존 에코'를 출시했다.

서다. 하지만 몇 해 지나지 않아 전 산업 분야에서 인터넷 거래가 폭증했고 고객 수가 많은 대기업일수록 안정적인 인프라 구축에 대한 필요가 급증하면서 넷플릭스, 나사, 다우존스, 어도비시스템즈 등 글로벌 기업들이 고객 명단에 이름을 올렸다. 전 세계 클라우드 인프라 서비스 시장에서의 존재감은 독보적이다. 경쟁사보다 무려 6년이나 앞서 클라우드 인프라 시장을 개척해 세계 시장에서 줄곧 30%가 넘는 점유율로 압도적 1위를 유지하고 있다. 그 뒤를 이은 기업의 시장 점유율은 2018년 1분기 기준으로 마이크로소프트는 13%, IBM은 8%, 구글은 6%에 불과하다.

2014년에는 자체 개발한 인공지능 음성비서인 알렉사Alexa를 탑재한 음성인식 인공지능 스피커인 아마존 에코Amazon Echo를 출시했다. 구글과 애플 등 정보통신기술 리딩기업들을 제치고 가장 먼저 음성인식 인공지능 스피커를 선보였다. 결과는 대성공이었

(왼쪽) 1994년 아마존 창업 시 차고 (오른쪽) 미국 시애틀에 있는 아마존 본사

다. 뒤이어 2016년 11월 구글의 구글 홈Google Home과 2018년 2월 애플의 홈팟HomePod 등이 출시됐다. 하지만 아마존 에코가 성능이나 가격 면에서 우위를 점하면서 미국 내 음성인식 인공지능 스피커 시장을 대부분 장악했다. 2017년 한 해 동안에만 3,100만 대가 팔렸다. 미국 내 점유율은 구글의 두 배를 뛰어넘는 60%를 기록하고 있다.

아마존은 이처럼 기존의 오프라인 산업부터 미래 먹거리인 4차 산업혁명 기술에 이르기까지 거의 모든 분야를 대체하며 몸집을 크게 불려 가고 있다. 최근에는 헬스케어와 가정용 로봇 산업에도 진출하겠다고 선언해 관련 업계가 초긴장 상태이다. 아마존 효과 Amazon Effect라는 신조어가 괜히 생겨난 게 아니다. 아마존 효과란 아마존이 진출한다는 소식만 돌아도 해당 산업을 리드하는 기업들의 주가가 폭락하고 투자자들이 패닉에 빠지는 현상을 뜻한다. 세계적 투자 전문가인 워런 버핏이 2017년 버크셔해서웨이 주주총회에서 "아마존에 투자하지 않은 것을 후회한다."라고 고백한 것도

'아마존드' 충격에 휩싸인 미국 유통 업체

업체(업종)	주요 내용
시어스(백화점)	2017년 매장 350여 개 폐점
메이시스(백화점)	2017년 매장 65개 폐점, 1만 명 감원
더 리미티드 (여성의류)	오프라인 판매 사업 철수
토이저러스(장난감)	파산보호 신청
페이리스슈소스(신발)	파산보호 신청

(출처: 블룸버그통신)

무리가 아니다.

애플 창업자인 스티브 잡스를 뛰어넘는 혁신가로 평가받는 제프 베조스는 2018년 5월 경제전문지 『포브스』가 발표한 '세계 20대 부호'에서 순자산 1,120억 달러로 1위에 등극했다. 2017년까지 줄곧 1위였다가 2위로 밀려난 마이크로소프트 공동창업자 빌 게이츠는 900억 달러로 제프 베조스와 큰 격차를 보였다. 전 세계 돈의 흐름이 어디를 향하고 있는지 단적으로 보여주는 예다.

플랫폼을 장악하면 세계 경제를 지배한다

과거 전 세계적으로 지배적인 영향력을 가진 기업을 꼽으라면 단연 마이크로소프트, 인텔, 시스코, 델 4인방이었다. 하지만 이들은 요즘 20대들이 생경하게 여길 정도로 '올드 기업'으로 전락한 지 오래다. 그 자리를 대신한 주인공은 바로 요즘 가장 주목받는 구글, 애플, 아마존, 페이스북이다. 이들은 '인터넷 혁명을 주도한 요즘 가장 주목받는 기업은 구글, 페이스북, 아마존, 애플이다. 이들은 '인터넷 혁명을 주도한 4인방'으로 불리고 있다. 영국 『파이낸셜 타임스』는 '구글이 당신의 관심사가 무엇인지 알고 있고 페이스북이 당신이 누구인지를 알고 있다면 아마존은 당신이 무엇을 구매하는지를 알고 있다.'고 평가했다.

4인방Gang of Four'으로 불리고 있다. 이들 4인방의 경쟁력은 플랫폼이다. 17년간 구글을 이끌며 글로벌 정보통신기술 업계의 거인으로 군림했던 에릭 슈미트 전 알파벳(구글의 모기업) 회장은 "구글, 애플, 아마존, 페이스북이 IT 세계를 지배할 수 있었던 이유는 플랫폼을 지배하고 있기 때문"이라고 말했다.

　플랫폼은 종래 컴퓨터 시스템의 기반이 되는 하드웨어 또는 소프트웨어를 뜻하는 용어였다. 하지만 지금은 인터넷을 기반으로 다양한 서비스를 제공하는 IT 시스템으로 그 의미가 확대됐다. 관련 서비스를 한데 모아 네트워크 효과를 창출하는 경영 전략이 바로 플랫폼이다. 플랫폼 전략은 대개 비슷한 절차를 밟는다. 우선 검색 서비스, 소셜 네트워킹 서비스, 메신저 서비스, 인공지능 서비스, 가상현실VR 서비스 등 편리하면서도 혁신적인 서비스를 하나의 플랫폼 안에서 제공해 소비자를 끌어모은다. 소비자들에게 서비스를 제공하는 대신 빅데이터를 입수한다. 이 빅데이터를 분석해 소비자들의 패턴을 예측한다. 그 결과를 토대로 더 많은 소비자들을 끌어당길 새로운 서비스를 개발하고 그럼으로써 관련 시장을

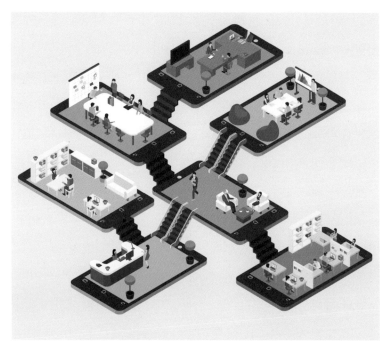

플랫폼은 원래 컴퓨터 시스템의 기반이 되는 하드웨어 또는 소프트웨어를 뜻하는 용어였다. 하지만 지금은 인터넷을 기반으로 다양한 서비스를 제공하는 IT 시스템으로 그 의미가 확대됐다.

장악한다. 이런 구조를 알고 있다고 하더라도 소비자 입장에선 한 번 플랫폼에 중독되면 벗어날 재간이 없다.

우리의 일상은 인터넷으로 시작해 인터넷으로 끝난다고 해도 과언이 아니다. 사람들은 궁금한 것이 생기면 구글 검색엔진에 접속한다. 보고 싶은 동영상은 구글 유튜브로 해결한다. 필요한 스마트폰 앱은 애플 앱스토어에서 다운받고 사고 싶은 것은 아마존 앱에서 시중가보다 저렴하게 구매한다. 친구들과도 사진과 동영상 공유가 가능한 페이스북으로 연락을 주고받는다. 이들 서비스 대부분이 무료인데도 전에 없던 극강의 편리함을 제공한다. 그 결과는

'중독'이다. 사람들은 이제 플랫폼 4인방이 없는 일상은 상상하기 어렵다. 자신도 모르는 사이에 해당 서비스에 중독된 사람들은 배가 고프면 밥을 먹듯이 아이폰 유저는 애플 홈팟을 이용하고 페이스북 유저는 페이스북 메신저로 소통한다. 특정 서비스에 익숙해지는 순간 해당 서비스를 제공하는 플랫폼을 벗어날 수 없게 된다. 이는 곧 시장 장악으로 이어진다.

애플이 대표적이다. 애플은 자사 고유의 아이폰 운영체제iOS, iPhone Operating System하에서 다양한 서비스를 제공한다. 아이팟, 아이폰, 아이패드 등 하드웨어는 물론이고 아이튠즈(애플뮤직), 앱스토어, 애플페이 등 소프트웨어에 이르기까지 모든 것이 아이폰 운영체제라는 독특한 시스템으로 통일되어 있다. 이미 애플 생태계에 익숙해진 사용자들은 이후 애플이 내놓는 새로운 서비스를 거부감 없이 받아들인다. 플랫폼 기업의 수익은 사용자 숫자에 비례한다. 애플이 독자적인 운영체제를 구축하고 플랫폼의 벽을 높이 세우는 것은 애플 플랫폼에 한번 발을 디딘 소비자들을 중독시켜 절대 놓아주지 않겠다는 강한 의지의 표현이라고 봐도 무방하다.

페이스북은 최근 이용자 8,700만 명의 개인정보 유출로 전 세계에서 맹공격을 받고 있다. 하지만 2018년 1분기 매출액은 오히려 2017년 같은 기간보다 49% 오른 120억 달러(약 12조 9,240억 원)를 기록했다. 페이스북 매출의 절대다수가 광고 수익이고 소비자들의 동향에 가장 민감한 분야가 광고업계임을 고려할 때 이 같은 성장세는 잘 만든 플랫폼 하나가 세계 경제에서 얼마나 막강한 힘을 가지고 있느냐를 바로 보여준다.

스마트폰 소비 주도 시대가 됐다

중국과 한국의 고대 통신 수단은 봉수烽燧였다. 높은 산에 있는 봉수대에서 낮에는 연기로 밤에는 불로 위급한 소식을 중앙으로 전했다. 동양은 물론 서양의 고대사회에서도 널리 상용됐다. 봉수는 인간의 한계를 극복해 정보를 전하려는 혁신의 산물이다. 인류는 이후로도 끊임없이 다양한 통신 기술을 발전시켜 왔고 그 결과 우리는 항상 접속 중Always ON인 모바일 시대를 살고 있다. 밤늦게까지 퇴근도 못하고 중동 현지에서 날아오는 텔렉스Telex를 기다리던 시절을 이해할 수 없는 세대가 대부분일 정도로 오늘날 통신 기술과 모바일 기기의 발전은 눈부시다. 그 중심에 애플 아이폰이 있다. 세계 경제는 2007년 애플 아이폰의 등장 이전과 이후로 나뉜다고 해도 결코 과언이 아니다.

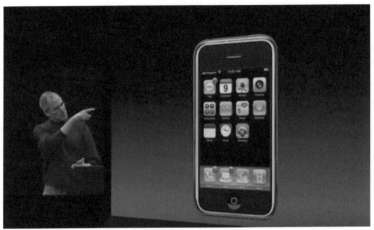

스티브 잡스가 2007년 1월 9일 첫 아이폰 제품을 소개하고 있다. (출처: 유튜브)

개방형 플랫폼으로 무적이 된 스마트폰

기억을 더듬어보면, 우리가 처음 마주한 스마트폰은 기존 휴대
전화의 음성통화와 문자메시지 기능에 인터넷 검색이 더해진 수
준이었다. 그것만으로도 사람들은 신기해하고 감탄했다. 컴퓨터를
켜지 않고도 이동 중에 이메일을 확인하고 또 보낼 수 있다는 건
당시로선 획기적인 변화였다. 하지만 2007년 6월 아이폰의 등장
은 스마트폰에 대한 기준을 송두리째 바꿔버렸다. 특히 2008년 2
세대 아이폰인 아이폰 3G 출시와 함께 등장한 앱스토어AppStore는
단숨에 세계 경제 질서를 바꿔버렸다고 해도 과언이 아니다.

앱스토어는 스마트폰에 탑재할 수 있는 다양한 앱(스마트폰 응용
프로그램)을 사고파는 모바일 콘텐츠 마켓이다. 기존 마켓은 완제품
으로 스마트폰에 탑재된 앱만 이용하거나 대기업이 개발 또는 판
매를 허용한 앱만을 구매할 수 있는 일방적인 구조였다. 하지만 앱

우리는 스마트폰으로 할 수 없는 것이 없을 정도가 됐다.

스토어는 폐쇄적인 마켓을 개방형으로 전환했다. 누구나 앱을 만들어 판매할 수 있고 또 누구든 원하는 앱을 다운받거나 삭제할 수 있게 됐다. 그 결과 전 세계인의 기발한 아이디어와 기술력으로 무장한 다양한 앱들이 쏟아져 나왔다. 앱스토어 오픈 1년 만에 10만 명이 넘는 사람들이 6만 5,000여 개의 앱을 등록했고 같은 기간 다운로드는 15억 건에 달했다. 2017년 말 기준 앱스토어에 등록된 앱은 210만 개에 달한다.

앱스토어는 모두에게 이익을 안겨줬다. 애플은 앱스토어 플랫폼 제공 대가로 판매수익의 30%를 수수료로 받는다. 앱 개발자는 앱스토어 플랫폼에서 전 세계인을 상대로 앱을 판매해 막대한 수익을 얻고 있다. 스마트폰 사용자는 저렴한 비용으로 다양한 기능을 갖춘 앱을 이용하고 있다. 무엇보다 앱스토어는 스마트폰으로 할

우리는 스마트폰으로 음식을 주문하고 차를 부르고 쇼핑을 즐긴다.

수 있는 일들을 무한대로 확장시켰다. 그 결과 우리는 스마트폰으로 할 수 없는 것이 없을 정도가 됐다.

택시는 가장 빠르고 편리한 대중교통 수단이지만 제시간에 빈 택시를 잡기란 쉽지 않은 일이다. 운이 좋으면 몇 분 만에 택시를 잡기도 하지만 대부분은 언제 올지 모를 택시를 하염없이 기다려야 한다. 2010년 6월 등장한 우버 앱은 스마트폰 하나로 택시 스트레스를 확 줄였다. 우버 앱에 현재 위치와 목적지를 입력하면 근처에 있던 운전기사가 승객이 있는 곳까지 알아서 찾아온다. 우버 앱만 누르면 무작정 택시를 기다릴 이유도, 승차 거부를 걱정할 필요도 없다. 과거에는 음식을 집으로 배달시키려면 전단지를 찾아 음식점에 전화를 걸고 배달원에게 현금을 건네야 했다. 하지만 2011년 등장한 배달앱 딜리버리 히어로Delivery Hero는 스마트폰 하나로 음식 배달 과정을 간소화했다. 전단지가 없고 전화를 걸지 않아도 스마트폰 앱에서 다섯 번만 터치하면 음식 주문, 결제, 배달까지 원스톱으로 이용할 수 있다.

어디 이뿐인가. 마트 대신 스마트폰 앱으로 장을 보고 책을 사고

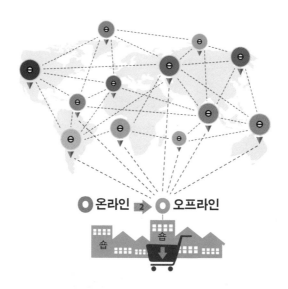

비행기 예매와 호텔 예약을 원스톱으로 해결한다. 이사 갈 집을 알아볼 때도 부동산 대신 스마트폰 앱을 켜고 굳이 해외에 나가지 않아도 직구(직접 구매) 앱을 이용해 전 세계 상품을 안방에서 간편하게 구입할 수 있다. 결제는 온라인으로 하고 실제 상품과 서비스는 오프라인으로 받는 거래 방식이 보편화되고 있다. 이처럼 애플이 아이폰 앱스토어를 통해 가져온 혁신은 소비자들이 콘텐츠를 소비하는 방식에 근본적인 변화를 가져왔다. 스마트폰 앱은 언제 어디서나 몇 번의 터치로 필요한 상품과 서비스를 이용하는 스마트 소비 시대를 주도하며 O2O 현상을 가속화하고 있다.

더 편리하고 더 저렴하고 더 안전하게

O2O 현상이란 온라인 기업이 플랫폼을 기반으로 오프라인 산

핀테크는 금융과 모바일의 결합이 만들어낸 금융 서비스의 혁신이다.

업을 장악해 나가는 것을 뜻한다. 이미 음악, 출판, 언론, 게임, 방
송 등 대다수 콘텐츠 산업이 온라인 기업에 장악된 지 오래이고 숙
박과 운수, 금융, 자동차, 의료 등 오프라인 기업이 지배적인 영향
력을 행사하던 분야까지 온라인 기업에 자리를 내주고 있다. 단순
히 오프라인에서 온라인으로의 위치 이동만을 의미하지 않는다. 4
차 산업혁명 등 기술의 진보에 발맞춰 기존 오프라인 산업을 혁신
하는 단계로 진화해가고 있다. 핀테크 기술을 활용한 새로운 모바
일 금융 서비스가 대표적 예다.

  핀테크FinTech란 금융을 뜻하는 '파이낸스Financial'와 기술을 뜻
하는 '테크놀러지Technology'를 하나로 합친 단어이다. 첨단기술을
활용해 금융 서비스를 혁신하는 기술이 바로 핀테크다. 하지만 현
실에서 핀테크 기술이 적용된 사례를 보면 '금융과 모바일의 결합'

스마트폰 플랫폼과 첨단기술을 활용해 기존의 것들을 획기적인 방법으로 재사용하려는 움직임이 가속화될 것이다.

이 만들어낸 금융 서비스의 혁신이라는 설명이 더 적절해 보인다. 스마트폰 앱을 이용한 간편결제 서비스는 물론이고 은행을 건너뛰고 스마트폰 앱만으로 대출과 해외송금까지 가능해진 것이 대표적예다.

실제로 P2PPeer to Peer 대출 서비스를 이용하면 은행보다 더 나은 조건으로 대출을 받을 수 있고 블록체인 기술을 적용한 해외송금 서비스를 이용하면 훨씬 저렴한 수수료로 돈을 보낼 수 있다. 단순히 오프라인 은행 업무를 온라인으로 옮기는 수준을 넘어 은행이 아닌 온라인 금융 플랫폼을 통해 대다수 금융거래를 훨씬 더 편리하고 저렴하며 안전하게 이용할 수 있게 됐다.

빅데이터와 인공지능 기술의 발전도 O2O 산업을 급성장시키는 동력이 되고 있다. 고객이 굳이 말하지 않아도 알아서 원하는 상품을 맞춤 예측 배송하는 수준에 이르렀다. 드론과 결합한 배송 서비스는 실시간 위치정보 공유와 24시간 이내 물품 배송을 현실화하고 있다. 자율주행자동차가 보편화되면 스마트폰 앱으로 택시를 호출하는 우버 모델은 불법 논란에서 자유로워질 것이다. 또한 가까운 미래에는 알파고처럼 수많은 의료 데이터와 법률 데이터로 중무장한 인공지능이 의사와 변호사를 대신해 스마트폰 앱으로 진료와 법률 서비스를 제공하게 될 것이다.

영국의 시장조사업체 주니퍼 리서치에 따르면 전 세계 O2O 시장 규모는 2017년 기준 186억 달러(약 20조 694억 원)에 달한다. 미국 4대 싱크탱크 중 하나인 브루킹스 연구소Brookings Institution는 2025년이 되면 시장 규모가 3,350억 달러(약 361조 4,650억 원)까지 확대될 것으로 전망했다. 하지만 어쩌면 예상보다 더 가파르고 더 크게 성장할지 모른다. 지금처럼 저성장 기조가 장기화되고 동시에 4차 산업혁명 기술이 빠르게 진일보하게 되면 O2O 산업은 조만간 세계 시장의 주류로 자리매김하게 될 것이다. 구태여 새로운 것을 생산하기보다는 스마트폰 플랫폼과 첨단기술을 활용해 기존의 것들을 획기적인 방법으로 재사용하려는 움직임이 가속화될 것이기 때문이다. 필연적으로 급성장할 수밖에 없는 이유다.

결국 관건은 얼마나 빨리 O2O 플랫폼을 선점해 더 많은 소비자를 끌어모으느냐에 달려 있다. 잘 만든 앱이 세계 경제 질서를 뒤흔들 날이 머지않았다.

새로운 비즈니스 모델이 탄생했다

2013년 실리콘밸리에서는 기업가치가 10억 달러(약 1조 800억 원)를 넘는 비상장 스타트업들이 생겨나자 이들을 '유니콘unicorn'이라고 부르기 시작했다. 유니콘은 머리에 뿔이 하나 달린 신화 속의 동물이다. 상장도 하지 않은 스타트업이 1조 원의 가치를 기록하는 것은 상상의 동물 유니콘이 현실에 나타나는 것과 같다는 의미를 담고 있다.

하지만 해를 거듭할수록 유니콘의 10배를 뛰어넘는 기업들이 속속 등장하면서 사람들은 이들을 데카콘decacorn이라고 부르기 시작했다. 경제 용어로 기업가치가 100억 달러(약 10조 8,000억 원) 이상인 스타트업을 의미한다. 데카콘은 10을 뜻하는 접두사 '데카 deca'와 '유니콘unicorn'의 합성어이다. 「비즈니스 인사이더」가 꼽은 7대 데카콘의 면면만 살펴봐도 전 세계 스타트업이 어디로 향하는

미국 7대 데카콘

	기업	기업가치 (억 달러)
1	우버	680
2	에어비앤비	310
3	스페이스X	211
4	위워크	210
5	핀터레스트	123
6	새뭄드	120
7	드롭박스	100

지를 엿볼 수 있다.

미국에서 가장 잘나가는 7대 데카콘 기업

미국 경제 전문 매체 「비즈니스 인사이더」는 2017년 12월 '미국에서 가장 잘나가는 7대 데카콘 기업'을 소개했다. 데카콘 1위 기업은 단연 우버이다. 2010년 5월 서비스를 시작한 우버는 세계 최대 차량 공유 플랫폼으로 2017년 기준 세계 66개국 528개 도시에서 차량 중개 서비스를 제공하고 있다. 승객과 차량을 스마트폰 앱으로 연결해주는 서비스만으로 2016년 미국 스타트업 사상 최고치인 680억 달러(약 73조 720억 원)의 기업가치를 기록했다. 최근에는 항공택시 공유 서비스를 개발하고 있다. 우버 항공택시는 거대 드론과 소형 비행기를 결합한 하늘을 나는 택시로 빠르면 2023년부터 교통체증이 심한 미국 로스앤젤레스와 델러스-포트워스 등

데카콘 1위 기업은 단연 우버이다. 최근에는 항공택시 공유 서비스를 개발하고 있다. 우버 항공택시를 타고 내릴 수 있는 스카이 포트 콘셉트 이미지

지에서 서비스를 시작할 계획이다.

　2위는 숙소 공유 플랫폼인 에어비앤비Airbnb이다. 빈방을 소유한 집주인과 저렴한 가격에 방을 구하길 원하는 여행객을 스마트폰 앱으로 연결해주는 서비스를 한다. 2008년 8월 등장과 함께 기존 호텔 업계의 판도를 뒤흔들며 세계 최대 숙박 중개 플랫폼으로 올라섰다. 방 한 칸 소유하지 않고 빈 방 중개만으로 기업가치가 310억 달러(약 33조 4,490억 원)에 이른다. 이는 대형 호텔 체인인 힐튼이나 메리어트의 시가총액을 훨씬 웃도는 수치다. 2017년부터는 현지 관광지를 잘 아는 집주인이 여행 일정을 직접 설계해주는 트립스Trips 서비스와 현지 식당 예약을 지원하는 레지Resy 서비스를 새롭게 선보였다. 앞으로도 사업 모델을 다각화해 여행의 처음부터 끝까지 모든 것을 해결할 수 있는 온라인 전문 여행사로

3위는 항공우주장비 전문기업인 스페이스엑스이다. 2018년 스페이스엑스의 팰컨 해비가 우주 공간으로 발사되고 있다.

발돋움할 계획이다.

3위는 항공우주장비 전문기업인 스페이스엑스SpaceX이다. 영화 「아이언맨」의 실제 모델로도 유명한 일론 머스크가 테슬라 창업 1년 전인 2002년에 설립한 민간 우주개발 업체다. 2002년 이전에는 높은 투자비용과 위험성 등의 이유로 보잉사나 록히드마틴 등 몇몇 대형 항공우주 기업들과 정부기관이 우주 산업을 독점해왔다. 그러나 스페이스엑스 등장 이후 우주 산업도 무한경쟁의 시대를 맞았다. 대기업 의뢰로 통신위성을 우주 궤도에 보내는 상업적 비즈니스부터 미국항공우주국NASA과 국제우주정거장ISS 화물 수송 계약을 체결하는 등 공공적 비즈니스에 이르기까지 모든 분야를 섭렵하며 세계 최대 우주 산업 기업으로 군림하고 있다. 2017년 기준 스페이스엑스의 기업가치는 211억 달러(약 22조 7,669억 원)로 평가받고 있다.

5위는 이미지 공유 플랫폼인 핀터레스트이다. 핀터레스트에서 공유되는 이미지만 봐도 최신 유행을 가늠할 정도라는 평가다.

4위는 오피스 공유 플랫폼인 위워크WeWork이다. 공유 오피스co-working space란 다른 회사들과 사무 공간을 함께 사용하는 것을 말한다. 건물주는 대규모 공간을 장기로 계약해 공실 위험을 줄이고 세입자는 저렴한 비용으로 필요한 기간만큼 공간을 사용할 수 있다. 사무실에 입주한 다양한 분야의 전문가들이 자연스럽게 정보를 나누고 협업의 기회를 갖는 것도 공유 오피스의 장점으로 꼽힌다. 2018년 4월 기준 65개 도시에 328개 지점을 보유하고 있다. 위워크는 오피스 임대업 시장을 단순한 공간 임대가 아닌 비즈니스 커뮤니티 공유라는 새로운 모델로 탈바꿈했다. 그 결과 자기 소유의 빌딩도 없이 사무실 임대 사업만으로 창업 8년 만에 기업가치 210억 달러를 기록했다. 최근에는 소프트뱅크와 소프트뱅크 비전펀드로부터 44억 달러(약 4조 7476억 원) 투자를 유치해 주목을 받기도 했다.

5위는 이미지 공유 플랫폼인 핀터레스트Pinterest이다. 핀터레스트는 벽에 물건을 고정할 때 사용하는 핀Pin과 관심이나 흥미를 뜻하는 인터레스트Interest의 합성어다. 페이스북 등 관계 중심의 기존 소셜네트워크서비스SNS와 달리 개인의 취향을 적극적으로 드러내는 이미지 스크랩 기능과 이미지 검색 서비스를 제공하고 있다. 또한 실시간 커뮤니케이션보다는 트렌드와 패션에 민감한 앱으로 공유되는 이미지만 봐도 최신 유행을 가늠할 정도라는 평가다. 월간 사용자가 1억 7,500만 명에 이른다. 이중 70% 이상이 유행에 민감한 여성 사용자이다. 이미지 속 상품을 클릭하면 즉시 구매가 가능한 서비스로 수익을 창출하고 있다. 현재 핀터레스트의 기업가치는 123억 달러(약 13조 2,717억 원) 수준이다. 2017년에는 스마트폰으로 촬영한 사진 속 다양한 아이템을 자동으로 인식하고 분석하는 이미지 검색 도구인 렌즈Lens 서비스를 새롭게 선보이며 더 높은 수익을 올리고 있다.

6위는 생명과학 분야 스타트업 새뮤드Samumed이다. 데카콘 중 유일한 바이오 기업으로 2007년에 설립한 암 치료 전문 제약회사 윈더릭스Wintherix가 전신이다. 2012년 지금의 새뮤드로 이름을 바꾼 뒤 탈모와 관절염 등 줄기세포 기반의 퇴행성 질환 치료제 개발에 성과를 보이며 세계적인 생명공학 스타트업으로 급부상했다. 새뮤드가 개발한 치료제들은 임상시험 결과 모발 재생과 무릎연골 재생에 효과가 높은 것으로 알려졌다. 현재 기업가치는 120억 달러(약 12조 9,480억 원)에 이른다.

컨트롤

로보틱스

보안

4차
산업혁명

미래

인터넷

비즈
니스

4차 산업혁명은 디지털 혁명이라는 3차 산업혁명 과정의 기반 위에서 모든 첨단 기술들이
서로 연결되고 지능적으로 진화하는 정보 혁명이라고 할 수 있다.

마지막으로 7위는 클라우드 컴퓨팅을 이용한 웹 기반 파일공유
플랫폼인 드롭박스Dropbox이다. 2007년 설립된 드롭박스는 일반
사용자를 대상으로 클라우드 저장소를 제공하고 있다. 몇몇 대형
기업들이 시장을 선점한 기업용 클라우드 저장소와 달리 일반 소비
자를 대상으로 하는 클라우드 서비스는 수천수만의 경쟁사들이 난
립해 있다. 그런 와중에도 드롭박스는 사용하기 쉽고 간단하며 매
우 안정적인 서비스를 제공하며 2017년에는 사용자가 5억 명을 돌
파했다. 유료 이용자가 1,100만 명에 달한다. 드롭박스는 2017년

11억 1,000만 달러(약 1조 1,976억 9,000만 원)의 매출을 기록했다. 기업가치는 100억 달러(약 10조 7,900억 원) 수준이다. 2018년 3월 나스닥에 상장했다.

모든 것이 서로 연결되고 진화하는 정보 혁명

"우리는 지금까지 우리가 살아왔고 일하고 있던 삶의 방식을 근본적으로 바꿀 기술혁명 직전의 단계에 와 있다. 이 변화의 규모, 범위, 복잡성은 지금까지 인류가 경험했던 것과는 전혀 다를 것이다."

클라우스 슈밥 세계경제포럼WEF 회장은 2016년 1월 다보스포럼에서 4차 산업혁명The Fourth Industrial Revolution 시대를 공식 선언했다. 4차 산업혁명은 인공지능, 사물인터넷IoT, 빅데이터, 모바일 등 첨단 정보통신기술들이 서로 융합하면서 경제와 사회 전반에 혁신적인 변화가 나타나는 차세대 산업혁명을 의미한다.

1차 산업혁명이 기계를 산업 현장에 도입하는 과정에서 수증기의 힘을 이용했고 2차 산업혁명은 전기 에너지를 통해 대량 기계생산체제를 만들어냈다. 3차 산업혁명은 디지털 기술을 이용해 대량 생산체제를 만들어냈고 4차 산업혁명은 디지털 혁명이라는 3차 산업혁명 과정의 기반 위에서 모든 첨단 기술들이 서로 연결되고 지능적으로 진화하는 정보 혁명이라고 할 수 있다.

데카콘 7대 기업에서 보듯이 최근 글로벌 스타트업의 화두는 공유경제, 우주 산업, 바이오 산업으로 요약할 수 있다. 빈집부터 개인의 취향까지 모든 것을 공유하는 소비 생활의 변화, 비행기를 택

세계 경제는 이미 스타트업 전성시대로 빠르게 이동하고 있다.

시처럼 타고 우주선으로 화성을 여행하는 공간 이동의 변화, 머리
카락부터 몸속 장기에 이르기까지 신체 노화를 되돌리는 라이프스
타일의 변화 등 인류는 최근 몇 년 사이에 전혀 새로운 삶의 방식
을 마주하고 있다. 세계 경제가 스타트업을 주목하는 건 그래서이
다. 인공지능과 사물인터넷 등 첨단기술을 적용한 새로운 비즈니
스 모델은 기존의 오프라인 시장을 지배해온 전통 사업자가 아닌,

신선한 아이디어와 기술력으로 승부하는 새로운 혁신 기업의 몫이기 때문이다.

이미 그 징조가 나타나고 있다. 2018년 2월 기준 글로벌 시가총액 상위 10개 기업을 살펴보면 애플, 알파벳, 마이크로소프트, 아마존, 페이스북, 텐센트, 버크셔헤더웨이, 알리바바 등 정보통신기술 기업들이 모두 장악하고 있다. 존슨앤존슨, 뱅크 오브 아메리카, 월마트 등 역사가 오래된 전통 기업들은 10위 밖으로 밀려난 지 오래다. 특히 최근 몇 년 사이에 데카콘 기준인 100억 달러를 6배 이상 초월하는 초대형 스타트업이 속속 등장하고 있다는 점을 고려하면 가까운 미래에 전통 기업들은 더 많은 스타트업들에게 자리를 내주게 될 것이다. 세계 경제는 이미 스타트업 전성시대로 빠르게 이동하고 있다.

2장

혁신 기업들은
법률전쟁 중이다

왜 한국에선 글로벌 스타트업이 불법인가

우버는 스마트폰 앱을 이용해 승객과 차량을 중개해주는 서비스다. 승객은 택시를 기다릴 필요 없이 원하는 시간과 장소에서 차량을 이용할 수 있고 자가용 운전자는 여유 시간에 승객을 데려다 주고 수익을 창출할 수 있다. 우버의 가장 큰 장점은 편의성과 저렴한 요금이다. 택시 콜센터에 전화를 걸 필요 없이 스마트폰 앱만 터치하면 당장 내 눈앞에 택시를 호출할 수 있다. 게다가 택시보다 30%가량 요금도 저렴하다. 운전자로서도 별도의 자격증 없이도 새로운 수익을 낼 수 있다. 만약 승객에게 받은 요금이 1만 원이라면 이중 20%인 2,000원을 우버에 수수료로 주고 나머지 8,000원은 본인 소득이 된다.

승객은 더 빠르고 저렴하게 택시 서비스를 이용해서 좋고 운전자는 원하는 시간에 추가적인 소득을 벌 수 있어서 좋다. 우버의

국토교통부는 2014년 8월 우버 서비스를 여객자동차운수사업법 위반으로 규정했다.

이런 획기적인 서비스에 전 세계인이 열광했다. 특히 광활한 영토와 불편한 대중교통과 비싼 교통비에 시달리던 미국인들에게 간편하면서도 저렴한 우버 서비스는 혁신 그 자체였다. 우버는 2010년 5월 샌프란시스코를 시작으로 세계 도시로 영역을 확장해 나갔고 2017년 기준 세계 66개국 528개 도시에서 차량 중개 서비스를 제공하고 있다.

우버는 택시 서비스 혁신은 물론이고 자동차에 대한 개념을 '소유'에서 '공유'로 바꾸었고 2016년 기업가치 680억 달러(73조 3,720억 원)를 기록했다. 이는 같은 기간 미국 대표 자동차 제조사 제너럴모터스GM의 시가총액 460억 달러(49조 6,340억 원)를 한참 웃도는 규모이다. 특히 우버 서비스는 기존 유휴차량을 공유함으로써 추가적인 설비 투자 없이도 새로운 비즈니스를 창출한다는 점에서 매출 규모를 훨씬 뛰어넘는 사회 경제학적 가치를 가진다고 할 것이다. 하지만 우버가 눈물을 머금고 영업 중단을 결정한 나라가 있다. 바로 우리나라 대한민국이다.

왜 새로운 산업은 불법인가

우버는 2013년 8월 서울과 인천공항을 중심으로 차량 중개 서비스인 우버엑스UberX 영업을 시작했다. 사람들은 우버 서비스에 열광했지만 기존 택시 사업자들과 정부 입장은 달랐다. 택시 업계는 불법이라며 거세게 반발했다. 기존 택시는 차량 정비며 보험 등 까다로운 규제를 모두 준수하며 영업을 하는데 우버 차량은 아무런 규제 없이 검증 안 된 개인 운전자가 택시 영업을 하는 것이어서 불법 영업에 해당한다는 것이다. 차량 결함이 있어도 단속할 방법이 없고 교통사고가 났을 때 보험 처리도 어려워 오히려 승객들에게 위협이 될 것이라고 주장했다. 범죄 위험도 우버 서비스를 반대하는 이유 중 하나다.

정부는 택시 업계의 손을 들어줬다. 국토교통부는 2014년 8월 우버 서비스를 여객자동차운수사업법 위반으로 규정했다. 여객자동차운수사업법 제81조 1항은 사업용 자동차가 아닌 자가용 자동차를 유상운송에 사용하거나 임대 또는 중개하는 것을 금지하고 있다. 다만 출퇴근 때 자가용을 함께 타는 경우는 예외적으로 허용하고 있다. 이에 우버는 승객과 차량을 연결해주는 우버엑스 서비스는 목적지가 같은 승객과 차량을 매칭하는 카풀과 유사한 개념이므로 위법이 아니라고 맞섰다. 하지만 국토교통부는 개인 소유 자가용으로 손님을 태우고 대가를 받는 행위는 명백한 불법행위라고 못을 박았다.

검찰도 힘을 보탰다. 2014년 말 검찰은 사업용 자동차를 사용해 유상으로 여객을 운송하거나 알선한 자동차 대여 사업자를 처벌하는 여객자동차운수사업법 제34조 위반 혐의로 우버 CEO 트래비스 캘러닉과 우버 영업을 담당한 렌터카업체 MK코리아 대표 등을 불구속 기소했다. 관할 관청인 서울시도 강경한 태도를 고수했다. 서울시는 2015년 1월 우버를 포함한 불법 택시 영업행위 신고자에게 20만 원에서 최대 100만 원까지 포상금을 지급하는 일명 '우파라치(우버+파파라치)' 조례를 통과시켰다. 궁지에 몰린 우버는 운전기사 대신 과징금이나 벌금을 내겠다고 선언했다. 하지만 서울시는 대납 행위가 확인되면 건건이 고발하는 방안을 검토하겠다며 맞불을 놓았다.

방송통신위원회도 거들고 나섰다. 방통위는 우버가 고객의 스마트폰 위성위치시스템GPS 정보를 우버 운전기사들에게 제공하는 위치 기반 서비스 사업자임에도 관련 신고를 하지 않았다고 밝혔다. 위치 정보의 보호 및 이용 등에 관한 법률 제40조 제2호에 따르면 위치 기반 서비스 사업자 신고를 하지 않고 서비스를 제공하면 위치정보법 위반죄로 3년 이하의 징역 또는 3,000만 원 이하의 벌금형에 처할 수 있다.

우버는 불법 논란이 뜨거워지자 정부에 '우버 기사 등록제'를 제안했다. 일정한 자격을 갖춘 사람만이 우버 운전기사가 될 수 있도록 적절한 상용 면허를 발급해 불법 소지를 없애자는 취지였다. 그러나 정부는 받아들이지 않았다. 우버 기사 등록제는 사실상 택시 등록제와 같은데 택시 과잉 공급 해소를 위해 감차 정책을 시행하는 상황에서 더는 해당 인력을 늘릴 수 없다는 이유였다. 이런 가

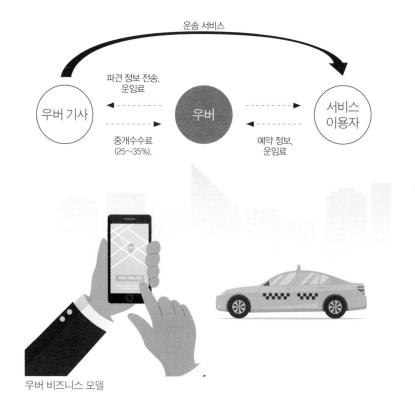

운송 서비스

우버 기사 ← 파견 정보 전송, 운임료 --- 우버 --- 예약 정보, 운임료 → 서비스 이용자

중개수수료 (25~35%).

TAXI ONLINE

우버 비즈니스 모델

운데 2015년 5월 우버 등 유사택시의 운송사업 행위 금지 조항을 신설한 '여객자동차운수사업법 개정안'이 국회 본회의를 통과했다. 우버는 결국 개인 소유 차량을 공유하는 우버엑스 서비스를 전면 중단했다.

물론 우버가 한국에서 완전히 철수한 것은 아니다. 2018년 5월 기준 우버는 고급 택시 서비스인 우버블랙UberBLACK, 시간제 대절 서비스인 우버트립UberTRIP, 출퇴근용 카풀 서비스 우버쉐어Uber-SHARE, 교통약자를 지원하는 우버어시스트UberASSIST 등 국내법 상 합법인 서비스를 선별적으로 제공하고 있다. 하지만 우버의 대표적 비즈니스 모델이자 최대 수익원인 우버엑스 서비스가 중단된 이후 서비스 이용자들은 크게 급감했다. 우버엑스를 제외한 나머지 다양한 우버 서비스들을 이용할 수 있다는 사실조차 모르는 사람들이 적지 않다. 우버는 우버엑스 중단을 선언한 2015년에 사실상 한국에서 퇴출된 것이나 다름없다.

코앞으로 다가온 우버 합법화 시대

우버 퇴출은 단순한 불법 논란이 아니다. 새로운 서비스를 무기로 신시장을 개척하려는 혁신 기업과 기존 시장 질서를 고수하며 기득권 유지를 원하는 전통 산업 사이의 주도권 싸움이라고 봐야 옳다. 여러 가지 명분을 제시했지만 결국 택시 업계가 우버를 반대한 본질적 이유는 영업 손실에 대한 우려 때문이다. 기존 택시는 편리하고 저렴한 우버 서비스가 상용화되면 경쟁에서 밀려나게 될 것이다. 그렇게 되면 그동안 독점적으로 누려온 택시 영업권은 물론 택시 기사들의 일자리까지 빼앗기게 될 것이다. 그래서 택시 기사들이 우버가 생존권을 위협한다며 집회까지 열어 반대 목소리를 높인 것이다.

하지만 사용자들의 입장은 다르다. 전통적인 택시 산업은 정부 통제에 따라 차량과 운전기사 공급이 제한된다. 평시에는 큰 문제가 없지만 차량 이동이 몰리는 출퇴근 시간이나 대중교통이 끊기는 심야 시간에는 택시 수요보다 공급이 한참 못 미친다. 그러다 보니 필요할 때 택시를 타지 못하는 일이 자주 발생하거나 비싼 요

수많은 IT 기업들이 속속 자율주행자동차를 선보이고 있고 2030년이면 도로 어디서나 자율주행자동차를 보게 될 것이다. 사람 대신 인공지능이 운전을 담당하는 자율주행자동차의 등장은 전통적인 운수 산업의 변화를 동반한다.

금에 비해 서비스 만족도가 크게 떨어지는 일이 반복되어 왔다.

반면 우버 서비스는 차량을 소유한 사람은 누구나 우버 운전기사가 될 수 있으므로 적어도 택시를 못 잡는 상황은 피할 수 있다. 출퇴근 때든 심야 시간이든 스마트폰 앱을 누르기만 하면 우버 차량이 내 앞으로 오고 기존 택시보다 요금도 저렴하니 굳이 마다할이유가 없다. 또한 기존 택시 기사와 우버 운전기사의 경쟁은 필연적으로 택시 서비스 향상으로 이어질 테니 승객으로선 누이 좋고매부 좋고이다.

우버 서비스를 불법으로 낙인찍으면 당장은 택시 업계가 안정을누릴지 모른다. 하지만 그것은 시간 연장에 불과하다. 2017년부터이미 사람이 운전하지 않는 자율주행자동차가 도로를 활보하기 시

자율주행과 차량 공유 시대에 감소하는 9가지 산업

(출처: IGM 세계경영연구원)

작했다. 테슬라와 애플을 선두로 수많은 IT 기업들이 속속 자율주행자동차를 선보이고 있고 2030년이면 도로 어디서나 자율주행자동차를 보게 될 것이다. 사람 대신 인공지능이 운전을 담당하는 자율주행자동차의 등장은 전통적인 운수 산업의 변화를 동반한다.

초기에는 상당한 고가일 것이므로 일반 대상 판매보다는 택시와 버스 같은 대중교통 운수 산업에 먼저 도입될 것이다. 택시나 버스 사업자들로선 안전성만 보장된다면 자율주행자동차가 인건비도 안 들고 사고 발생률도 낮추니 훨씬 이득이다. 시간 문제일 뿐 결과적으로 운전기사라는 직업은 점차 사라지게 되는 것이다.

자율주행자동차 시대에는 우버 서비스도 당연한 일상이 된다. 사람은 운전으로부터 해방되고 인공지능을 탑재한 자동차는 알아서 최단거리로 목적지까지 이동한다. 과도기를 넘어서면 자율주행자동차 가격은 내려갈 것이고 차량 공유 서비스도 훨씬 저렴한 가격에 이용할 수 있게 된다. 언제 어디서든 차량 서비스를 이용할 수 있으니 굳이 차량을 소유할 필요가 없어진다. 자율주행 우버 서비스가 보편적인 이동 방식이 되는 것이다.

물론 이렇게 되기까지는 상당한 시간이 걸린다. 하지만 앞으로 10년 이내에 반드시 닥칠 현실임은 분명하다. 그렇다면 당장의 기득권을 앞세워 우버 서비스를 무조건 몰아내기보다는 장기적으로 직업 재교육 프로그램을 마련해 택시 기사들이 공백 없이 생존권을 보장받도록 지원하는 것이 훨씬 현명한 대처가 될 것이다. 또한 중단기 대책으로 기존 택시 기사들과 우버 운전기사들이 공존하는 새로운 시장 질서를 구축하는 것도 대안이 될 수 있다.

미국 매사추세츠 주는 2016년 8월 우버 서비스를 합법화하는 조건으로 이용 횟수당 20센트의 세금을 부과하고 있다. 우버와 리프트Lyft를 통한 차량 중개 서비스가 매달 200만 5,000회에 이르고 있어 세금 징수액만 수백만 달러 규모이다. 이중 25%는 2021년까지 택시 업계 지원에 사용된다. 우버 서비스 수익 중 일부를 택시 업계 손실 보전에 사용함으로써 이해가 상충하는 두 산업을 공존의 무대로 끌어올린 것이다. 이와 함께 매사추세츠 주는 우버 운전기사 등록도 엄격하게 관리하고 있다. 2단계 신분 검증 프로세스를 통해 성범죄자 등 결격 사유를 가진 운전기사를 배제한다. 2017년 4월 현재 약 7만 명의 신청자 중에서 8,000명 이상이 과거 면허정지 처분과 범죄 경력 등을 이유로 운전자 등록에 실패했다. 불법 시비가 있는 우버 운전기사를 적극적으로 규제 안에 들임으로써 혹시 모를 부작용을 최소화한 것이다.

세계 공유경제 시장 규모

(단위: 원)

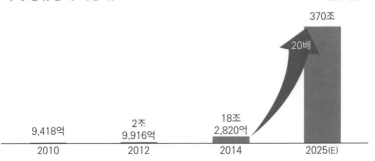

370조

20배

18조
2,820억

2조
9,916억

9,418억

| 2010 | 2012 | 2014 | 2025(E) |

(자료: 다국적 회계 컨설팅 기업 프라이스워터하우스쿠퍼스PwC)

우버나 에어비앤비 같은 새로운 공유경제 모델은 규제한다고 해서 막을 수 있는 것이 아니다. 이미 공유경제는 우리 사회의 주류 질서로 자리매김해가고 있다. 기존 산업을 보호한다는 이유로 다수의 혁신 산업에 불법 낙인을 찍고 규제 울타리를 강화하는 것은 오히려 국내 산업이 경쟁을 통해 혁신할 기회를 빼앗고 글로벌 강자들에게 우리 시장을 그대로 내주는 결과를 가져올 뿐이다.

디지털 혁신 발목 잡는
'법뮤다 삼각지대'

인류는 상식적으로 이해할 수 없는 기이한 현상들을 신의 계시나 외계인의 소행으로 여겨왔다. 하지만 과학기술이 발전하고 상식의 기준이 높아지면서 대부분의 불가사의는 자연현상에 따른 물리적 결과라는 결론에 이르렀다. 하지만 지금의 첨단과학으로도 여전히 풀지 못하는 미스터리도 존재한다. 그중 하나가 '버뮤다 삼각지대Bermuda Triangle'이다. 버뮤다 삼각지대는 미국 남부 플로리다 해협, 버뮤다섬, 푸에르토리코를 잇는 삼각형 범위 안의 해역을 말한다. 보기엔 다른 해역과 별다른 차이가 없다. 하지만 유독 이곳에서만 운행 중이던 선박과 항공기들이 자취도 없이 사라지는 현상이 자주 발생했다.

1945년 12월 미국 해군 항공대 제19단 비행단 소속 어뢰요격기 1개 편대가 버뮤다 삼각지대 해상을 지나던 중 갑자기 실종됐

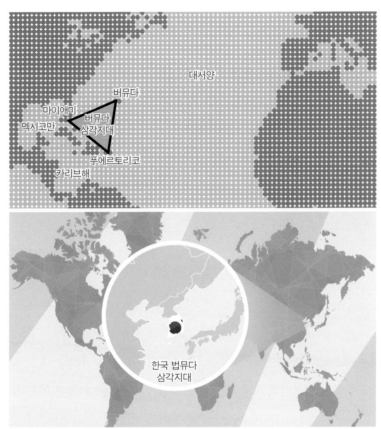

한국에도 버뮤다 삼각지대가 존재한다. 이중 삼중 규제로 인해 혁신적인 스타트업들이 자취도 없이 사라지는 미스터리 구역, 미래 혁신이 실종되는 규제의 블랙홀, 이른바 '법뮤다 삼각지대'이다.

다. 뒤이어 실종기를 찾으러 날아갔던 구조기도 감쪽같이 사라졌다. 일반적으로 선박이나 항공기 사고가 발생하면 파편이나 실종자, 하다못해 사고 주변지역에 큰 기름띠라도 생겨야 한다. 그런데 버뮤다 삼각지대에서 발생한 사고들은 흔적도 없이 모든 것이 자취를 감췄다. 이후에도 1949년 항공기 스타 아리엘, 1950년 화물선 엘 스나이더, 1954년 미 해군 수송기, 1973년 노르웨이 화물선 아니타호, 2008년 항공기 에어프랑스 등 같은 장소에서 15건이 넘는 사고가 발생했다. 그때마다 사고의 흔적은 찾아볼 수 없었다.

그런데 이런 일은 비단 저 멀리 남의 나라에만 생기는 것은 아니다. 분야는 다르지만 한국에도 버뮤다 삼각지대가 존재한다. 이중삼중 규제로 인해 혁신적인 스타트업들이 자취도 없이 사라지는 미스터리 구역, 미래 혁신이 실종되는 규제의 블랙홀, 이른바 '법뮤다 삼각지대'이다.

흔적도 없이 사라지는 스타트업 미스터리

국내 온라인 중고차 거래 플랫폼 헤이딜러HeyDealer는 창업 1년 만인 2016년 1월 폐업을 선언했다. 사정인즉 이렇다. 헤이딜러는 개인이 보유한 중고차를 판매할 때 전국의 중고차 딜러들에게 비교 견적을 받아 가장 합리적인 가격으로 거래가 이뤄지도록 중개 서비스를 제공하는 온라인 중고차 거래 업체이다. 엄격한 딜러 제도를 도입해 가격 투명성을 높이고 회사로 찾아올 필요 없이 매매 당사자끼리 직접 거래로 편의성까지 확보했다. 그 결과 창업 1년 만에 다운로드 30만 건에 누적거래액 300억 원을 돌파하며 혁신적인 스타트업으로 주목받았다. 동일한 조건의 중고차를 훨씬 저렴하게 구매할 수 있었다. 오프라인 사업자와 달리 주차장이나 경비실 등 땅을 보유할 필요가 없으므로 그만큼 중개 수수료를 줄일 수 있었고 그 혜택은 고스란히 서비스 이용자에게 돌아갔다.

하지만 오프라인 중고차 거래업자들의 반발이 만만치 않았다.

시장을 빼앗길 것을 우려한 오프라인 중고차 거래업자들이 지역구 국회의원을 움직여 자동차관리법개정안을 국회에 제출했다. 개정안은 온라인 중고차 사업자도 오프라인 사업자와 마찬가지로 1,000평 규모의 주차장과 100평 이상의 경비실 등 각종 시설과 인력을 갖추도록 했고 2016년 1월 수정 없이 원안대로 국회를 통과했다. 온라인 기업에게 기존 오프라인 사업사와 동일한 규제를 적용하는 것은 마치 모바일 부동산 앱인 '직방'에게 오프라인 부동산 사무실을 운영하라는 것과 마찬가지로 말도 안 되는 일이다. 우버처럼 원래 있던 규정을 적용한 것도 아니고 굳이 없던 규정을 새로 만들어서 시장 진입을 막는 것도 비상식적인 일이다. 하지만 보편적인 상식과 합리적인 문제 제기는 마치 버뮤다 삼각지대처럼 기득권의 영향력에 밀려 자취를 감췄다.

한순간에 경쟁력을 상실한 헤이딜러에게 남은 선택은 폐업뿐이었다. 규제를 따르려면 토지 구매를 위한 막대한 자금이 필요한데 고작 사업경력 1년에 불과한 스타트업에게 그럴 만한 돈이 있을 리 만무하다. 또 설사 마련한다 해도 서울 근교에서 1,000평이 넘는 땅을 구할 방법도 없어서다. 그렇게 또 하나의 혁신 기업이 실종될 위기에 처한 그때 역풍이 불기 시작했다. 헤이딜러의 폐업 소식을 접한 언론들이 일제히 국회를 비난하는 기사를 쏟아냈다. 자동차관리법개정안은 온라인과 오프라인 플랫폼 간 차이를 이해하지 못한 과도한 규제라는 지적이 줄을 이었다. 이에 많은 사람들이 공감을 표하면서 여론이 헤이딜러로 쏠리기 시작했다. 결국 여론에 밀린 정부는 손들고 백기를 선언했다. 법을 통과시킨 국회와 주

터무니 없는 딜러말고
무조건 깎는 딜러말고
거짓말 하는 딜러말고

1등 내차팔기 가격비교앱
헤이딜러

국내 온라인 중고차 거래 플랫폼 헤이딜러는 창업 1년 만인 2016년 1월 폐업을 선언했다가 50일 만에 영업을 재개했다. 법뮤다 삼각지대에 빠져 사라질 뻔했지만 언론과 여론에 힘입어 구사일생으로 살아날 수 있었다.

무부처인 국토교통부는 소비자 보호를 위한 최소한의 약관만 남기고 나머지 규제는 철폐하기로 했다. 이미 국회를 통과한 법을 불과 한 달 만에 되돌린 일은 헌정사상 유례가 없는 일이다.

헤이딜러는 폐업 선언 50일 만에 영업을 재개했다. 법뮤다 삼각지대에 빠져 사라질 뻔했지만 언론과 여론에 힘입어 구사일생으로 살아날 수 있었다. 하지만 대다수 스타트업들은 여전히 강고한 법뮤다 삼각지대 속에서 과도한 규제에 시달리며 사실상 폐업을 강요받고 있다.

스타트업 스타트 막고 방해하는 규제 블랙홀

콜버스랩Callbus은 스마트폰으로 부르는 심야 버스 서비스이다.

콜버스 (출처: 콜버스 페이스북). 스마트폰으로 부르는 심야 버스 서비스이다.

밤에 운행하지 않는 10~13인승 전세버스를 이용해 목적지가 같은 승객을 안전하게 바래다준다. 우버가 한국에서 사실상 퇴출되는 과정을 지켜보며 법 테두리 안에서 가능한 운수사업을 고민한 결과 탄생한 모델이다. 2015년 12월 지하철이 끊긴 뒤 택시를 잡으려는 인파로 아수라장이 되는 강남 등지에서 시범 서비스를 했다.

반응은 폭발적이었다. 승차 거부도 없고 택시보다 요금도 절반가량 저렴해 정식 서비스 도입을 기대하는 사람들이 부지기수였다. 하지만 국토교통부는 2016년 2월 여객자동차운수사업법시행규칙 개정안을 입법 예고했다. 개정안에 따르면 심야 콜버스는 합법이지만 사업 참여 대상은 기존 버스와 택시 사업자만 가능하다. 오랜 기간 법무법인과 논의를 이어오며 개발한 콜버스 서비스가 하루아침에 불법이 돼버렸다. 결국 콜버스랩은 2017년 4월 전세버스 중개 플랫폼으로 사업 모델을 전환했다.

럭시Luxi는 2016년 8월 서비스를 시작한 카풀 앱이다. 럭시 앱에 목적지를 입력하면 동선이 일치하는 차량 소유주(운전자)와 고객(탑승자)을 연결해준다. 요금은 거리 등으로 계산되는데 택시보다 40% 정도 저렴하다. 탑승자는 훨씬 저렴한 가격으로 차량 서비스를 이용하고 운전자는 동선의 낭비 없이 수익을 창출한다. 럭시도 매칭의 대가로 요금 일부를 수수료로 챙긴다. 여객자동차운수사업법 제81조에 따르면 우버처럼 자가용을 이용한 유상 운송은 불법이지만 출퇴근에 한해 자가용을 함께 타는 경우는 예외적으로 허용하고 있다. 럭시는 이러한 예외규정을 사업 모델로 전환했고 출퇴근 카풀을 원하는 사람들이 몰리면서 폭발적 인기를 누렸다. 2017년 11월 기준 이용 건수가 400만 건을 넘었고 이용자 수는 70만 명에 달했다. 하루 평균 5,000명이 럭시로 출퇴근한다고 해도 결코 과장이 아니다.

하지만 정부는 럭시의 카풀 서비스를 불법으로 규정했다. 교통수요가 몰리는 출퇴근 시간에 한해 친분 있는 사람끼리 카풀을 하는 것이 법의 원래 취지인데 럭시는 스마트폰 플랫폼을 이용해 불특정 다수를 상대로 영업하고 있어 위법행위라는 것이다. 실제로 경찰은 하루 3회 이상 카풀 서비스로 영리를 취한 것은 불법이라며 카풀 운전자 수십 명을 입건 처리했다. 현행법에는 출퇴근 카풀이 가능하다는 조항만 있을 뿐 출퇴근이 몇 시부터 몇 시까지인지, 카풀 이용은 하루에 몇 번까지 가능한지 등 시간이나 횟수에 대한 구체적인 규정은 없다. 즉각 반격이 시작됐다. 그러나 서울시는 '카풀은 나홀로 출퇴근 차량 해소와 교통 혼잡 개선이 목적이지 업체

와 운전자가 365일 24시간 수익을 올리라고 도입된 제도가 아니'
라며 아예 법 개정을 주장하고 나섰다. 이에 발맞춰 국회의원들은
카풀 서비스를 더욱 엄격히 규제할 수 있도록 출퇴근 시간을 명문
화한 개정안을 발의했다. 결국 럭시는 2018년 2월 카카오모빌리
티에 지분 100%를 매각했다.

4차 산업혁명 시대의 국가 경쟁력은 얼마나 많은 글로벌 플랫폼
을 보유하고 있느냐에 달려 있다. 글로벌 플랫폼은 구글이나 아마
존이 그랬듯 혁신적인 서비스를 보유한 스타트업으로부터 출발한
다. 하지만 기득권을 놓치기 싫은 전통 산업은 혁신을 거부하고 법
을 무기 삼아 신생 스타트업들을 공격하고 있다. 한 줄뿐인 법 문
항을 근거로 시행령을 통해 수백 개의 규제를 만들어내거나 기존
오프라인 산업에 유리하도록 법을 바꾸고 새로 조항을 신설해 혁
신 기업들의 성장을 가로막고 있다. 그 결과 국내 스타트업들은 이
중 삼중 규제에 시달리며 원래 목표였던 글로벌 플랫폼은커녕 당
연한 결과라고 생각했던 생존조차 힘겨운 상황에 직면하고 있다.

약이 아무리 좋아도 과용하면 독약이 된다. 산업의 균형적 성장
을 위해 규제는 반드시 필요하다. 하지만 유독 스타트업에만 과다
하게 집중되는 규제들은 오히려 경제 성장에 위협으로 작용하고
있다. 지금 스타트업에게 필요한 것은 '규제'가 아니라 '지원'이다.
만약 우리나라에도 구글과 아마존처럼 글로벌 플랫폼이 탄생하길
바란다면 규제의 블랙홀인 법뮤다 삼각지대를 하루빨리 걷어내서
모든 산업 분야에 혁신이 뿌리내릴 수 있는 토대를 마련해야 할 것
이다.

왜 한국형 글로벌 유니콘은
사라졌는가

구글은 2015년 5월 서울 강남구 삼성동에 '구글 캠퍼스 서울'을 개관했다. 성장 가능성이 높은 스타트업을 대상으로 연구 공간과 함께 플랫폼, 기술, 마케팅 전략 등 교육 프로그램을 지원하는 일종의 스타트업 지원센터다. 구글 캠퍼스는 영국 런던과 이스라엘 텔아비브에 이어 세계에서 세 번째이자 아시아 최초로 대한민국 서울에 문을 열었다. 현재 스페인 마드리드, 브라질 상파울루, 폴란드 바르샤바 등 6개 도시에서 운영되고 있다.

구글 캠퍼스 서울이 국내 창업지원센터와 다른 점은 구글의 체계적이고 전문적인 프로그램을 통해 스타트업의 글로벌 진출을 맞춤형으로 지원한다는 것이다. 구글 자신이 아이디어 하나로 캘리포니아의 작은 차고에서 지금의 글로벌 기업으로 성장했듯이 전 세계 스타트업들이 구글의 지원을 발판 삼아 세계를 무대로 마음껏 새로운 비즈니스에 도전할 수 있도록 후원자 역할을 자처하고 있다.

한국 스타트업의 경쟁력과 가능성

2017년 11월 구글 캠퍼스 서울을 졸업한 스타트업 가운데 인공지능 기반 반려동물 케어 플랫폼인 고미랩스GomiLabs는 삼성전자와 SK텔레콤 등 국내 기업은 물론이고 프랑스 최대 이동통신사인 오랑주Orange와 독일의 세계적 제약회사 바이엘Bayer 등 글로벌 기업과 손잡고 글로벌 시장 진출을 추진하고 있다.

고미랩스는 반려견 세 마리 중 한 마리는 분리불안장애로 스트레스를 받고 있다는 점에 착안해 인공지능 기능을 탑재한 반려동물 로봇 장난감인 '고미볼'을 개발했다. 인공지능이 탑재된 고미볼은 스스로 빛을 내고 자율주행자동차처럼 혼자 움직이는 것이 특징이다. 반려견이 물면 진동을 울리기도 하고 물었다가 떨어뜨리면 스스로 도망을 가기도 하면서 반려견의 호기심을 자극한다. '고미피더'는 반려견이 고미볼을 가지고 놀면 보상으로 간식을 자동으로 내준다.

고미볼의 또 다른 특징은 자이로 센서로 반려견의 움직임을 인식한다는 것이다. 반려견의 활동량과 운동량, 식사량 등 행동패턴을 분석해 24시간 데이터로 축적하고 분석해 분리불안증 개선과 비만 예방 등을 위한 운동 가이드를 스마트폰 앱 '고미'로 주인에게 전송한다. 최근 수년간 반려동물을 가족처럼 키우는 '펫팸족Pet+Family'이 급증하면서 반려동물 관련 시장이 빠르게 성장하고

고미랩스는 반려견 세 마리 중 한 마리는 분리불안장애로 스트레스를 받고 있다는 점에 착안해 인공지능 기능을 탑재한 반려동물 로봇 장난감인 '고미볼'을 개발했다. 인공지능이 탑재된 고미볼

있다. 기존의 반려동물을 위한 병원과 미용실을 넘어, 반려동물 동반 여행사, 전용 콜택시, 장례식장, 최근에는 반려동물과 함께 살기에 안전한 주택을 지어주는 곳까지 등장했다.

세계미래학회는 반려동물 관련 시장을 뜻하는 '펫코노미Petcono-my'를 '미래 10대 전망' 중 하나로 선정하기도 했다. 미국 펫코노미 규모는 2018년 694억 달러(약 74조 5,000억 원)에 달한다. 한국도 2020년까지 5조 8,000억 원 규모로 성장할 것으로 예측된다. 이러한 추세에 따라 반려견의 행동패턴을 24시간 데이터로 수집하는 고미랩스 플랫폼은 앞으로 반려동물 전문 보험 상품 등 다양한 반려견 상품을 개발하는데 폭넓게 활용될 것으로 전망된다.

고미랩스와 함께 구글 캠퍼스 서울을 졸업한 글로벌 동영상 콘테스트 플랫폼 어메이저Amazer는 K팝 인기와 더불어 이미 글로벌 플랫폼으로 성장해나가고 있다. 2017년 2월부터 서비스를 시작한 어메이저는 배틀을 중심으로 하는 글로벌 동영상 콘테스트 플랫폼이다. 셀카 영상부터 립싱크, 댄스, 패션 스타일 등 다양한 미션에 따라 영상을 업로드하면 투표를 진행해 우수 영상을 선정한다.

투표는 동일한 주제로 다른 크리에이터가 업로드한 두 개의 영상을 보여주고 이중 마음에 드는 영상을 손가락으로 미는 스와이프swipe 방식으로 진행된다. 한때 유행한 '이상형 월드컵'과 비슷한 방식이다. 가장 많은 표를 얻은 크리에이터는 어메이저로 선정되며 유료 아이템(어메이징 코인) 수익과 함께 글로벌 크리에이터로 발돋움할 기회를 잡는다. 앱 사용자들은 동영상 배틀이라는 새로운 형식을 통해 양질의 콘텐츠를 즐길 수 있다.

어메이저는 처음부터 글로벌 서비스로 기획됐다. 영어를 중심으로 일본어, 중국어, 스페인어 등 7개 언어로 서비스를 제공한다. 실제로 2018년 2월 기준 어메이저 앱 사용자의 95% 이상이 해외 거주자다. 유럽과 미국을 중심으로 121개국에 분포되어 있다. 대다수가 K팝을 좋아하는 10대들이다. 해외 사용자들에게 'K팝 글로벌 커뮤니티'로 인지도가 높다. 일례로 국내 아이돌이 신곡을 발표한 직후 어메이저에 올라오는 영상을 보면 해외 팬들의 실시간 반응을 정확하게 확인할 수 있다. 이런 이유로 해외 K팝 팬들뿐 아니라 국내 연예기획사들에게도 매력적인 플랫폼으로 평가받고 있다.

구글 캠퍼스 서울은 2018년 1월에도 신규 입주 스타트업 6곳을 선정했다. 암호화폐 거래 정보 플랫폼 코인매니저, 360도 가상현실 영상 스트리밍 솔루션을 서비스하는 알카크루즈, 색칠놀이 앱을 개발하는 예스튜디오, 자녀 돌봄 서비스 플랫폼인 자란다, 인공지능 기반 자연어 의미분석 솔루션인 큐라온 등이다. 이들의 면면만 살펴봐도 앞으로 국내 스타트업의 미래를 한눈에 짐작할 수 있다.

한국 스타트업 생태계에서 사라진 유니콘

한국 스타트업은 최근 몇 년 사이에 눈부신 성장을 보여주고 있다. 스타트업 전문 미디어 「플래텀Platum」이 최근 발간한 『2017 한국 스타트업 투자동향 보고서』를 보면 2017년 한 해 동안 스타트업 투자 건수는 425건으로 2016년 대비 22.5% 증가했고 투자유치 총액은 1조에 가까운 9,538억 4,000만 원을 기록했다.

최고 투자금을 유치한 스타트업은 글로벌 여가 플랫폼 기업 야놀자이다. 불과 1년 사이에 600억 원을 단숨에 끌어모았다. 2018년 상반기에만 한화자산운용으로부터 300억 원과 SBI인베스트먼트로부터 100억 원 등을 추가로 투자받는 등 최근 3년간 국내 스타트업 역대 최고 금액인 1,510억 원의 투자금을 유치하는 기염을 토했다. 그다음으로 간편송금서비스 토스를 운영하는 비바리퍼블리카 550억 원, 배달음식 앱 배달의민족 운영사인 우아한형제들 350억 원, 물류 브랜드 부릉을 운영하는 물류 스타트업 메쉬코리아 240억 원 등의 순서로 나타났다. 2017년에 50억 원 이상의 투자금을 유치한 스타트업은 59곳이고 한 해 동안 2회 이상 투자금을 유치한 스타트업은 33곳에 이른다.

가장 큰 특징은 창업 2~3년 이내 신생 스타트업에 대한 투자가 가장 활발하게 이뤄졌다는 점이다. 2016년 80곳에서 2017년 99곳으로 크게 증가했다. 「플래텀」에서 발간한 보고서는 기업 공개 자료를 토대로 분석한 것이다. 실제 국내 스타트업에 대한 투자 규모는 훨씬 클 것으로 보인다. 숫자는 정확하지 않을지 모르지만 분명한

스타트업 업종과 투자 규모 (단위: 억 원)

순위	스타트업	업종	투자규모
1	야놀자	숙박 O2O	800
2	비바리퍼블리카 (토스)	간편송금	550
3	우아한형제들 (배달의민족)	푸드테크	350
4	매쉬코리아	IT 기반 물류	240
5	플러스	모바일 키풀	220
6	ABL바이오	면역항암치료제	200
7	센드버드	모바일용 채팅 API	170
7	베스핀그로벌	클라우드 IT 솔루션	170
9	푸드테크	POS 관리 솔루션	167
10	트레져헌터	MCN	161

(출처: 플래텀)

사실은 최근 몇 년 사이 스타트업에 대한 투자가 급증하고 있다는 점이다.

하지만 장밋빛 낙관은 이르다. 2014년 경제협력개발기구OECD 가 발간한 보고서 『한눈에 보는 기업가정신Entrepreneurship at a Glance』에 따르면 한국에서 이루어진 창업의 63%가 치킨집이나 편의점 같은 생계형 창업으로 나타났다. 반면 인공지능이나 사물 인터넷 등 4차 산업혁명 기술을 적용한 기회 추구형 창업은 21% 에 불과했다. 미국 54%, 이스라엘 58%, 핀란드 66%, 스웨덴 56% 와 비교하면 현저히 낮은 비중이다.

경제 지표도 이를 반증한다. 통계청 자료를 보면 매년 20% 이상 매출이 증가한 창업 5년 이하의 고성장 기업은 2011년 2만 1,000 개에서 2015년 1만 8,000개로 4년간 해마다 4.4%씩 감소했다. 신 생 기업의 5년 생존율도 2012년 때보다 3.6%포인트 하락했다. 이처럼 세계 어디에 내놔도 절대 뒤지지 않을 참신한 아이디어와 기술력을 보유하고 있음에도 매출이 지속적으로 성장하고 시장에서 압도적 우위를 점하는 국내 스타트업은 찾아보기 어렵다. 미국 경제전문지 『포브스』도 2018년 1월 인터넷판 기사에서 "한국 스타트업 업계는 2015년을 마지막으로 새로 떠오르는 유니콘이 없는 가뭄을 겪고 있다"고 지적했다. 이유는 여러 가지가 있겠지만, 시장 진입과 성장을 저해하는 과도한 규제를 지적하지 않을 수 없다.

OCED 가입국을 대상으로 한 2017년 글로벌 기업가정신 모니터 지표Global Entrepreneurship Monitor Index에 따르면 한국의 창업 생태계 진입 환경은 65개국 중에서 49위에 불과하다. 한마디로 창업하기 어려운 나라라는 것이다. 한국에서 신규 비즈니스 모델이 시장에 진입하고 합법적으로 사업을 영위하기 위해서는 여러 가지 까다로운 관문을 모두 통과해야 한다. 그중에서도 초기 단계의 규제가 문제로 지적된다. 가장 큰 걸림돌은 비즈니스 모델의 합법성이다. 최근 등장하는 스타트업이 4차 산업혁명 신기술을 활용한 기존에 없던 비즈니스 모델이라는 점에서 문제가 발생하는 것이다.

전 세계 유니콘 기업 중 상위 100개 기업의 비즈니스 모델을 살펴보면 핀테크 등 금융 분야가 17%, O2O 서비스 17%, 헬스케어 관련 서비스가 9%를 차지하고 있다. 이중 상당수가 국내법에 규정된 업종 어디에도 해당하지 않는 신규 비즈니스 모델이거나 기존의 법으로는 합법 여부를 판단할 수 없는 사업들이다. 그런데 우리 법은 상당히 높은 확률로 기존 전통 사업자의 손을 들어준다. 우리는 한두 줄의 법 문항을 전통 산업에 유리하도록 재해석해 신규 산

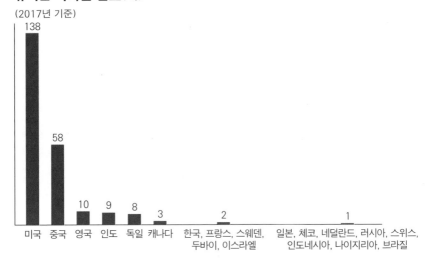

유니콘 국가별 분포(개)

(2017년 기준)

미국	중국	영국	인도	독일	캐나다	한국, 프랑스, 스웨덴, 두바이, 이스라엘	일본, 체코, 네덜란드, 러시아, 스위스, 인도네시아, 나이지리아, 브라질
138	58	10	9	8	3	2	1

업을 불법으로 규정하거나 새로운 규제를 도입해 신규 산업이 시장에 진입하는 것을 막아온 사례를 수도 없이 지켜봤다. 이런 상황에서 글로벌 시장을 선점할 스타트업의 탄생을 기대하기란 요원한 일이다.

다른 하나는 인허가 요건의 충족이다. 어느 산업 분야든 합법적인 영업행위를 하려면 법이 정한 인허가 요건을 충족해야 한다. 일정 규모 이상의 자본금과 시설물을 갖추거나 특정 분야의 전문성을 갖춘 인력을 고용하는 식이다. 하지만 기존의 인허가 규정은 오프라인 산업 위주여서 동종 분야 인터넷 기업에는 불필요하거나 과도한 부담이 될 수 있다. 헤이딜러처럼 온라인으로 중고 자동차 거래를 중개하는 서비스 기업에게 기존 오프라인 사업자와 마찬가지로 일정 규모 이상의 주차장 보유를 의무화한 것이 전형적 예이다. 직접적인 상품 판매 없이 거래 중개만을 서비스하는 플랫폼 기

미국과 중국의 스타트업 전쟁이 치열하다.

업에게 기존의 오프라인 산업 규제를 그대로 적용하는 것은 새로운 산업의 시장 진입과 성장을 가로막겠다는 것과 다름없다.

물론 산업 분야별로 규제와 방임의 적절한 균형점을 찾는 일은 쉬운 일이 아니다. 지금처럼 기술 혁신의 속도와 시장의 변화가 가파른 시기에는 더욱 그러하다. 하지만 당장 이 순간에도 국내 스타트업들은 규제에 발이 묶여 고전하고 있는데 해외에서는 적극적인 규제 혁신으로 새로운 시장을 선점해가고 있다. 다른 나라들은 적극 받아들이거나 규제하지 않는 서비스를 우리나라만 유독 불법으로 단죄하는 것은 시장의 건강한 성장을 위해서나 앞으로 국가경쟁력 제고를 위해서도 결코 옳은 일이 아니다. 모든 국민이 바라는 좋은 일자리는 새로운 아이디어와 기술력으로 무장한 신생 스타트업에서 만들어지며 글로벌 스타트업의 탄생은 불필요한 규제를 걷어낼 때 비로소 첫발을 내디딜 수 있다. 코앞으로 다가온 4차 산업혁명 시대에 과연 지금의 법과 규제가 적합한 것인지에 대한 보다 적극적이고 전면적인 재검토가 필요한 시점이다.

3장

인공지능이
미래 소비 시장을 장악한다

모든 것이 알아서 움직이는
인공지능 시대

2014년 겨울 아마존에서 눈이 번쩍 뜨일 만한 새로운 제품을 출시했다. 바로 인공지능 음성인식 스피커 '아마존 에코Amazon Echo'이다. 얼리어답터를 자부하는 1인으로서 그냥 지나칠 수 없었다. 아마존 유료 회원에 이어 일반에게도 판매되기 시작한 2015년 여름쯤 해외직구로 에코를 구입해 집 거실에 설치했다.

지금이야 국내에도 많이 대중화됐지만 당시만 해도 말을 알아듣고 그대로 실행하는 인공지능 스피커는 신세계와 다름없었다. 미국 전용이라 한국어 지원도 안 되고 국내 사물인터넷이 초입 단계라 연동할 수 있는 기기도 적어서 100% 활용은 불가능했다. 하지만 그래도 말 몇 마디로 음악 재생이나 일정 관리 같은 기능이 작동되는 걸 경험하면서 4차 산업혁명 속으로 발을 한 발짝 내디딘 것 같은 기분이 들었다.

아마존 에코와 에코룩

　아마존 에코는 인공지능 기술이 우리 일상으로 성큼 들어온 첫 사례라 할 만하다. 그동안 알파고니 왓슨이니 하는 인공지능 프로그램이 뉴스를 수놓았지만 정작 현실에선 가까이 접할 기회가 없었다. 현재 수준으로 인공지능이라 표현하기엔 무리가 있지만, 아마존 에코의 등장이 우리 사회가 본격적인 인공지능 시대로 발돋움하는 발판이라는 점에는 이견이 없다.

아마존 에코가 연 인공지능 스피커 시대

　아마존 에코는 23.5센티미터 높이의 원기둥 모양이다. 겉보기엔 여느 스피커와 다를 바 없다. 하지만 이 기기 안에는 아마존이 개발한 인공지능 음성비서 프로그램인 알렉사Alexa가 탑재되어 있다. 사용자가 "알렉사" 하고 부르고 "음악 틀어줘."나 "날씨 알려줘."라고 말하면 스피커에 내장된 7개의 마이크로 사용자의 목소리를 인식해 자동으로 음악 재생과 날씨 읽기를 수행한다. 팟캐스트와 킨들 앱 등과 연동해 스트리밍 재생이나 오디오북 청취도 가능하고 미리 결제 수단을 입력해두면 몇 마디 말로 인터넷 쇼핑도 할 수 있다. 도어락이나 전기 등 스마트홈 기기와 연동하면 알렉사와의 대화만으로 문을 잠그거나 불을 끌 수도 있다.

기존 IT 기기는 키보드 자판으로 명령어를 직접 입력하거나 터치스크린으로 아이콘을 클릭해야 이용할 수 있었다. 하지만 인공지능 음성비서는 사용자가 말로 지시하면 알아서 명령을 수행한다. 기존의 인터페이스 환경을 완전히 뛰어넘는 혁신적인 기술이다. 아마존 킨들이 종이책을 읽는 대신 전자책을 듣는 것으로 책 읽기 방법을 바꾼 것처럼 아마존 에코는 몸을 움직이는 대신 말 몇 마디로 집 안의 모든 기기를 컨트롤하는 스마트홈 시대를 앞당기고 있다. 이는 아마존 에코 사용자들의 이용 패턴에도 고스란히 드러난다. 아마존은 에코 출시 2년여가 흐른 2016년 에코 사용자 1,300명을 대상으로 1회 이상 사용한 에코 기능을 조사했다. 그 결과 타이머 설정과 음악 재생이 가장 많았고 그다음으로 뉴스 읽기가 많은 비중을 차지했다. 초창기에는 말로 음악을 재생하는 조금 비싼 오디오 기기 정도에 머물렀다면 시간이 흐를수록 단순한 스피커를 넘어 뉴스 읽기와 전자책 듣기 등 정보전달자 역할로 진화하고 있다.

경쟁사들이 유사한 제품을 출시한 것은 이즈음부터이다. 아마존 에코의 성공에 자극을 받은 구글은 2016년 11월 자사의 인공지능 음성비서 프로그램인 구글 어시스턴트Google Assistant가 탑재된 구글홈Google Home을 출시했다. 구글 홈의 경쟁력은 정확한 응

구글은 2016년 11월 자사의 인공지능 음성비서 프로그램인 구글 어시스턴트가 탑재된 구글홈을 출시했다.

답률이다. 약 2조 3,000억 개의 영어단어를 성별, 연령별, 억양별로 구분할 수 있는 음성 클라우드를 이용해 사용자의 질문에 가장 적절한 답변을 내놓는다. 실제로 디지털 마케팅 회사 스톤 탬플이 2018년 아마존 알렉사, 애플 시리, 마이크로소프트 코타나Cortana, 구글 어시스턴트 등 IT 기업들이 내놓은 음성인식 소프트웨어를 대상으로 응답 정확도와 응답률을 조사했다. 그 결과 구글 어시스턴트가 주어진 질문에 가장 많이 대답하고 응답 내용도 가장 정확한 것으로 나타났다.

애플도 2018년 2월 인공지능 음성비서 시리를 탑재한 스피커 홈팟HomePod을 선보였다. 홈팟은 애플 특유의 디자인과 최상의 음질을 자랑하며 '애플 덕후'들에게 폭발적인 인기를 받았다. 하지만 대중화에는 실패한 모습이다. 아마존 에코(179달러)나 구글 홈(129달러)과 비교해 너무 비싼 가격(349달러)과 인공지능이란 말이

애플은 2018년 2월 인공지능 음성비서 시리를 탑재한 스피커 홈팟을 선보였다.

무색할 만큼 서로 다른 목소리를 구별하지 못하는 시리 때문에 판매 실적이 저조한 편이다. 페이스북은 2018년에 자체 개발한 인공지능 음성비서 엠M을 탑재한 인공지능 스피커를 출시할 예정이다. 페이스북 채팅 프로그램인 메신저Messenger와 연동해 스피커로 메신저 대화를 나눌 수 있고 15.6인치 터치스크린과 카메라를 장착해 화상 채팅이 가능한 것으로 알려졌다.

현재 인공지능 음성비서 스피커 시장은 아마존 에코가 단독 선두를 지키고 있다. 후발주자인 구글이 검색엔진 기반의 뛰어난 음성 인식률을 무기로 맹추격하고 있지만 2년 앞서 시장을 선점한 아마존의 저력을 뛰어넘지는 못하고 있다. 시장조사기관 칸타르 월드패널에 따르면 2018년 3월 기준 아마존 에코 스피커 시리즈의 미국 내 점유율은 66%로 2위인 구글홈 30%와 큰 격차를 보이고 있다. 하지만 후발주자들의 도전은 멈출 줄 모른다. 아마존의 독주가 분명해 보이는데도 후발주자들은 인공지능 음성비서 스피커 개발에 막대한 자금을 쏟아 부으며 앞다퉈 신제품을 내놓고 있다. 그 이유는 인공지능 스피커 시장을 장악하는 기업이 곧 미래 소비 시장을 점령한다는 사실을 잘 알기 때문이다.

인공지능 스피커가 점령할 미래 소비 시장

지금까지 인공지능 스피커의 경쟁력은 사용자의 말을 얼마나 잘 알아듣느냐에 있었다. 2014년 아마존 에코 출시 때만 해도 단어 형태의 짧은 언어를 인식해 음악을 재생하거나 날씨를 읽어주는 것이 전부였다. 하지만 불과 몇 년 만에 인공지능 스피커는 눈부신 진화를 거듭했다. 목소리만으로 서로 다른 사람을 구별할 수 있고 인터넷 쇼핑이나 계좌 송금처럼 복잡한 명령도 처리가 가능하다. 최근에는 스피커라는 단일한 기기에서 벗어나 TV와 에어컨 등 집 안의 가전기기를 자유자재로 제어하는 사물인터넷 허브로 진일보 하고 있다. 이제 인공지능 스피커는 단순히 말을 잘 알아듣는 수준이 아니라 얼마나 많은 디바이스를 제어할 수 있느냐가 경쟁력이 되고 있다.

일례로 구글 홈에 탑재된 인공지능 음성비서 구글 어시스턴트는 현재 미국의 거의 모든 스마트홈 기기 브랜드를 지원하고 있다. 구글 어시스턴트와 호환되는 스마트 기기는 2018년 1월 1,500개에서 5월 5,000개 이상으로 증가했다. 스마트TV, 냉장고, 에어컨, 제습기, 공기청정기, 오븐, 식기세척기, 보안 카메라, 조명기기, 디지털 온도조절 장치, 스위치 등 종류도 다양하다.

인공지능 기술 분야별 시장 규모 전망 (단위: 백만 달러)

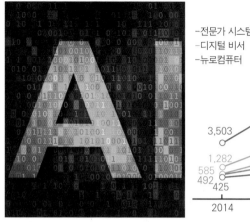

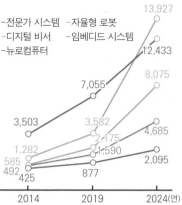

-전문가 시스템 -자율형 로봇
-디지털 비서 -임베디드 시스템
-뉴로컴퓨터

13,927

12,433

8,075

7,055

4,685

3,503   3,582
                2,175
1,282   1,590
585   2,095
492   425   877

2014   2019   2024(연)

(출처: 지멘스, 2014. 10)

아마존 에코의 알렉사는 업계 1위답게 세계 최다 수준의 스마트 홈 기기 연동을 자랑한다. 알렉사는 2018년 5월 현재 2,000개 브랜드에서 출시한 스마트홈 디바이스 1만 2,000개와 자유롭게 호환된다. 구글 어시스턴트의 두 배를 훨씬 웃도는 규모다.

중국의 반격도 만만찮다. 2017년 8월 알리바바는 인공지능 음성비서 알리지니AliGenie를 탑재한 스피커 티몰 지니Tmall Genie를 출시했다. 2017년 11월 11일 중국 최고의 쇼핑 시즌인 광군제 기간 동안 100만 대가 넘게 팔렸고 2018년 5월 현재 누적 판매량은 200만 대를 넘어섰다. 티몰 지니의 가장 큰 강점은 사물인터넷으로 아마존 에코를 훌쩍 뛰어넘는 무려 4,500만 대의 가전과 연동된다는 것이다. TV, 에어컨, 로봇 청소기 등 종류도 셀 수 없을 정도다.

2017년 9월 샤오미가 출시한 인공지능 음성인식 스피커 미Mi도

알리바바에서 출시한 인공지능 스피커 티몰 지니

5만 원대의 저렴한 가격을 무기로 판매 23초 만에 매진되는 기록을 세웠다. 이미 중국 가정에 수많은 종류의 샤오미 가전제품이 배치되어 있어 인공지능 스피커로 연동하기에 최적의 조건을 갖추고 있다. 실제로 샤오미 미는 스마트 TV, 에어컨, 공기청정기, 로봇청소기 등 다양한 기기를 제어할 수 있으며 오픈소스 플랫폼을 통해 협력사가 아닌 제품도 샤오미 스피커와 연결되도록 했다. 앞으로 인공지능 스피커의 가장 큰 효용가치는 사물인터넷 기술력이라고 해도 과언이 아니다. 이미 특정 스피커를 사용 중인 사람이라면 앞으로 가전기기를 구매할 때 해당 스피커와 연동되는 제품을 우선할 것이다. 어떤 스피커를 사용할지 고민 중인 사람이라면 이미 보유한 가전기기와 가장 연결성이 높은 제품을 우선할 것이다. 어떤 경우라도 사물인터넷 확장성이 높은 스피커가 선택받을 가능성이 높다. 중국 알리바바와 샤오미가 후발주자임에도 아마존과 구글 못지않은 시장 장악력을 발휘하는 이유다.

여기서 끝이 아니다. 사물인터넷으로 스마트홈을 점령한 인공지

샤오미 인공지능 스피커 미

능 스피커가 집중적으로 공략할 곳은 바로 쇼핑이다. 어느 주기로 식료품을 구매하고 어떤 브랜드의 상품을 선호하는지에 대해 실시간으로 데이터를 축적한 인공지능 스피커는 어느 수준에 이르면 생필품 구매 주기를 따져 알아서 주문서를 넣고 내가 좋아할 법한 상품을 추천해주는 단계에 이를 것이다. 그야말로 취향 저격 서비스이다.

사람들은 일반적으로 굳이 동일한 기능의 인공지능 스피커를 두개 이상 사용하지는 않을 것이므로 가장 성능이 좋은 제품을 선호하게 될 것이다. 사용자의 사용기간이 늘어날수록 데이터가 차곡차곡 축적될 것이고 인공지능이란 말에 걸맞은 맞춤형 서비스를 제공하게 될 것이다. 그럴 때 만약 인공지능 스피커가 의도적으로 자사 또는 협력사 제품을 추천한다고 해도 이미 극강의 편리함과 취향 저격 서비스에 중독된 사용자들이 거부할 가능성이 극히 낮다.

사물인터넷으로 스마트홈을 점령한 인공지능 스피커가 집중적으로 공략할 곳은 바로 쇼핑이다.

그 결과는 소비 시장의 장악이다. 사람들은 인터넷 쇼핑몰이나 스마트폰 앱 대신 인공지능 스피커를 통해 대다수 물품을 구매하게 될 것이다. 이는 곧 가장 많은 사용자를 보유한 인공지능 스피커가 가장 큰 전자상거래 플랫폼이 된다는 것을 의미한다. 아마존의 라이벌인 월마트와 코스트코 등 미국 대형 소매 유통 업체들이 최근 구글과 제휴를 맺은 것은 그래서다. 세계 최대 전자상거래 업체인 아마존에 맞서 구글홈을 통해 인공지능 스피커 소비 시장을 견제하겠다는 의도로 풀이된다. 최대 플랫폼 기업인 구글과 최대 유통망을 가진 월마트의 결합은 미래 소비 시장이 인공지능 스피커에 좌우될 것임을 방증한다.

글로벌 시장조사업체 스트래티지 애널리틱스는 2017년 15억 달러(약 1조 6,222억 5,000만 원) 수준인 세계 인공지능 스피커 시장

가트너 IoT 기기 시장 전망 (기기 산업 특화 부문)

- IoT 기기 도입 건수(백만 대)
- IoT 기기 지출 비용(십억 달러)

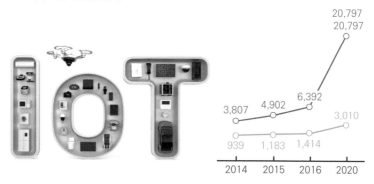

(출처: 지멘스, 2014. 10)

이 2022년에는 55억 달러(약 5조 9,482억 5,000만 원)으로 급성장할 것으로 전망했다. 하지만 이는 단순히 인공지능 스피커의 매출 규모만을 고려한 것일 뿐이다. 만약 여기에 인공지능 스피커와 연동되는 사물인터넷 전자기기 시장과 전자상거래 시장까지 포함한다면 우리의 상상을 초월하는 규모가 될 것으로 보인다.

데이터 주권 뺏기면
정보 식민지로 전락한다

구글의 인공지능 음성인식 스피커인 구글홈과 소형 제품인 구글홈 미니가 2018년 4월 국립전파연구원으로부터 전파인증을 받았다. 해외 무선기기가 국내에 출시되기 전에 반드시 거쳐야 하는 절차로 통상 해외 기업들은 제품 출시 1~2개월 전에 전파인증을 받는다.

아마존 에코도 국내 시장 진출 초읽기에 들어갔고 에코를 구매한 한국 이용자들을 위해 이미 연합뉴스, 조선일보, 매일경제 등 국내 언론사 뉴스를 한국어로 읽어주는 서비스를 제공하고 있다. 이는 곧 국내 기업이 글로벌 해외 기업과의 피할 수 없는 경쟁을 앞두고 있음을 의미한다. 현재로선 네이버와 카카오 등 토종 인공지능 음성인식 스피커 업체들이 국내 시장을 상당수 점유하고 있다. 하지만 아마존과 구글의 압도적인 글로벌 시장 지배력을 고려하면 만만치 않은 싸움이 될 것으로 보인다.

구글과 아마존 vs. 네이버와 카카오

국내 인공지능 스피커 시장은 이동통신사들이 포문을 열었다. SK텔레콤은 2016년 9월 국내 최초로 인공지능 음성인식 스피커 누구NUGU를 선보였다. 아마존 에코나 구글홈과 마찬가지로 대화하듯 말을 걸면 음성비서가 답을 해주거나 관련 명령을 수행한다. 멜론과 같은 음악 스트리밍 서비스를 재생하고 조명이나 에어컨 같은 가전기기를 제어하며 스마트폰 앱과 연동해 휴대폰 찾기나 일정관리 등 비서 역할도 제공한다. 2017년 8월에는 업그레이드 버전인 누구 미니NUGU mini를 새로 출시했다. 인공지능 교통안내 앱과 연동한 T맵x누구에 이어 키즈폰에 누구를 결합한 쿠키즈 준3x누구와 SK브로드밴드 셋톱박스에 누구를 결합하는 Btvx누구를 출시하는 등 사용자 접점을 늘려나가고 있다.

2017년 1월에는 KT가 기가지니GiGA Genie 스피커를 출시하며 경쟁에 나섰다. 초창기에는 SK텔레콤 누구 스피커와 기능 면에서 큰 차이가 없었다. 그러다가 2017년 11월 LTE 무선통신 기능을 추가한 기가지니 LTE를 새롭게 선보였다. 기가지니 LTE는 에그 기능을 탑재해 야외에서도 스피커를 사용할 수 있고 '바로 말하기 모드'를 추가해 "지니야, TV 켜줘."라고 한 문장으로 말해도 바로 알아듣는다.

LG유플러스는 2017년 12월 네이버의 인공지능 음성비서 플랫

국내 인공지능 스피커

누구 (SK텔레콤)	기가지니 (KT)	씽큐허브 (LG전자)

폼 클로바Clova에 자사 인터넷TViPTV와 가정용 사물인터넷을 접목한 스마트홈 서비스 U+우리집 AI를 출시했다. 이동통신사 중 가장 늦게 인공지능 스피커 시장에 뛰어들었지만 자사 IPTV나 사물인터넷 신규가입자에게 인공지능 스피커를 무료로 제공하는 등 가장 공격적인 행보를 보이고 있다. 아마존이나 구글 등과 달리 제품 판매가 아닌 서비스에서 수익을 창출하는 통신회사인 만큼 사용자를 늘려 앞으로 플랫폼을 통한 이익 극대화를 꾀한다는 전략이다. 실제로 LG유플러스는 LG생활건강과 GS리테일 등과 제휴를 맺고 인공지능 스피커를 통한 쇼핑 인프라를 확보했다.

하지만 IT 기업의 반격이 만만찮다. 네이버는 2017년 8월 자사 음성비서 플랫폼 클로바를 탑재한 인공지능 스피커 웨이브Wave에 이어 같은 해 10월 프렌즈Friends를 연달아 출시했다. 네이버 웨이브는 자사 검색엔진 네이버의 데이터베이스를 토대로 네이버 지식인과 지식백과 등 2만 건 이상의 정보 검색을 제공한다. 또한 TV

네이버 프렌즈와 카카오 미니

나 셋톱박스와 연동하면 리모컨처럼 쓸 수 있고 음식 배달 앱인 배달의민족과 연계해 음성 주문 서비스도 제공한다. 최근에는 생필품을 시작으로 음성쇼핑 서비스를 추가했다.

네이버 프렌즈는 라인 캐릭터를 모티프로 귀여운 디자인과 앙증맞은 크기로 높은 휴대성을 자랑한다. 양방향 블루투스 기능으로 스마트폰이나 차량 스피커를 연결해 음악을 들을 수 있고 웨이브와 마찬가지로 네이버 검색엔진도 사용할 수 있다. 사물인터넷 기능은 제외했지만 LG유플러스와 연동한 프렌즈+ 스피커를 이용하면 전자기기를 자유자재로 제어할 수 있다. 이에 질세라 한 달 뒤인 2017년 11월에는 다음카카오가 인공지능 스피커 카카오미니 Kakao mini를 선보였다. 카카오가 개발한 인공지능 음성비서 플랫폼 카카오 아이Kakao I가 탑재된 카카오미니는 초창기 자사 검색엔진 다음 음성 검색, 음악 재생, 뉴스 청취 등 기존 스피커와 큰 차이가 없었다. 하지만 최근 들어 카카오톡 메시지 음성 전송, 카카오

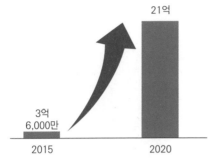

전세계 인공지능 스피커 시장 전망 (단위: 달러)

21억

3억
6,000만

2015   2020

(출처: 가트너)

택시 부르기, 카카오 주문하기(음식 배달) 등 기존 카카오 서비스를 인공지능 스피커와 연동하며 좋은 반응을 얻고 있다.

현재까지 국내 인공지능 스피커 시장은 네이버와 카카오가 조금 앞선 가운데 이동통신 3사와의 경쟁이 치열한 양상이다. 가장 늦게 출시된 카카오미니가 2017년 11월부터 2018년 2월까지 4개월간 약 10만 대를 판매하며 가장 선전하고 있다. 2017년 한 해 동안 국내에서 판매된 토종 인공지능 스피커는 총 100만 대 정도이다. 하지만 2017년 3,100만 대가 판매된 아마존 에코와 비교하면 국내 스피커 시장은 아직 걸음마 수준이다. 단순히 판매량만이 아니다. 인공지능 스피커 성능 면에서도 큰 격차를 보이고 있다. 인공지능 스피커의 진짜 경쟁력은 사물인터넷 확장성에 있다. 아마존과 구글은 물론 중국 알리바바와 샤오미는 광범위한 전자기기와의 연동으로 거대 플랫폼을 형성해가고 있다. 특히 알리바바는 스마트홈을 벗어나 자동차로 적용 범위를 확대하고 있다.

독일 메르세데스 벤츠와 아우디 그리고 스웨덴 볼보는 알리바바

중국 기업 알리바바와 샤오미는 광범위한 전자기기와의 연동으로 거대 플랫폼을 형성해가고 있다. 특히 알리바바는 스마트홈을 벗어나 자동차로 적용 범위를 확대하고 있다.

인공지능 스피커인 티몰 지니를 탑재한 자동차 모델을 출시하기로 했다. 운전자는 집에서 티몰 지니를 통해 연료계기, 주행거리, 자동차 문, 창, 에어컨 등을 음성으로 제어할 수 있다. 또한 인공지능 스피커와 자동차를 연결해 운전자와 승객에게 전자상거래, 엔터테인먼트, 지역정보 등을 서비스할 계획이다. 글로벌 자동차 3사는 최근 급성장하는 중국 스마트 자동차 시장을 겨냥해 알리바바와의 연대를 선택했다. 알리바바 역시 이를 통해 TV부터 자동차까지 모든 스마트 기기의 허브 역할을 하는 인공지능 플랫폼 기업으로 발돋움할 계획이다.

반면 국내 인공지능 스피커는 이동통신사와 검색엔진 업체가 주축으로 사물인터넷을 연결할 자사 가전기기가 극히 제한적이고 타사 제품과의 연동도 초기 단계에 그치고 있다. 글로벌 인공지능 스피커가 국내 시장에 진출할 경우 경쟁력 면에서 크게 뒤처질 수밖에 없다.

데이터 주권과 정보 공동화

물론 일각에선 아마존 에코나 구글홈은 영어 기반이기 때문에 국내에 진출해도 관련 데이터를 축적하기까지 어느 정도 시간이 걸릴 것이라며 낙관적인 전망을 한다. 하지만 구글은 앞서 2017년 10월 구글 어시스턴트 한글판을 안드로이드 스마트폰용으로 선보이며 국내 업체들의 마지막 보루였던 언어 장벽마저 부수고 있다. 국내 스마트폰 사용자 중 안드로이드폰 비중이 80% 이상인 점을 고려하면 인공지능 스피커 시장이 해외로 넘어가는 것은 시간 문제이다. 이는 단순히 시장의 주도권을 넘겨주는 수준으로 끝날 일이 아니다. 인공지능 스피커 플랫폼 시장을 내준다는 것은 이 과정에서 축적되고 유통되는 모든 데이터가 해외 기업으로 넘어간다는 것을 의미한다. 경제 주권은 물론 데이터 주권까지 고스란히 빼앗길 수 있다.

해외 인터넷 서비스를 이용하면 정보가 해외에 저장되므로 물리적으로 국내에는 정보가 비어버리는 **'정보 공동화**空洞化' 현상이 나타난다. 지금까지는 네이버 메일에서 구글 지메일로, 카카오톡에서 텔레그램으로, 이메일 데이터와 메신저 데이터 정도가 해외로 옮겨가는 수준이었다. 하지만 인공지능 플랫폼은 그 규모가 차원이 다르다. 쇼핑 정보부터 가전기기와 자동차 등 사물인터넷 정보에 이르기까지 일상생활에 관한 거의 모든 데이터가 해외로 빠져나가게 된다. 물론 평소에는 큰 문제가 없을 것이다. 하지만 만약 해외 업체나 해당 국가에서 관할권을 행사해 우리 기업이나 개인

우리나라는 과도한 규제로 말미암아 데이터 산업과 플랫폼 사업자를 성장시킬 수많은 기회를 놓치고 있다. 근본적인 패러다임 혁신과 규제개혁이 일어나지 않는다면 데이터 산업의 발전은 멀기만 할 것이고 제4차 산업혁명의 물결에 휩쓸려 나갈 것이다.

의 정보를 들여다본다면 어떻게 될 것인가? 기업의 영업비밀이 유출될 수 있고 개인들도 일상적인 사생활 침해를 겪을 수 있다. 우리 국민에 대한 정보인권 침해가 발생해도 정부가 손을 쓸 수 없는 지경에 이를 수 있다.

4차 산업혁명 시대의 산업 경쟁력은 중장기적으로 얼마나 많은 빅데이터를 확보하느냐에 달려 있다는 점을 고려하면 우리 기업의 미래는 암울하기만 하다. 국가 차원에서도 정보 공동화는 해외 인터넷망이 단절될 경우 모라토리움(국가 파산)이 초래될 수 있다. 국가 안보 차원에서도 데이터 주권의 확보는 너무나 시급한 과제다. 이러한 비극이 도래하는 것을 막고자 한다면 지금 당장 데이터 산업의 성장을 가로막는 규제와 법 제도를 개혁하는 작업에 착수하여야 한다.

한국정보화진흥원이 발간한 『국가정보화 20년』 기록을 살펴보면 20년 동안 정부가 주력해온 정보화란 초고속 인터넷의 보급이었다. 하지만 인터넷이 초고속이어야 정보기술을 이용한 디지털 마켓이 형성되는 것은 아니다. 우리보다 인터넷이 느린 미국에서도 세계적인 기술 기업들이 혁신을 거듭해나가고 있다. 인터넷의 속도가 문제가 아니라 혁신기술을 탄생하게 하는 문화, 제도, 그리고 그 상품을 소비해줄 '디지털 마켓'의 존재가 핵심이다.

4차 산업혁명 시대는 디지털 마켓의 시대이자 정보 유통의 혁명 시대이다. 우리 기업들이 국내 시장의 주도권을 잃지 않고 글로벌로 진출해 국부를 벌어들이기 위해서는 전통시장만을 지지하는 규제 장벽의 철폐가 핵심이다. 네이버와 카카오 등 대형 플랫폼 사업자만이 감당할 수 있는 대량 규제로 인해 스타트업이 플랫폼 사업자로 성장하기 어려운 현실을 직시할 필요가 있다. 분야별로 대형이든 소형이든 다양한 플랫폼 회사들이 스타트업으로 시작해 글로벌 기업으로 성장해나갈 수 있도록 플랫폼 사업자 우대 정책을 확립해야 한다. 새로운 서비스 산업에 방해되는 불필요한 규제를 제거하고 글로벌 무대로 진출할 수 있도록 정책적 지원을 확대하는 플랫폼 사업자 우대 정책은 국가의 인터넷 산업뿐만 아니라 제조업을 포함한 국가 산업 전체의 경쟁력을 강화하는 전략이다.

또한 모든 정부 정책과 입법 과정에 데이터 국외 이전 영향평가 제도를 도입할 필요가 있다. 전체를 보지 못하고 당장 눈앞의 이익만 추구하는 입법 관행 때문에 과도한 오프라인형 규제에 시달리는 스타트업은 플랫폼 사업자로 성장할 기회를 잃고 그 결과 글로벌 플랫폼 회사에 장악된 우리 기업과 개인의 정보는 해외로 빠져나가고 있다. 더 나아가 국가 정보가 해외 정보독점국가의 관할권 아래 편입되어 사법권 행사가 곤란해지는 것은 물론이고 국가 전체가 정보 식민지로 전락하고 있다. 이 같은 국가 내 정보의 진공 상태를 벗어나기 위해서는 모든 정부 정책과 입법과정에서 정보주권영향평가를 도입해 정보의 해외 유출 방지와 데이터 주권을 확립해 나가야 한다. 국가안보 차원에서 데이터주권영향평가위원회를 설립하고 데이터 주권 관점에서 혁신을 가로막는 모든 정부 조직구조와 입법 관행을 개선해야 한다.

우리나라는 과도한 규제로 말미암아 데이터 산업과 플랫폼 사업자를 성장시킬 수많은 기회를 놓치고 있다. 근본적인 패러다임 혁신과 규제개혁이 일어나지 않는다면 데이터 산업의 발전은 멀기만 할 것이고 4차 산업혁명의 물결에 휩쓸려 나갈 것이다. 이는 결과적으로 미국이나 중국처럼 글로벌 플랫폼 사업자들에게 경제 주권을 빼앗겨 장기적으로 천문학적인 경제적 손실로 이어질 것이다. 과거에는 군대를 앞세워 타국의 물자를 약탈했다. 하지만 4차 산업혁명 시대에는 플랫폼 기업이 타국의 정보를 가져가는 소프트한 제국주의 시대이다. 경제 주권을 잃으면 정보 주권을 잃고 정보 인권도 보장할 수 없는 시대가 바로 4차 산업혁명 시대이다. 지금이라도 데이터 주권을 지킬 수 있도록 글로벌 플랫폼 사업자가 탄생할 수 있는 토대를 마련하는 데 모든 노력을 아끼지 말아야 한다.

천하무적 아이언맨도
'동의' 누르다가 추락한다

마블 스튜디오 10주년 기념작으로 2018년 4월 개봉한 영화 「어벤저스: 인피니트 워」에는 무려 23인의 히어로가 등장한다. 하지만 그중에서도 아이언맨의 존재감은 단연 독보적이다. 사실 토니 스타크는 토르처럼 신화에 등장하는 신도 아니고 헐크나 캡틴 아메리카처럼 힘이 센 것도 아니다. 오히려 심장에 부착한 아크 리액터가 없으면 생명도 유지할 수 없는 나약한 존재이다. 하지만 그는 몸에 착 감기는 웨어러블 로봇 슈트를 입는 순간 천하무적 아이언맨으로 변신한다. 슈퍼맨처럼 하늘을 날아다니는 것은 기본이고 토르처럼 빌딩 전체를 번쩍 들어 올리는가 하면 헐크처럼 초인적인 괴력을 발휘하기도 한다.

그런데 만약 아이언맨이 서울 상공에서 싸움을 벌이게 된다면 어떨까. 그는 아마 적과 싸우기도 전에 헬멧 스크린에 뜬 개인정보

만약 아이언맨이 서울 상공에서 싸움을 벌이게 된다면 어떨까. 그는 아마 적과 싸우기도 전에 헬멧 스크린에 뜬 개인정보 처리방침에 동의 버튼을 누르다가 추락하고 말 것이다.

처리방침에 동의 버튼을 누르다가 추락하고 말 것이다. 해외에선 보기 드물지만 국내에선 모든 기업이 무조건 준수해야 하는 '개별적 개인정보 사전동의Opt-in'이기 때문이다.

"당신의 개인정보를 내가 수집해도 되겠습니까?"

사물인터넷 시대에는 전자기기가 다양한 센서를 갖추고 인터넷으로 연결돼 개인정보를 처리한다. 손목시계 등 웨어러블 기기는 건강정보와 위치정보 등 각종 개인정보를 수집해 운동량이나 건강 상태를 실시간으로 점검한다. 또한 음성인식 스피커 등 인공지능 서비스는 눈 뜨는 시간부터 먹고 입고 쓰는 것까지 모든 라이프스타일 정보를 축적한다. 그럼으로써 최적화된 맞춤형 서비스를 제공한다.

4차 산업혁명의 핵심 기술로 꼽히는 빅데이터, 클라우드, 인공지능 기술 등은 각종 데이터의 확보와 활용이 필수적이다. 하지만 우리나라에서는 유독 데이터를 모으고 사용하기 위해서는 반드시 거쳐야 하는 절차가 있는데 바로 '개인정보 사전동의'다. 우리나라 개인정보보호법은 개인정보를 이용한 서비스를 제공할 때 고객으로부터 '개별적 사전동의'를 받도록 하고 있다. 서비스 이용약관을 떠올리면 이해가 쉽다. 인터넷 사이트에 회원가입을 하거나 스마트폰 앱을 다운받고 접속하려고 할 때 반드시 개인정보 처리 방침에 동의 버튼을 클릭해야 해당 서비스를 이용할 수 있다.

당신의 개인정보를 내가 수집해도 되겠습니까? 당신의 개인정보를 제3자에게 제공해도 괜찮겠습니까? 당신의 개인정보는 이런저런 용도로 활용될 수 있는데 괜찮겠습니까? 대략 이런 내용들로 서비스에 따라 처음 한 번만 동의를 구하기도 하고 매번 동의를 구하기도 한다. 개인정보는 민감한 정보이므로 철저하게 관리되고 엄격하게 보호되어야 한다. 개인정보보호를 위해 필요한 절차라면 다소 불편하고 번거롭더라도 당연히 따라야 한다. 하지만 우리나라 개인정보보호법은 이런 원칙들과 거리가 있다.

일례로 버튼을 누를 필요 없이 "알렉사, 노래 틀어줘." 이 한마디로 음악 재생이 가능한 것이 인공지능 스피커의 경쟁력이다. 그런데 만약 노래를 듣고 싶을 때마다 개인정보 동의를 해야 한다면 얼마나 번거로울까. 자율주행자동차는 사람의 운전 없이 자동차가 스스로 목적지까지 안전하게 주행하는 첨단 장비다. 그런데 만약 건널목을 지날 때마다 혹은 파란불이 켜질 때마다 "지금 출발해도 될까요?"를 물어본다면 차라리 내가 직접 운전하는 편이 수월할지 모른다.

자율주행자동차는 사람의 운전 없이 자동차가 스스로 목적지까지 안전하게 주행하는 첨단 장비다. 그런데 만약 건널목을 지날 때마다 혹은 파란불이 켜질 때마다 "지금 출발해도 될까요?"를 물어본다면 차라리 내가 직접 운전하는 편이 수월할지 모른다.

인공지능 스피커나 자율주행자동차 등 각종 사물인터넷 기기들은 이용자의 사용 정보를 실시간으로 수집하고 처리하는 것이 주된 특징이다. 만약 이들 기기에 현행법상 이용약관 고지와 사전동의 원칙을 엄격하게 적용한다면 개인의 불편이 극심해짐은 물론 서비스의 편리성도 떨어질 수밖에 없다. 그렇다고 법을 어길 수도 없다. 개인정보보호법은 개별적 사전동의를 위반하면 행정 처분과 민사책임은 물론이고 5년 이하의 징역이나 5,000만 원 이하의 벌금형을 규정하고 있다. 세계에서 가장 강력한 법제로 평가받는 이유이다.

상황이 이렇다 보니 기업들은 사전에 알려야 할 장문의 이용약관을 뒤로 숨기고 버튼 몇 개만 클릭하면 사전동의를 받은 것으로 처리하고 있다. 이용약관을 확인하려면 별도의 버튼을 클릭해서 페이지를 이동하는 방식이다. 이용자들도 이용약관을 건너뛰고 동의 버튼을 클릭하는 '묻지마 동의'에 익숙해진다. 읽어도 무슨 말인지 알 수 없고 또 이해한다고 해도 장문의 글을 읽고 있을 시간적 여유가 없기 때문이다. 그 결과 사전동의는 개인정보보호라는 원래 취지와 달리 형식적이고 습관적인 절차로 전락해버렸다.

그러다 보니 개인정보보호 제도가 세계 어느 나라보다 강력함에도 개인정보에 대한 자기결정권을 행사하기 어렵다. 개인정보 침해가 발생해도 사실상 법적으로 보호받을 방법이 없다. 이용자가 사전동의 버튼을 클릭한 순간 서비스를 제공하는 기업은 이용약관 사전고지와 동의라는 법적 의무를 다한 것이므로 법적 책임에서 자유로워진다. 정부는 아무리 피해가 크더라도 피해 내용이 사전에 알린 이용약관에 해당하는 것이라면 이용자인 개인의 편을 들어줄 수가 없다. 개인이 동의한 이후에는 기업의 개인정보처리방침에 대해 시정을 명하기 쉽지 않기 때문이다.

현 제도하에서 정부가 할 수 있는 최선은 피해가 발생한 이후 과태료나 과징금을 부과하는 사후적 조치 정도이다. 결국 피해는 해당 서비스를 이용하기 위해 무의식적으로 사전동의 버튼을 클릭한 이용자의 몫으로 돌아간다. 개인정보보호를 위해 사전동의 규제를 강화한 결과 정작 개인의 사후 개인정보 통제권이 상실되고 있는 것이다.

깨알 같은 고지사항이 불러온 개인정보 양극화

인공지능 서비스는 패턴을 찾아낼 수 있는 데이터가 많아질수록

개인정보를 실질적으로 보장하기 위해서는 개인정보에 대한 규제를 전면적으로 개선해야 한다.

강력해지는 특징이 있다. 기존에 입력한 데이터 이외에도 서비스 이용 과정에서 축적되는 데이터를 분석해 새로운 패턴을 찾아내고 적용하는 과정을 무한 반복한다. 이를 통해 인공지능 서비스는 더욱 인공지능에 가까워지고 우리의 일상은 더욱 편리해진다. 하지만 수집하는 데이터가 늘어날수록 사전에 동의해야 할 항목도 늘어난다.

그런데 이 과정에서 개인정보보호가 한쪽으로 쏠리는 프라이버시 디바이드Privacy Divide 현상이 심화된다. 첨단기기에 익숙한 젊은 세대라면 큰 문제가 없겠지만 고령자, 장애인, 기기 작동이 서툰 아이들에게는 서비스 이용약관 내용이 제대로 전달되기 어렵다. 귀찮아서 건너뛰는 게 아니라 충분히 이해하고 동의하고 싶어도 불가능한 상황이 발생한다. 원치 않는 개인정보 제공에 동의하게 되는 부작용이 얼마든지 생길 수 있다. 강력한 규제가 오히려 개인정보 침해를 유발하는 기제로 작용하는 것이다.

기업들도 곤란하긴 마찬가지다. 강력한 개인정보 규제를 모두 따르다 보면 데이터 수집은 물론 서비스 개발이나 적용에도 제약이 따를 수밖에 없다. 혁신적인 서비스 모델은 불가능을 상상할 때 탄생한다. 그런데 현실적으로 규제가 너무 많다 보니 생각의 폭이 좁아지고 처벌이 두려워 시도조차 꺼리게 된다. 이용자로선 외국 기업의 서비스에 비해 복잡하고 불편한 국내 서비스를 굳이 고집할 이유가 없다. 경쟁에서 뒤떨어진 국내 기업들은 새로운 기술 개발과 서비스 연구에 투자할 여유가 사라진다. 그 결과는 악순환의 반복이다.

개인정보의 개별적 사전동의 제도는 겉보기엔 개인의 정보통제권을 보장하는 것처럼 보인다. 하지만 현실에선 개인은 무의식적인 동의로 사후 통제권을 상실하고 기업은 과도한 규제로 인한 데이터 수집의 어려움을 겪고 경쟁력을 상실한다. 이는 결코 바람직한 결과가 아니다. 깨알 같은 고지사항, 둔감해지는 보호의식, 습관적인 동의는 더 이상 없어야 한다. 노약자 등 사회적 약자들의 프라이버시 디바이드는 개인정보 사전동의 제도로 결코 해결할 수 없다. 서비스를 제공할 때마다 사전동의를 받아야 하는 현행 규제는 스타트업의 성장과 발전을 정면으로 가로막고 있다. 또한 이용자가 동의만 하면 기업의 개인정보 이용에 대해 면죄부를 주는 것도 불합리하다. 이대로는 개인도 기업도 모두 패착Lose-Lose일 수밖에 없다. 이제는 바꿔야 한다. 개인정보를 실질적으로 보장하기 위해서는 개인정보 규제를 전면적으로 개선해야 한다.

현행 개인정보의 개별적 사전동의는 형식적인 동의 절차로 오히려 개인정보보호를 방해하는 결과를 가져오고 있다. 따라서 개인정보 사용 내용을 충분히 설명하고 동의를 구하는 '포괄적 동의One Click Consent' 또는 민감한 정보나 개인을 특정할 수 있는 식별 가능한 정보에 대해서만 사전동의를 구하고 나머지는 자유롭게 활용하도록 하는 '사후동의 배제Opt-Out' 방식으로 전환할 필요가 있다. 현재 우리나라가 채택한 개별적 사전동의 방식은 허용되는 조건들을 나열하고 그 외에는 모두 불법으로 간주하는 포지티브positive 시스템으로 세계적으로도 엄격한 규제에 해당한다. 반면 미국의 개인정보보호는 민감한 정보를 제외하고 나머지는 기업에 개방하되 문제가 생겼을 때 처벌하는 사후동의 배제 원칙을 따르고 있다.

스타트업들이나 IT 기업이 저지른 사소한 잘못이나 아직 생각하지 못한 잘못은 형사처분보다는 시정명령이 바람직하다. 그래야 더 많은 스타트업들이 처벌의 두려움 없이 새로운 서비스를 상상할 수 있게 된다. 우리도 미국처럼 정부가 개인정보보호를 위한 가이드라인을 제시하고 기업이 그 기준에 따라 개인정보보호 정책을 마련해 제출하고 이후 심사를 통해 무효 또는 시정을 요구하는 정책으로 전환할 필요가 있다. 개인이 불편하게 생각하는지 확인도 없이 '모든 이용자의 의사를 묻지도 않고' 기업의 개인정보 이용이 무조건 불법이 되는 현행 규제가 과연 개인정보보호라는 법의 목적에 맞는 것인지 심사숙고할 시기가 됐다. 이대로 과도한 개인정보 규제가 계속된다면 글로벌 기업과의 경쟁에서 패하는 것은 물론이고 개인정보보호마저도 후퇴하게 될 것이기 때문이다.

4차 산업혁명 시대의 원유인
빅데이터 전략

2009년 전 세계가 신종 인플루엔자로 몸살을 앓았다. 조류 인플루엔자와 돼지 인플루엔자 바이러스가 결합한 새로운 H1N1 바이러스(신종 플루)는 불과 한 달여 만에 79명의 사망자를 낳았다. 당시 우리나라도 네 명의 확진자가 발생했다. 미국 질병관리예방센터CDC는 신종 플루 현황을 파악하고 대책을 마련하기 위해 의사들에게 신종 플루 확진자 신고를 요청했다. 하지만 사람들은 며칠씩 앓고 난 뒤에야 병원을 찾았다. 미국 질병관리예방센터로 확진 결과가 전달되기까지 대략 1~2주가 걸렸다. 달리 손써볼 틈도 없이 신종 플루 감염자는 1만 명 규모로 급증했고 급기야 사망자까지 발생했다.

그때 보건의료 분야와 전연 관계가 없어 보이는 IT 기업 구글이 새로운 해법을 내놨다. 이른바 '구글 독감 트렌드Google Flu Trends'

2009년 구글 독감 트렌드

구글은 미국 질병통제예방센터보다 2주나 빨리 독감을 예측했다.

란 서비스이다. 전 세계 구글 이용자가 검색한 키워드 데이터를 분석해 독감 환자의 숫자와 유행 지역 등을 미리 예측하는 시스템이다. 구글은 2003년부터 2008년까지 미국인이 가장 많이 입력한 5,000만 개의 검색어와 CDC 데이터를 비교 분석했다. 그 결과 공식 데이터와 97%의 상관성을 갖는 검색어 45개를 찾아냈다. 이를 토대로 독감 환자 숫자와 발병 지역을 예측했는데 정부의 공식 통계보다 1~2주 빨리 신종 플루 발병을 예측했다. 면봉으로 DNA를 채취하거나 병원마다 연락해 정보를 취합하는 과정 없이 단지 빅데이터라는 디지털 기술만으로 신종 플루라는 신종 질병의 유행을 알아낸 것이다.

빅데이터의 가치를 확인한 구글은 다방면으로 빅데이터 적용 범위를 넓혀나갔다. 자율주행자동차가 대표적이다. 자율주행자동차는 1960년대부터 수많은 자동차 기업들이 도전장을 냈지만 실패의 연속이었다. 운전이란 행위는 수많은 정보를 실시간으로 분석해 최적의 속도와 방향을 찾고 순간적인 위기 상황이 생겼을 때 올

구글 무인자동차

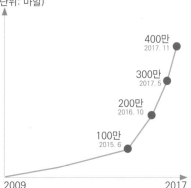

구글 무인자동차의 누적 주행거리
(단위: 마일)

400만
2017. 11

300만
2017. 5

200만
2016. 10

100만
2015. 6

2009   2017

구글은 빅데이터 알고리즘을 적용해 무인자동차 기술을 현실화했다.

바른 판단을 내리는 종합적인 의사결정 과정이다. 이것을 기계가 대신하게 한다는 것이 기술적으로 쉽지 않았다. 그러나 구글은 이들 문제를 빅데이터로 단번에 해결했다. 사람의 눈을 대신하는 비디오 영상 정보인 비정형 데이터는 물론이고 실시간으로 유입되는 방대한 데이터를 신속하게 분석하는 빅데이터 알고리즘을 적용해 무인자동차 기술을 현실화했다. 기계공학과 전자공학만으로는 실현 불가능했던 자율주행자동차를 빅데이터 기술을 활용해 수면 위로 끌어올린 것이다. 빅데이터를 4차 산업혁명 시대의 원유라고 부르는 이유이다. 세계경제포럼은 2023년이면 빅데이터에 의한 의사결정이 일반화될 것이라고 전망했다.

개인정보 '보호'와 '활용'의 균형점

빅데이터를 활용해 새로운 서비스를 개발하는 것은 글로벌 비즈

빅데이터를 수집하고 분석하고 활용하기 위해서는 막대한 분량의 데이터 확보가 필수적이다.

니스 세계에서 흔한 일이다. 일례로 구글과 페이스북은 수억 명에 달하는 회원들의 이용 행태를 기록하고 분석해 맞춤형 광고를 제공한다. 많은 양의 검색어와 SNS 글들을 분석해 개인의 취향에 가장 최적화된 상품을 추천해주고 그 대가로 광고 업체로부터 막대한 수익을 올린다.

아마존은 모든 고객의 구매 내역을 기록하고 분석해 고객별로 앞으로 구매 가능성이 높은 제품을 추천하고 미리 쿠폰을 제공하는 방식으로 매출을 30% 이상 끌어올렸다. 세계 최대 규모의 고객 데이터를 확보한 뒤 가장 앞선 최적화 추천 알고리즘을 통해 독보적인 매출을 올리고 있다. 이처럼 빅데이터로 고객의 소비 패턴을 분

아마존의 빅데이터 활용

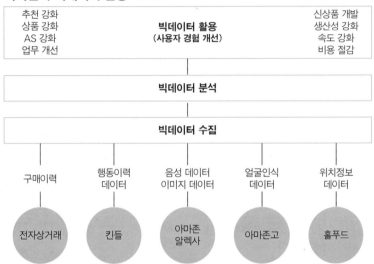

아마존의 전자상거래 사이트, 킨들, 아마존 에코, 아마존 알렉사, 아마존고, 홀푸드 등은 모두 고객에 대한 빅데이터 수집 장치이다. 아마존은 빅데이터 기업이다. (출처: 다나카 미치아키, 『아마존 미래전략 2022』 중 재편집)

석해 맞춤형 서비스를 제공하는 빅데이터 전략은 새로운 시장을 선점하는 지름길이 되고 있다. 하지만 우리나라는 까다로운 빅데이터 규제 때문에 글로벌 시장과 점차 거리가 멀어지고 있다.

조사기관마다 차이는 있지만, 대체로 국내 기업들의 빅데이터 활용률은 글로벌 기업 평균의 20~30% 수준으로 추정된다. 그 이유로 빅데이터에 대한 인식 부족이나 관련 기술의 부족 등도 지적되고 있지만 가장 큰 걸림돌은 세계 최고 수준의 개인정보보호 제도 때문이다. 빅데이터를 수집하고 분석하고 활용하기 위해서는 막대한 분량의 데이터 확보가 필수적이다. 기업들이 수집하는 빅데이터는 대부분 고객의 개인정보다. 빅데이터를 수집하고 활용하려면 개인정보 관련 규제를 따라야 한다.

개인정보란 무엇인가?

- 👤 온라인 식별자
- 🪪 이름
- 💲 수입
- 🧘 문화적 프로필
- ❤️ 건강 정보
- 🏠 주소
- 📍 위치 측정
- ●●● 그외 다수

　개인정보보호법 제2조 제1호에 따르면 '개인정보'는 살아 있는 개인에 관한 정보로서 성명, 주민등록번호, 영상 등을 통해 개인을 알아볼 수 있는 정보를 말한다. 해당 정보만으로는 특정 개인을 알아볼 수 없더라도 다른 정보와 쉽게 결합해 알아볼 수 있으면 역시 개인정보로 분류한다. 또한 정보통신망법 제2조도 '개인정보'를 생존하는 개인에 관한 정보로서 성명과 주민등록번호 등에 의해 특정한 개인을 알아볼 수 있는 부호, 문자, 음성, 음향, 영상 등의 정보라고 정의한다. 그런데 이들 법이 개인을 특정할 수 없도록 처리한 비식별 정보까지 사전 동의 대상으로 규정하고 있다는 것이 문제이다. 기업이 활용하는 빅데이터는 민감한 개인정보를 모두 삭제 처리한 비식별 정보를 일컫는다. 그런데 법률대로라면 비식별 정보라 해도 다른 정보와 쉽게 결합해 개인을 특정할 수 있다면 이 또한 개인정보이기 때문에 해당 정보 주체에게 일일이 사용 허락을 받아야 한다. 이를 위반하면 즉시 형사 처벌 대상이 된다.

2010년 증권정보 스마트폰 앱 '증권통'은 사용자가 로그인을 안 해도 사전에 등록한 관심 종목을 볼 수 있도록 스마트폰 인증번호인 국제 모바일 단말기 인증번호IMEI와 유심USIM 일련번호CCID를 수집했다. 이에 대해 법원은 국제 모바일 단말기 인증번호와 유심 일련번호는 이동통신사업자로부터 가입정보를 입수한다면 쉽게 결합해 개인을 식별할 수 있으므로 개인정보라고 판단하고 정보통신망법 위반 혐의로 유죄 판결했다. 당시 증권통 측은 국제 모바일 단말기 인증번호나 유심 일련번호는 특정 개인에게 부여된 부호가 아니라 특정 기기와 특정카드 등에 부여된 번호이고 이통사로부터 정보를 입수해 다른 정보와 쉽게 결합하는 것이 불가능하다고 주장했지만 받아들여지지 않았다.

이 사건을 계기로 개인정보 정의에 대한 개선이 필요하다는 목소리가 높아졌다. 특히 개인정보를 '다른 정보와 결합해 식별이 가능한 정보'까지 포괄적으로 정의한 것은 지나친 규제로 빅데이터 산업 활성화에 걸림돌이 된다는 지적이 줄기차게 제기됐다. 실제로 빅데이터 산업이 발전한 국가들의 경우 개인정보는 엄격히 보호하되 개인을 특정할 수 없는 비식별 정보는 규제 대상에서 제외해 개인정보 '보호'와 '활용'을 균형적으로 추구하고 있다.

미국은 일반법으로 개인정보보호법이 없지만 개별법을 통해 개인정보를 보호하고 있다. 미국의료정보보호법HIPAA, Health Insurance

유럽연합 개인정보보호법

유럽연합은 2016년 일반법으로 개인정보보호법을 새로 제정했다. 2018년 5월부터 시행된 이 법은 미국이나 일본과 달리 가명처리 정보를 규제 대상인 개인정보에 포함했다. 하지만 비식별 조치를 거친 익명정보는 규제에서 제외해 기업들이 활용할 수 있도록 하고 있다.

Portability and Accountability Act이 대표적 예로 개인의료정보는 엄격하게 관리하되 비식별 개인의료정보는 상업적으로 활용할 수 있도록 했다. 일본은 빅데이터 산업 활성화를 목표로 2015년 개인정보보호법을 개정했다. 2017년 5월부터 시행된 이 개정안은 비식별 조처를 한 '익명가공정보'라는 개념을 신설해 사전 동의 없이 활용 가능하도록 했다. 유럽연합EU은 2016년 일반법으로 개인정보보호법GDPR, General Data Protection Regulation을 새로 제정했다. 2018년 5월부터 시행된 이 법은 미국이나 일본과 달리 가명처리 정보를 규제 대상인 개인정보에 포함했다. 하지만 비식별 조치를 거친 익명정보는 규제에서 제외해 기업들이 활용할 수 있도록 하고 있다.

빅데이터 양극화에 가로막히는 스타트업 성장

다행히 우리 정부도 이 같은 세계적 추세에 따라 2016년 7월 관계부처 합동으로 '개인정보 비식별 조치 가이드라인'을 마련했다. 개인을 특정할 수 없는 비식별 정보에 한해 사전 동의 없이 사용할 수 있도록 규제를 완화한 것이다. 하지만 법률이 아닌 지침으로 법적 구속력이 없어서 실질적인 효과로 이어지지 못하고 있다. 더 큰 문제는 가이드라인을 따르더라도 법적 리스크가 여전히 존재한다는 것이다. 가이드라인에 따르면 SNS 메시지나 인터넷 게시글처럼 '공개된 개인정보'를 수집할 때도 반드시 비식별화 조치를 해야 한다. 또한 수집된 정보를 재조합했을 때 개인을 특정할 수 있게 되면 바로 수집한 정보를 파기하거나 추가적인 비식별화 조치를 해야 한다.

하지만 개인정보는 아무리 비식별화 조치를 거치더라도 다른 정보와 결합하면 개인 식별이 가능할 수 있다. 여기서 문제가 되는 것이 다른 정보와 결합할 때 개인 식별력이 얼마나 높아지느냐이다. 그런데 개인정보 관련법은 개인 식별력 여부와 관계없이 잠재적 결합 가능성만 있어도 개인정보로 정의하고 있다. 만약 이 정보를 상업적 용도로 사용하면 법률 위반이 되는 것이다. 이렇게 법적 불확실성이 높은 상황에서 기업들이 적극적으로 데이터 수집에 나서기란 어려운 일이다. 특히 신생 스타트업들이 데이터 수집에 나서는 데 장벽이 상당할 수밖에 없다. 개인정보 수집에 대한 강력한 규제 하에서 직접 정보를 수집하려면 잠재적 고객들에게 정보 항목별로 개별 동의를 받아야 한다. 이 과정에서 고객들에게 외면받을 가능성을 배제할 수 없다.

그 결과 대기업이나 대형 플랫폼 사업자에게 데이터가 집중되

빅데이터 경영의 석학이라 불리는 미국 밥슨 칼리지의 톰 데이븐포트 교수는 "한국은 빅데이터의 금광을 가지고 있는데도 그걸 캐내지 못해 안타깝다."라고 지적했다.

고 스타트업들은 점점 데이터를 확보하기 어려워지는 '데이터 디바이드Data Divide' 현상이 확대되고 있다. 스타트업 입장에선 대기업과의 협업 없이는 데이터에 접근하는 것 자체가 사실상 불가능한 상황이다. 그러다 보니 글로벌 빅데이터 산업에서 한국 기업의 경쟁력이 더욱 낮아질 것이라는 우려가 점차 현실이 되고 있다. 빅데이터 경영의 석학이라 불리는 미국 밥슨 칼리지의 톰 데이븐포트Thomas H. Davenport 교수가 "한국은 빅데이터의 금광을 가지고 있는데도 그걸 캐내지 못해 안타깝다."라고 지적한 것도 같은 맥락이다.

빅데이터 산업을 육성하기 위해서는 개인정보보호 패러다임을 근본적으로 바꿔야 한다. 첫째, 비식별 정보를 광범위하게 개인정보로 인정하는 규정을 개선해야 한다. 보호가 필요한 개인정보는 개인을 식별할 수 있는 정보로 구체화하고 비식별 정보는 상업적으로 활용될 수 있도록 법적 근거를 명확히 할 필요가 있다. 개인정보의 보호와 활용이 동시에 이뤄지기 위해서는 개인정보 정의에 대한 불명확성을 제거해 합리적인 해석 근거를 마련해야 한다.

둘째, 비식별 정보에 대한 동의 조건을 없애야 한다. 개인을 특정할 수 있는 정보를 삭제한 비식별 정보는 개인에게 사전 동의를 받는 것 자체가 불가능하다. 이미 해외에서는 개인을 알아볼 수 없게 처리한 비식별 개인정보를 기업들이 활용할 수 있도록 사전 동의를 없앴다. 국내에서도 비식별 개인정보 활용을 위한 규제 완화가 필요한 시점이다. 빅데이터 활용을 개인정보 오남용이자 불법으로 간주하는 몰이해는 더 이상 금물이다. 서비스 산업경제의 원유라고 일컫는 개인정보의 이용가치에 대한 숙고 없이 오로지 정보인권 차원에서 무조건적인 개인정보보호를 고집하는 것은 국가와 사회의 발전에 저해될 뿐이다.

어떤 제도나 기술도 항상 효용만 있을 수는 없다. 남겨진 과제는 그것이 궁극적으로 국민의 권익 향상에 부합하는 것인지 판단하고 어떻게 하면 효용을 높이고 부작용을 줄일 수 있는지 고민해 해결책을 찾는 것이다. 지금 우리에게 필요한 것은 4차 산업혁명 시대의 원유로서 빅데이터를 안전하게 활용할 방안을 하루빨리 마련해 글로벌 빅데이터 시장과 더욱 가까워지는 것이다.

4장

이제 국가 간 산업 간
경계는 사라졌다

스마트폰만 있으면
모든 서비스가 가능하다

세계 최대 전자상거래 업체인 아마존은 2018년 1월 시애틀 본사 1층에 세계 최초의 무인 편의점인 아마존고Amazon Go 매장을 열었다. 이용 방법은 간단하다. 지하철 개찰구처럼 생긴 출입구에 교통카드처럼 스마트폰을 찍고 들어가서 원하는 상품을 집어 들고 그대로 다시 개찰구를 통과해 나가면 된다. 작동 원리는 이렇다. 미리 다운받은 아마존고 앱을 켜면 QR코드가 뜬다. 그걸 개찰구에 찍으면 자동으로 나를 인식한다. 초록색 불이 켜지면 안으로 들어가서 물건을 고르면 된다. 물건을 집어들 때마다 천장에 설치된 수많은 카메라와 센서들이 알아서 그 물건을 가상의 장바구니에 담는다. 집었던 물건을 제자리에 돌려놓으면 장바구니 목록에서도 사라진다. 물건을 다 골랐으면 그대로 들고 출입구를 빠져나간다. 나갈 땐 앱을 켤 필요가 없다. 5분쯤 지나면 스마트폰으로 영수증이 전송된

아마존고 (출처: 위키피디아)

다. 결제는 앱에 미리 등록해둔 신용카드로 처리된다.

아마존고를 한마디로 표현하면 '저스트 워크아웃Just Walk Out'이다. 쇼핑을 끝낸 뒤 그냥 걸어나가라는 뜻이다. 아마존고는 '줄 서는 것 없고No Lines, 계산하는 것 없고No checkouts, 계산대도 없는 No registers' 3무無 정책을 내세우고 있다. 그러기 위해 아마존은 자율주행자동차에 사용되는 첨단기술을 똑같이 적용했다. 사람의 눈처럼 이미지를 인식하는 컴퓨터 비전Computer Vision, 카메라와 각종 센서가 보내는 이미지와 데이터를 결합하는 센서 퓨전Sensor Fusion, 수집된 정보들을 분석하고 학습해서 패턴을 알아내는 딥러닝Deep Learning 알고리즘 등이 무인 편의점을 가능하게 만든 주역이다. 사람들은 아마존고가 제시한 새로운 쇼핑 스타일에 매료됐다. 아마존은 폭발적인 반응에 힘입어 2018년 안에 6개 매장을 추

아마존북스. 현재 15개 매장이 있고 출점 준비 중인 매장이 5개이다.

가로 오픈할 계획이다.

산업의 경계가 흐릿해지는 빅블러 시대

온라인 공룡 아마존이 오프라인까지 영역을 확장한 건 이번이 처음이 아니다. 아마존은 앞서 2016년 11월 오프라인 서점인 아마존북스Amazon Books를 오픈했다. 본사가 있는 시애틀을 포함해 샌디에이고와 맨해튼 등 2018년 7월 기준 15개 매장이 운영 중이다. 아마존북스의 가장 큰 특징은 온라인과 오프라인의 장점을 적절히 결합했다는 것이다. 아마존 유료 회원인 아마존 프라임 고객은 오프라인에서도 온라인과 동일한 할인된 가격으로 책을 구매할 수 있다. 구매한 책을 굳이 들고 나올 필요 없이 계산할 때 신청만 하면 무료배송 혜택도 누릴 수 있다.

서점 곳곳에는 스캐너가 배치되어 있어서 책 바코드를 스캔하면 원래 가격과 아마존 할인가격을 바로 확인할 수 있고 온라인처럼 장바구니에 담을 수도 있다. 온라인 서점 못지않은 정보력도 갖췄다. 아마존북스는 아마존닷컴에서 별 5개 만점 중 4개 이상을 받은 책들을 가장 눈에 띄는 곳에 진열해 놓는다. 별점 옆에는 아마존닷컴에 올라온 책 리뷰도 같이 적혀 있어서 책을 들춰보지 않아도 내용을 가늠할 수 있다. 아마존북스는 앞으로 오프라인 매장을 400개까지 늘릴 예정이다. 대다수 오프라인 서점들이 줄줄이 문을 닫고 있는 상황에서 아마존북스만 역주행을 하고 있다.

이뿐만이 아니다. 아마존은 2017년 온라인으로 주문한 뒤 오프라인 매장에 들러 물건을 찾아가는 신선식품 픽업 서비스 아마존프레시Amazon Fresh를 시작한 데 이어 미 전역에 470여 개 매장을 둔 유기농 식료품 체인인 홀푸드마켓Whole Foods Market을 인수했다. 온라인에 이어 오프라인에서도 유통 공룡이 되겠다는 전략이다. 최근에는 증강현실AR과 가상현실VR을 이용한 가구 가전 매장도 준비 중이다. 이쯤 되면 아마존이 온라인 기업인지 오프라인 기업인지 고개를 갸웃하게 된다.

국내 최대 포털업체인 네이버도 최근 '네이버 쇼핑' 비중이 크게 늘고 있다. 2017년 네이버 쇼핑 거래액은 4조 6,000억 원으로 추정된다. 이는 G마켓과 옥션을 합한 이베이코리아 13조7,000억 원과 11번가 9조 원에 이어 업계 3위 규모다. 증권가에서는 지금의 추세라면 올해 거래액이 9조 원을 넘어 11번가와 치열한 2위 경쟁

아마존은 2017년에 미 전역에 470여 개 매장을 둔 유기농 식료품 체인인 홀푸드마켓을 인수했다. 온라인에 이어 오프라인에서도 유통 공룡이 되겠다는 전략이다.

을 벌일 것으로 전망하고 있다. 이제는 네이버가 포털업체인지 온라인 쇼핑업체인지 구분하기 어려워졌다.

최근 산업 생태계의 변화를 보면 한 가지 공통적인 흐름을 읽을 수 있다. 그건 바로 산업 간 경계가 점차 낮아지고 있다는 것이다. 인공지능, 빅데이터, 사물인터넷 등 첨단 IT가 빠른 속도로 발달하면서 기존 산업의 경계가 모호해지는 현상을 일컬어 '빅블러Big Blur'라고 한다. 블러Blur는 '흐릿해진다'는 뜻이다. 1999년에 미래학자인 스탠 데이비스Stan Davis가 저서 『블러: 연결 경제에서의 변화의 속도』에서 처음 사용했고 이후 4차 산업혁명 시대에 접어들며 지금의 의미로 통용되기 시작했다.

빅블러는 낯선 단어이긴 하지만 이미 우리 일상에 깊이 자리 잡고 있다. 예컨대 은행에 갈 필요 없이 스마트폰 앱으로 오프라인 매장에서 결제도 하고 다른 계좌로 이체도 할 수 있는 핀테크는 금융 서비스인 동시에 IT 기술이다. 지문이나 홍채 등 바이오 정보로 신원을 확인하는 생체인증은 바이오 기술이면서 동시에 IT 보안기술이다. 음성으로 집안의 전자기기를 제어하는 인공지능 스피커와 자동차가 알아서 운전하는 자율주행자동차는 실물 제품은 제조업에 속하면서도 작동 방식은 사물인터넷에 기반을 두고 있다.

오프라인을 혁신하는 O4O 비즈니스

그중에서도 빅블러 현상의 주역을 꼽으라면 단연 O2O다. 스마트폰을 이용해 오프라인 상품과 서비스를 소비자와 연결해주는 O2O는 가장 빠른 속도로 오프라인과 온라인의 경계를 허물고 있다. 이제 스마트폰 앱으로 택시를 부르고 숙소를 예약하고 음식을 주문하는 일은 일상이 된 지 오래다. 요즘에는 스마트폰 앱만 누르면 원하는 곳으로 달려와 세차를 해주고 세탁물 수거와 배달을 원스톱으로 해주고 전문가가 찾아와 집안을 깨끗하게 청소해준다. 최근에는 일과 삶의 균형을 뜻하는 워라밸Work and life balance과 소소하지만 확실한 행복을 뜻하는 소확행小確幸을 원하는 사람들이 늘면서 다양한 분야의 취미 클래스를 실시간으로 예약해주는 스마트폰 앱들도 높은 호응을 얻고 있다.

여기서 끝이 아니다. 구멍이 나버린 제방은 어떤 방법을 써도 무너지는 것을 결코 막을 수 없다. 마찬가지로 이미 허물어진 오프라인과 온라인의 경계는 그 흔적을 찾기조차 어려울 정도로 더욱 희미해질 것이다. 그 과정에서 이종 산업이 끝없이 융합해 무엇이 온라인이고 무엇이 오프라인인지 구별하는 것이 무의미할 만큼 전혀 새로운 산업들이 쏟아져 나올 것이다. 그중 하나가 요즘 신사업으로 주목받고 있는 O4OOnline for Offline 비즈니스다. 기존의 O2O는 스마트폰 앱으로 음식을 주문Online하면 원하는 곳으로 배달Offline 받는 시스템이었다. 반면 O4O는 스마트폰 앱만 설치Online하면 줄설 필요 없이 입장과 결제Offline가 자동으로 진행된다.

아마존고는 오프라인 편의점이지만 구매부터 결제까지 모든 과정이 사람의 손을 거치지 않는다. 이곳에서 판매하는 상품들은 기존 편의점과 다를 바 없지만, 아마존이 제시한 스마트한 쇼핑 방식은 많은 사람들을 매료시키고 있다. 아마존북스는 오프라인 서점이지만 온라인과 동일한 혜택을 제공한다. 오프라인에서만 느낄 수 있는 종이책의 매력을 경험하면서 동시에 할인과 배송 등 온라인의 장점을 누릴 수 있는 아마존북스는 서점 비즈니스의 공식을 새로 쓰고 있다.

지금까지의 O2O가 오프라인에 존재하던 서비스를 온라인으로 중개해주는 역할에 그쳤다면 앞으로의 O4O는 온라인을 기반으로 성장한 기업이 그동안 축적한 빅데이터와 기술력을 활용해 오프라인에서 새로운 비즈니스를 창출하는 단계로 진화해나갈 것이다. IT 기업 구글이 제조업 영역이던 자율주행자동차 분야에서 선두가 되고 세계 최대 전자상거래 기업인 아마존이 오프라인 유통에서도 절대 강자가 되는 것처럼 말이다. 앞으로 펼쳐질 무한경쟁의 빅블러 시대에 우리는 어디쯤 서게 될 것인가. 지금부터라도 글로벌 인터넷 플랫폼을 육성하는 데 모든 노력과 지원을 다 쏟아야 한다.

스타트업들의 발목을 잡는
이중 삼중 규제

 누구나 한번 이상은 계약서를 써본 일이 있을 것이다. 회사에 입사하면 근로계약서를 쓰고 자동차나 집을 구매하면 매매계약서를 쓴다. 이외에도 사용계약서, 동업계약서, 합병계약서, 대부계약서, 강사계약서, 도급계약서, 양도계약서 등 목적과 필요에 따라 수많은 종류의 계약서가 존재한다. 계약서는 쌍방 간에 합의한 내용을 문서로 만든 것이다. 쌍방의 권리, 의무, 분쟁 발생 시 조정 방법 등을 명시한다. 소송 등 법적 분쟁이 발생하면 중요한 증빙서류가 된다. 계약서는 일반적으로 동일한 내용의 2부를 만들어 각자 도장을 찍고 1부씩 나눠 갖는 것으로 법적 효력이 발생한다.

 어쩌다 한두 번이면 큰 문제가 없다. 하지만 업종 특성상 하루에 수백 수천 건의 계약서를 작성해야 한다면 보통 일이 아니다. 우편을 이용하면 시간도 오래 걸리고 우푯값도 만만찮게 들어간다. 이메일을 이용하면 시간은 단축할 수 있지만 스캔 과정이 번거롭고 고령층이거나 스캐너 기기가 없으면 아예 불가능하다.

모두싸인Modusign은 간편 전자계약 서비스로 이런 문제들을 일거에 해결했다. 갑이 모두싸인 홈페이지에 로그인해서 계약서를 업로드하고 이메일 링크를 보내면 을은 로그인 없이 링크로 접속해 마우스로 사인하고 저장하면 그걸로 계약 완료이다. PC나 스마트폰만 있으면 언제 어디서나 5분 만에 끝낼 수 있다. 비용도 건당 최저 440원으로 합리적이다. 하지만 법은 그들의 편이 아니었다.

전자계약서과 공인인증서의 불편한 동거

미국과 유럽 등 선진국에선 종이계약서 대신 전자계약이 보편화되어 있다. 전자계약은 위변조가 어렵고 추적이 간편하고 관리가 편리해 종이계약서보다 높은 신뢰도를 인정받고 있다. '디지털 트랜잭션Digital Transaction*'이라고 부르는 전자계약 시장은 전 세계적으로 빠르게 성장하는 분야 중 하나이다.

하지만 국내에선 아직 낯선 개념이다. 1999년 '전자문서 및 전자거래기본법'과 '전자서명법'이 시행되면서 무려 20년이나 먼저 전자계약을 활용할 수 있는 조건이 마련됐다. 하지만 계약은 직접 얼굴을 마주보고 해야 한다는 오랜 관행과 기술적 미비 등으로 시장에서 외면받아온 것이 사실이다.

그런데 최근 들어 관련 기술이 빠른 속도로 발전하고 오프라인

---

* 온라인 사용자 간 거래 기록

에서만 이루어지던 많은 것들이 온라인으로 연결되는 O2O 현상이 가속화되면서 기존 종이계약서에 불편을 느껴온 사람들이 전자계약에 관심을 두기 시작했다. 특히 최근 몇 년 사이 O2O를 기반으로 한 스타트업이 급속도로 증가하면서 그에 따른 계약 건수도 늘어나면서 전자계약에 대한 수요가 급증했다. 이런 분위기에 힘입어 2016년부터 전자계약 서비스를 시작한 모두싸인은 3년째에 접어든 2018년 기준 카카오, 두산, 대웅제약 등 1만 개 이상의 기업과 20만 명 이상의 가입자를 확보하고 있다. 생소한 분야이던 전자계약 서비스를 사용자 중심으로 재구성해 대중화의 길을 열었다는 평이다.

하지만 갈수록 서비스가 업그레이드되는 것과 달리 가입자 수는 어느 순간부터 정체되기 시작했다. 법이 발목을 잡은 탓이다. 기존의 전자계약은 공인인증서를 활용한 '공인전자서명' 방식이었다. 공인인증서를 사용하면 위변조가 없음을 정부가 인정하는 것이므로 높은 보안성을 확보할 수 있다. 하지만 굳이 높은 수준의 보안이 필요하지 않은 계약 행위까지 공인전자서명을 사용하도록 한 탓에 불필요한 비용 낭비가 적지 않았다. 기업용 공인인증서는 연간 11만 원의 수수료를 내야 한다. 또한 전자계약 작성을 스마트폰으로 하려면 본인인증 절차를 거쳐 공인인증서를 옮기고 각종 보안 모듈을 설치하는 등 복잡한 과정을 감수해야 한다. 특히 공인인증서는 국내에서만 법적 효력이 있어서 계약 상대가 해외 기업이거나 외국인일 경우에는 전자계약이 불가능하다.

모두싸인은 이런 불편을 해결하기 위해 공인인증 절차를 과감히 생략했다. 휴대폰 인증 절차도 필수가 아닌 선택으로 이용자의 편의를 극대화했다. 하지만 하도급거래 공정화에 관한 법률과 대규모 유통업에서의 거래 공정화에 관한 법률 등 몇몇 법률은 전자계약 시 공인인증서 사용을 의무로 규정했다. 하도급 거래와 대규모 유통업은 계약서 작성이 가장 빈번하게 이뤄지는 분야지만 규제에 가로막혀 진입 자체가 불가능하다.

지난 20년간 국내 전자계약 시장이 수면 아래 잠자고 있던 것도 이와 관련이 적지 않다. 하도급 거래와 대규모 유통업만 공인인증서 사용을 강제한 것은 기술 중립성 원칙에도 어긋난다. 불행 중 다행으로 2018년 3월 공인인증서 폐지를 골자로 한 전자서명법 전부개정안이 입법예고됐다. 예정대로 2018년 하반기에 공인인증서가 폐지되면 국내 전자계약 시장은 종전보다 훨씬 빠른 속도로 성장할 것으로 전망된다.

진입 장벽에 걸려 하청업체로 전락 우려

법 규제가 새로운 시장의 성장을 가로막는 사례는 최근 급부상하고 있는 로보어드바이저Robo-Advisor 분야에서도 쉽게 확인할 수 있다. 로보어드바이저는 로봇을 의미하는 로보robo와 자문 전문가를 의미하는 어드바이저advisor의 합성어로 인공지능 알고리즘이 고객의 투자 성향과 자금 규모에 따라 맞춤형으로 투자 자문을 제공하는 기술을 의미한다. PC나 스마트폰 앱으로 간편하게 자산운용 관리를 받을 수 있는 O2O형 핀테크 서비스이다.

전세계 로보어드바이저 시장 규모 (단위: 억 달러)

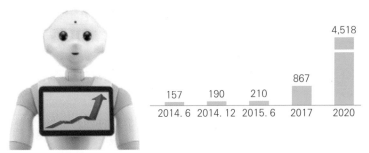

				4,518
157	190	210	867	
2014. 6	2014. 12	2015. 6	2017	2020

가파르게 성장하는 로보어드바이저 시장. 2017년 이후는 예상치. (자료: 마이프라이빗뱅킹, 딜로이트 등)

전세계 로보어드바이저 시장 규모는 2017년 약 867억 달러이고 2020년에는 4,518억 달러 이상으로 성장할 것이란 전망이다. 하지만 로보어드바이저 등장과 함께 관련 시장이 빠르게 성장한 해외와 달리 국내에선 알고리즘에 자문과 투자 일임을 금지한 자본시장법 때문에 더디게 진행되고 있다. 업계의 숱한 요구로 2017년 6월 로보어드바이저의 비대면 서비스 허용을 골자로 한 자본시장법 시행령 개정안이 마련됐지만 허용 기준이 턱없이 높다.

금융위원회는 2018년 3월 '핀테크 혁신 활성화 방안' 중 하나로 로보어드바이저의 비대면 서비스 허용 기준을 발표했다. 자본금 40억 원 이상을 보유하고 트랙 레코드(생산실적) 2년 이상의 업력을 가진 기업에 한해 로보어드바이저 영업을 허가한다는 내용이다. 문제는 이 기준에 들어맞는 기업이 극히 드물다는 데 있다. 금융위원회가 각 기업이 개발한 로보어드바이저의 실제 역량을 확인하기 위해 테스트베드를 실시한 결과 금융당국의 허용 기준에 들어맞는 업체는 6%에 불과했다. 또한 2018년 4월 기준 테스트베드에 참가한 로보어드바이저 업체 33곳 중에서 단 2곳만이 자본금 40억 원의 요건을 충족했다. 시중은행, 증권사, 자산운용사를 모두 포함해도 자본금 조건을 갖춘 기업은 총 50곳 중 19곳에 불과하다.

법률이 정한 투자자문 일임업의 최소 자본금은 15억 원이다. 반면 로보어드바이저는 그 두 배를 훌쩍 넘는다. 금융당국은 불완전 판매의 위험을 고려해 투자자 보호 문제가 발생할 때 배상 능력이 있는 기업을 선별해야 한다는 입장이다. 반면 스타트업들은 진입 장벽을 낮춰 경쟁력을 강화하겠다는 핀테크 활성화 정책의 방향과 어긋난다며 반발하고 있다. 연구개발 투자금도 턱없이 부족한 상황에서 자본금 40억 원은 스타트업에게 너무 높은 장벽이다.

해외에선 이미 수년 전부터 많은 기업들이 낮은 비용으로 로보어드바이저 투자 자문 서비스를 제공하며 경쟁력을 키워나가고 있다. 하지만 우리는 기술력에서 우위에 있음에도 각종 규제 때문에 아직 발걸음도 떼지 못했다. 금융당국의 까다로운 규제가 과연 소비자 보호를 위한 것인지, 혹시 대기업 중심으로 시장을 형성하기 위한 초석은 아닌지 의심되는 것도 무리는 아니다. 실제로 상당수 스타트업들이 이러다 대기업에게 기술만 빼앗기는 하청기업으로 전락하는 것은 아닌지 걱정하고 있다.

핀테크 분야는 시장 진입이 더뎌지는 만큼 기술 경쟁력에서도 후퇴할 수밖에 없다. 지금이라도 빗장을 활짝 열어 국내 로보어드바이저 업체들이 각기 차별적이고 혁신적인 서비스를 펼치도록 장을 마련해야 한다. 기술적 우위에 있는 로보어드바이저 시장마저 해외 기업들에게 고스란히 내어주는 우를 범해선 결코 안 될 것이다.

새 먹거리로 뜨는 원격의료 시장

구글의 시작은 검색엔진이다. 하지만 지금은 거의 모든 산업 분야에서 눈에 띄는 두각을 나타내고 있다. 헬스케어 분야도 그중 하나다. 의료 기술 없이도 빅데이터 분석만으로 독감 유행을 정확하게 예측한 것처럼 구글의 정보통신기술력은 기존 의료업계를 압도하는 새로운 의료 서비스를 연달아 탄생시키고 있다. 일례로 구글은 2013년 네이버 지식인의 영상통화 버전인 구글 헬프아웃Google Helpouts 서비스를 오픈했다. 궁금증을 가진 일반인과 답을 알고 있는 전문가를 연결해주는 영상통화 서비스이다. 요리하다가 궁지에 몰렸을 때 셰프에게 영상통화를 걸어 도움을 구하는 식이다. 하지만 얼마 지나지 않아 원격의료 서비스로 더 유명해졌다.

구글은 미국의 대형 의료회사인 원메디컬그룹One Medical Group과 제휴를 맺고 소속 의료진들을 헬프아웃 전문가로 투입했다. 사람들은 의료 지식이 필요할 때마다 이들에게 영상통화를 신청했고 점차 지식이 아닌 진료를 원하는 사람들이 늘어났다. 동영상 원격진료 서비스로 발전한 것이다. 이것은 시작에 불과했다. 구글은 의료 분야의 혁신 기술 개발을 위해 비밀연구소 'X'를 운영하고 있다. 그 결과 당뇨병 환자의 눈물로 혈당 수치를 확인하는 스마트 콘택트렌즈가 상용화됐다. 또한 암과 같은 질병을 조기에 찾아내 데이터를 전송하는 나노 알약, 맥박과 심장 박동, 체온 등의 생체 신호를 감지해 데이터로 전송하는 스마트 워치 등 헬스케어 관련 다양한 연구를 진행하고 있다.

하지만 아쉽게도 구글의 헬스케어 서비스는 한국에선 만날 수 없다. 헬프아웃 서비스는 원격의료를 금지한 의료법 위반이고 나노 알약은 생명윤리법상 불법 행위에 해당한다. 스마트 워치는 서비스 모델 자체는 합법이지만 생체정보를 이용한 서비스는 까다로운 개인정보 동의 절차를 거쳐야 한다. 새삼스럽지만 전 세계 혁신적인 서비스를 마주할 때마다 한국의 국경이 얼마나 철옹성처럼 높고 견고한지를 깨닫게 된다.

원격의료 시장, 미국 3조 원 vs. 한국 0원

텔러독Teladoc은 미국 최대 원격의료 서비스 업체다. 내과의사와 치료사 3,000여 명이 24시간 365일 스마트폰으로 환자와 만난다. 지속적인 모니터링이 필요한 만성질환 환자들이 전체 회원의 80%를 차지하고 있다. 텔러독 스마트폰 앱에 등록된 회원은 미국 내에

텔러독은 미국 최대 원격의료 서비스 업체다. 내과의사와 치료사 3,000여 명이 24시간 365일 스마트폰으로 환자와 만난다.

만 1,700만 명을 웃돈다. 텔러독은 2015년 나스닥 상장에 성공했다. 상장은 재무건전성이 검증된 기업만 가능하므로 원격의료 서비스의 성장 가능성은 매우 높다고 할 것이다. 실제로 텔러독의 원격의료 횟수는 2016년 95만 건에서 2017년 140만 건으로 급격히 늘었고 2016년 3분기(7~9월) 매출은 2015년 같은 기간보다 62%나 증가했으며 시가총액은 16억 8,000만 달러(약 1조 8,177억 6,000만 원)에 이른다. 서비스 만족도 역시 2015년 기준 과거 6년간 평균 95%를 웃돌았다.

글로벌 시장조사기관 이비스 월드IBIS World에 따르면 미국의 원격진료 시장은 2012년부터 2017년까지 45.1%의 성장률을 기록했다. 오는 2022년까지 추가로 9.8% 정도 더 성장해 시장 규모는 30억 달러(약 3조 2,460억 원)에 이를 것으로 전망된다. 미국은 원격의료에 가장 적극적이고 이미 1997년부터 65세 이상에게 원격의료 보험 적용을 시행했다. 미국은 지역적으로 넓고 주별로 의료진 숫자가 달라 의료 접근성이 크게 떨어진다. 스마트폰을 이용한 원격의료가 적극 활용된 배경이다.

중국은 2013년부터 원격의료 정책을 본격 실시했다. 미국과 마찬가지로 영토가 넓고 인구밀도가 낮아 의료접근성이 떨어지는 중국은 도입 직후인 2014년부터 모바일 헬스케어 산업이 급격히 발전했고 2017년에는 전년대비 62% 이상의 성장률을 기록했다. 일본은 2015년 원격의료 허용에 이어 2018년 4월부터 건강보험을 적용하고 있다. 보험은 고혈압과 당뇨 등 만성질환만을 대상으로 한다. 이미 초고령화 시대에 접어든 만큼 앞으로 관련 시장이 큰 폭으로 성장할 전망이다.

반면 우리나라 의료법 제34조 제1항은 협진을 위한 의료진 사이의 원격의료만 허용할 뿐 의사와 환자 간 인터넷이나 모바일 등을 이용한 원격의료는 모두 불법으로 규정하고 있다. 관련 시장은 제로에 가깝다. 가장 큰 이유는 현직 의사들의 강력한 반대 때문이다. 사실 정부는 줄기차게 원격의료 합법화를 시도해왔다. 보건복지부는 2009년 국회에 원격의료 허용을 골자로 하는 의료법 개정안을 제출했다. 하지만 의료계가 적극 반대하고 나서면서 국회 문턱을 넘지 못했다. 2013년에도 정부가 주도해서 원격의료 합법화

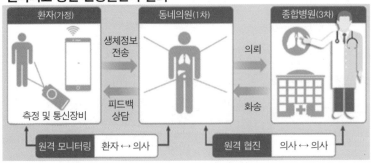

원격의료 통한 만성질환자 관리

환자(가정) | 동네의원(1차) | 종합병원(3차)

생체정보 전송 · 의뢰

측정 및 통신장비 · 피드백 상담 · 회송

원격 모니터링 환자 ↔ 의사   원격 협진 의사 ↔ 의사

법안이 제출됐지만 의사들의 반대를 이기지 못하고 국회를 표류하다 사그라졌다. 이후에도 여러 차례 개정안이 등장했으나 다시 사라지는 일이 반복됐다.

의사들의 주장은 간단하다. 원격의료를 허용하면 국가 의료체계가 무너진다는 것이다. 무분별한 원격의료는 무한경쟁을 불러 일부 대형병원과 대기업에게만 수혜가 돌아가고 지리적 접근성이 높은 1차 의료기관과 지방의 중소병원은 폐업이 가속화돼 전반적인 의료의 질이 하락할 것이라는 게 대한의사협회의 전망이다. 또한 영상통화라는 불충분한 환경은 대면 진료보다 오진 위험성을 높이게 되고 의료사고가 발생하면 담당 의사에게 과도한 책임이 전가될 것이며 환자들도 개인의료정보 오남용이나 해킹 탈취 등에 취약해져 결과적으로 득보다 실이 많다고 주장한다. 약사들도 힘을 보태고 있다. 진료가 원격으로 바뀌면 조제도 원격으로 바뀔 것이라는 우려 때문이다.

한동안 잠잠했다가 최근에 다시 찬반논란이 뜨겁다. 2018년 2월 자유한국당 유기준 의원이 원격의료 활성화를 골자로 하는 의료법 일부 개정안을 발의했기 때문이다. 개정안은 의료기관을 이용하기 어려운 섬이나 벽지僻地 주민들 또는 조업이나 운송 여객을 위해 해상에 나가 있는 선원들에 한해 원격의료를 실시할 수 있도록 하자는 것이다. 하지만 의사협회는 우리나라 의료접근성은 매우 우수한 편이므로 공공의료 영역에 왕진 시스템을 도입하는 것으로도 충분히 사각지대를 해결할 수 있다고 반박했다.

어차피 열릴 수밖에 없다면 먼저 열자

의사들로선 굳이 원격의료를 도입해 이미 잘 자리 잡은 의료체계를 뒤흔드는 것이 비효율적이라고 생각할 수 있다. 동네 병원의 몰락을 우려하는 것도 충분히 이해가 된다. 하지만 안타깝게도 전 세계 헬스케어 시장의 흐름은 의사들의 바람과 정반대로 달려가고 있다. 미국이나 중국처럼 의료접근성이 낮은 국가는 물론이고, 우리보다 더 의료체계가 촘촘한 일본도 원격의료의 필요성을 공감하고 건강보험 적용 등 제도권 안으로 적극 끌어들였다. 앞으로 전 세계 헬스케어 기업들은 글로벌 시장을 선점하기 위해 더 나은 원격의료 서비스 모델을 만들어낼 것이고 사용자들은 언어장벽만 해결된다면 국경을 자유로이 넘나들며 더 나은 서비스를 이용하게 될 것이다.

물론 당분간은 법으로 막는 것이 가능하겠지만 결국 시간 문제이다. 병원에 가지 않고도 스마트폰으로 간편하게, 그것도 훨씬 저렴한 비용으로 전문적인 진료를 받을 수 있다. 그런데 그걸 마다

할 사람이 누가 있을까? 법을 우회해서라도 더 나은 의료 서비스를 이용하려는 사람들이 늘어날 것은 뻔한 이치다. 버티고 버티다가 한참 뒤늦게 원격의료 시장을 개방한다고 해보자. 그 후폭풍은 생각보다 엄청날 것이다. 이미 해외 원격의료 서비스를 이용하는 국민이 상당수를 차지할 것이고 그에 못 미치는 서비스를 내놓는 국내 후발주자들은 시장에서 도태될 것이다. 의사협회가 우려하는 원격의료 도입 시 대형병원으로의 쏠림 현상은 지금 예상보다 훨씬 빠르게 진행될 것이고 그 빈틈을 해외 기업들이 파고들어 와 우리 병원들이 자생력을 갖출 여유는 사라질 것이다.

4차 산업혁명 시대 글로벌 플랫폼의 경쟁력은 빅데이터 역량에 달려 있다. 우리보다 빨리 시장을 개방해 더 많은 개인의료정보를 축적한 글로벌 기업들은 갈수록 더 나은 서비스를 제공할 것이다. 우리나라 국민들의 의료정보도 글로벌 기업으로 몰리게 될 것이다. 어쩌면 생각보다 더 빠른 시기에 우리 국민의 건강관리를 해외 기업들에게 의존해야 하는 날이 올지도 모른다. 어차피 열게 될 빗

장이라면 하루라도 먼저 열어서 시행착오를 겪고 자생력을 키우는 것이 후폭풍을 최소화하는 방법이다. 특히 헬스케어 분야는 우리 국민의 건강과 안전에 절대적인 영향력을 가진 만큼 보수적인 방어보다는 적극적인 대응이 요구된다.

앞으로 미국의 IT 기업 또는 원격의료 기업이 미국의 유명 병원과 우리나라 국민을 직접 연결해주는 원격의료 서비스를 제공한다면 국내 병원들은 해외 유명 병원들과 경쟁해야 하는 상황이 발생할 것이 분명하다. 또 오랫동안 대면 진료로 고정되어 있는 의료산업의 기본 구조를 변경한다는 점에서 원격의료를 허용할 경우 의료업계에 혼란이 발생할 것은 불을 보듯 뻔하다. 시장 개방에 앞서 사람의 생명을 다루는 의료산업의 특수성도 충분히 고려되어야 한다. 하지만 원격의료 산업에 늦게 진출하면 사업 경험과 연구개발을 통한 특허 확보가 전혀 없게 된다. 이는 궁극적으로 해외 기업과 경쟁이 불가능한 원격의료 불임산업 국가로 전락하는 결과로 이어질 것이다. 의료계의 현명한 선택이 필요한 시점이다.

5장

디지털 경제공동체가
만들어진다

주류경제로 자리잡은 공유경제

1998년 우리나라는 사상 초유의 외환위기 사태를 겪었다. 수출로 외화벌이에 앞장서던 대기업부터 동네 치킨집에 이르기까지 거의 모든 일터가 하루아침에 무너졌고 눈 뜨고 일어나기 무섭게 실업자들이 거리로 쏟아져 나왔다. 사상 최대의 경기불황에 직면한 소시민들의 선택은 아나바다 운동이었다. 아나바다는 '아껴 쓰고 나눠 쓰고 바꿔 쓰고 다시 쓰자'의 준말이다. 새로운 물건을 사는 대신 쓸모없어진 물건과 필요한 물건을 서로 맞바꾸거나 저렴한 가격에 사고팔아 불필요한 소비를 줄이는 것을 말한다. 고가의 '신상' 판매에 앞장서던 백화점들이 자처해서 '중고' 물품을 거래하는 벼룩시장을 열 정도로 아나바다 운동은 전 사회적인 소비문화로 자리매김했다.

그로부터 20년이 흐른 2018년 과거에 비하면 경제 규모는 놀라

공유경제 비즈니스 모델

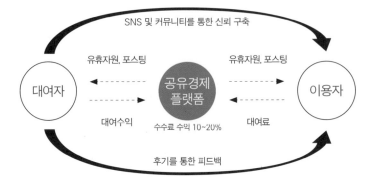

울 정도로 급성장했지만 사람들이 체감하는 경기는 예전과 별반 달라진 것이 없다. 청년 실업률은 날이 갈수록 최고치를 갱신 중이고 어렵게 취직에 성공해도 월급만 빼고 다 오르니 주머니가 텅 빈지 오래다. 사람들은 자연스레 아껴 쓰고 나눠 쓰고 바꿔 쓰고 다시 쓰던 과거의 소비패턴으로 눈길을 돌렸다. 최근 공유경제가 새로운 주류 경제 시스템으로 주목받고 있는 배경이다.

소유에서 공유로, 경쟁에서 협동으로

공유경제sharing economy란 한 번 생산된 제품을 여럿이 공유해 사용하는 협업 소비를 말한다. 2008년 세계금융 위기 이후 하버드대 로렌스 레식 교수가 만들어낸 새로운 경제 개념으로 개인이나 기업이 가진 물건, 시간, 정보, 공간 등의 자원을 다른 사람이 사용하도록 개방하는 온라인 기반의 경제활동을 일컫는다. 물건의 개념을 기존의 '소유'에서 '공유'로 바꾸고 시장경제를 '독점과 경쟁'

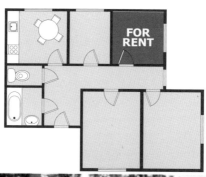

에어비앤비는 일반 가정의 빈방을 저렴하게 빌려주는 숙박공유 플랫폼이다. 여행이나 출장을 가면 호텔에 묵는다는 기존의 공식을 깨고 현지인의 빈집이나 빈방을 빌려주는 서비스를 선보였다.

이 아닌 '개방과 협동'으로 전환하는 새로운 경제 시스템이라고 할 수 있다.

1998년 외환위기 때 우리가 그랬던 것처럼 2008년 글로벌 금융위기를 맞은 전 세계인들도 경제적인 어려움을 경험하면서 나눠 쓰고 바꿔 쓰는 공유에 대해 공감대가 형성됐다. 이는 구체적인 공유 모델 비즈니스의 탄생으로 이어졌다. 2008년 8월 등장한 에어비앤비가 대표적이다. 에어비앤비는 일반 가정의 빈방을 저렴하게 빌려주는 숙박공유 플랫폼이다. 여행이나 출장을 가면 호텔에 묵는다는 기존의 공식을 깨고 현지인의 빈집이나 빈방을 빌려주는 서비스를 선보였다. 집주인은 어차피 비어 있을 방을 빌려주고 돈을 받으니 좋고 여행객은 호텔보다 적은 돈으로 현지인의 삶까지 공유하니 좋다. 숙박공유는 사회 경제적으로도 이득이다. 보통 휴가철에는 여행객이 몰려 기존 숙박시설로는 부족할 때가 자주 있다. 비수기에 텅텅 비게 될 숙박시설을 구태여 큰돈을 들여 새로 지을 필요 없이 기존 가정집을 이용하면 숙박 문제를 해결할 수 있다. 건물 신축에 따른 환경 파괴도 줄일 수 있다.

에어비앤비 서비스는 등장과 동시에 전 세계 여행객들에게 폭발적인 인기를 얻었다. 2018년 현재 누적 이용자 수가 3억 명에 달한다. 등록된 숙소도 191개국 8만 1,000여 개 도시 곳곳에 수백만 개에 이르고 있다. 에어비앤비의 시가총액은 대형 호텔 체인인 힐튼이나 메리어트를 훌쩍 넘어선 지 오래다. 이후 에어비앤비와 같은 공유경제 기반의 새로운 비즈니스가 속속 등장했다. 2009년 일반 자동차 드라이버가 택시보다 저렴하게 승객을 데려다주는 차량 공유 플랫폼 우버와 2010년 사무실 운영자가 안 쓰는 공간을 다른 회사나 사람들에게 빌려주는 오피스 공유 플랫폼 위워크WeWork는 이미 글로벌 7대 데카콘에 나란히 이름을 올렸다. 최근에는 공유 범위가 훨씬 일상적인 영역으로 확대되고 있다.

2012년 네덜란드 암스테르담에서 시작된 피어바이Peerby는 스마트폰 앱으로 필요한 물건을 검색하면 그 물건을 가지고 있는 가까운 이웃을 연결해준다. 굳이 사지 않아도 필요할 때마다 저렴하게 빌려 사용할 수 있다. 일반 가정에 있는 물건의 80%가 한 달에

2012년 네덜란드 암스테르담에서 시작된 피어바이는 스마트폰 앱으로 필요한 물건을 검색하면 그 물건을 가지고 있는 가까운 이웃을 연결해준다.

한 번만 사용된다는 점에 착안한 서비스로 우리의 아나바다와 비슷하다. 다른 점이 있다면 스마트폰 앱이라는 플랫폼을 통해 대규모로 거래가 이뤄진다는 것이다. 1998년 초창기 공유경제는 벼룩시장 같은 아나바다 장터에서 일대일 거래로 이뤄졌다. 소비운동으로써는 파급력이 엄청났지만 실물 경제에서 차지하는 비중은 극히 미미했다. 하지만 2009년 스마트폰 대중화와 스마트폰 앱의 활성화로 O2O 플랫폼이 생겨나면서 공유경제는 급격한 성장을 이어가고 있다.

스마트폰 사용에 익숙한 밀레니얼(1980~2000년생) 세대가 공유경제를 주도하고 있다. 밀레니얼 세대는 장기간의 경제 위기로 고용 기회의 박탈과 소득 감소를 겪은 세대다. 동시에 스마트폰 등 최신 IT 기술에 가장 익숙한 세대이기도 하다. 그러다 보니 비싼 돈을 주고 구매하기보다 저렴한 스트리밍(실시간 전송) 서비스로 음

스마트폰 사용에 익숙한 밀레니얼(1980~2000년생) 세대가 공유경제를 주도하고 있다.

악을 듣고 영화를 본다. 고가의 가전제품이나 자동차도 구매보다는 필요할 때마다 돈을 내고 빌려서 사용하는 방식에 익숙하다. 최근에는 분야와 취향에 따라 거주공간을 공유하는 '공유 주택'이나 소규모 음식점 창업자들이 하나의 공간을 사용하는 '공유 주방' 등 다양한 형태로 진화하고 있다.

이처럼 앞으로 밀레니얼 세대가 가장 막강한 소비 주도층이 된다는 점에서 공유경제는 조만간 주류 경제 시스템으로 자리 잡게 될 것이란 전망이 지배적이다. 브루킹스 연구소도 전 세계 공유경제 시장 규모가 2014년 240억 달러(약 25조 9,800억 원)에서 2025년 3,350억 달러(약 362조 6,375억 원)로 급성장할 것으로 전망했다.

자율주행자동차 공유가 바꿀 자동차 산업의 미래

이처럼 세계는 사람과 조직과 자원을 온라인으로 상호 교환하는 공유경제 플랫폼 시대로 빠르게 전환하고 있다. 여기에 인공지능, 사물인터넷, 클라우드 컴퓨팅, 빅데이터 등 눈부시게 발전하고 있는 신기술들은 모든 제품과 서비스를 하나로 연결하는 초연결과 초지능의 사회를 앞당기고 있다. 흩어져 있던 자원을 한곳에 모아 필요한 곳에 배분하는 공유경제 시스템은 최첨단 IT 기술과 만나 더욱 지능적이고 광범위하게 이뤄지게 될 것이다.

그중에서도 자율주행자동차는 우리가 가장 먼저 마주하게 될 새로운 공유경제 모델이 될 것이다. 자동차와 관련한 공유경제 모델은 크게 세 가지로 구분할 수 있다. 첫 번째는 우버와 같은 차량중개 모델이다. 국내에선 규제에 막혀 불가능하지만, 영토가 광활하고 교통체계가 미비한 미국과 중국을 중심으로 일반 자동차 운전자와 승객을 연결해주는 차량중개 서비스 시장이 몸집을 크게 불려나가고 있다.

두 번째는 국내 카셰어링 스타트업 쏘카Socar와 그린카Green Car 등이 주도하는 차량공유 모델이다. 굳이 자동차를 소유할 필요 없이 원하는 시간에 원하는 장소에서 필요한 시간만큼 차량을 대여해서 이용하는 서비스다. 차량공유는 다른 사람이 소유한 유휴차량을 중개해주는 모델과 이미 확보한 차량을 대여해주는 모델로 구분되는데 국내에선 후자의 방식이 일반적이다.

세 번째는 자율주행자동차 공유 모델이다. 앞선 차량중개와 차량공유가 하나로 합쳐지고 여기에 자율주행이라는 신기술이 더해진 형태라고 이해하면 쉽다. 2020년 사람 대신 인공지능이 운전하는 자율주행자동차가 상용화되고 자율주행자동차를 이용한 차

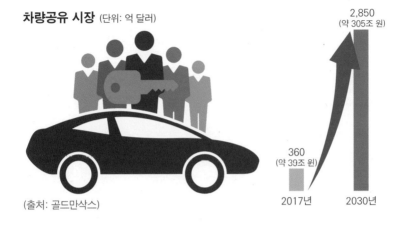

차량공유 시장 (단위: 억 달러)

2,850
(약 305조 원)

360
(약 39조 원)

2017년   2030년

(출처: 골드만삭스)

량공유 서비스가 시작되면 사람들은 더 이상 자동차를 구매하거나 운전할 필요가 없어진다. 언제 어디서나 스마트폰 앱으로 자율주행자동차를 택시처럼 호출할 수 있고 원하는 시간만큼 운전해야 하는 부담 없이 차량 이용이 가능하다. 기존의 차량중개나 차량공유 모델보다 훨씬 간편하고 경제적이다.

구글과 애플 등 IT 기업들이 앞다퉈 자율주행자동차 시장에 뛰어드는 건 이 이유에서이다. 가장 뛰어난 기술력의 자율주행자동차를 만들어서 공유경제 플랫폼을 기반으로 전 세계인의 차량 이동 시장을 장악하는 것이야말로 바로 미래 자동차 시장의 핵심 비즈니스 모델이 될 것이기 때문이다. 만약 자율주행자동차가 기존 제조업처럼 많이 팔아야 이윤이 창출되는 분야였다면 구글이나 애플이 도전할 이유가 없다. 실제로 업계에선 2035년이면 전 세계 판매 차량의 40% 이상이 공유용 차량이 될 것으로 내다보고 있다.

하지만 우리의 현실은 어떤가. 공유경제의 기본 모델로 통하는 우버와 에어비앤비는 국내 규제에 가로막혀 제한적인 비즈니스를

구글과 우버는 차량 이동 빅데이터를 차지하기 위해 경쟁하고 있다.

펼치고 있다. 헤이딜러나 콜버스랩처럼 공유경제를 모델로 한 스타트업들이 규제에 발목 잡혀 흔적도 없이 사라지고 있다. 그러는 사이 우버는 전 세계에서 축적한 빅데이터를 활용해 이동 수요가 많이 발생하는 지역에 미리 운전사를 배치해 호출하면 바로 도착하는 시스템을 구축했다. 최대 규모의 차량 이동 빅데이터를 보유한 우버와 스스로 운전하는 구글의 자율주행자동차가 만난다면 그야말로 천하무적이 될 것이다. 그때 우리 기업들이 도전장을 내봤자 경쟁은커녕 시장 진입조차 불가능할지 모른다.

결국 관건은 플랫폼이다. 4차 산업혁명 시대에는 모든 것을 하나로 연결하는 플랫폼이 모든 것을 지배하게 될 것이다. 이는 반대로 얘기하면 플랫폼 없이는 어떠한 결과도 얻어낼 수 없다는 것이다. 전 세계적인 플랫폼 비즈니스 전문가이자 『플랫폼 레볼루션』의 저자인 보스턴 대학교의 마셜 밴 앨스타인 교수는 "플랫폼을 창출하는 데 실패하고 새로운 원칙들을 배우지 않는 회사는 버티지 못할 것"이라고 단언했다. 우리 기업과 정부에게 꼭 들려주고 싶은 말이다.

공유경제 실험장이 된 중국

　과거 중국은 저렴한 임금으로 선진국의 제품을 모방하던 '짝퉁 천국'이었다. 디자인이 비슷해 집어 들었다가 '메이드 인 차이나'를 발견하곤 살며시 내려놓은 경험이 누구나 있을 것이다. 하지만 지금의 중국은 다르다. 중국 전자제품 제조업체 샤오미는 '대륙의 실수'라는 별명이 생길 정도로 저렴한 가격에 뛰어난 가성비를 자랑하는 제품을 연달아 선보여 국내에서도 인기가 높다. 최근에는 영국 가전 브랜드 다이슨 제품을 모방한 중국 제품을 일컬어 '차이슨'이라고 부른다. 성능은 비슷한데 가격은 절반 수준이어서 해외 직구가 크게 늘고 있다.

　가전제품만이 아니다. 중국은 최근 드론, 전기자동차, 빅데이터, 핀테크 등 신산업 분야에서 두드러진 성장세를 보이고 있다. 드론 제조업체인 디제이아이DJI는 세계 드론 시장의 70%를 장악했고 전기차 기업인 비야디BYD는 미국 테슬라에 이어 세계 2위 자리를 차지했다. 2012년 세계 스마트폰 시장 점유율이 4%에 불과하던 화웨이는 2018년 현재 10%를 넘기며 애플과 치열한 접전을 벌이고 있다. 알리바바 핀테크 계열사인 앤트파이낸셜은 글로벌 거대 금융기업으로 꼽히는 미국 골드만삭스와 아메리칸익스프레스의 시가총액을 훌쩍 뛰어넘었다.

특히 최근에는 공유경제 시장의 성장세가 예사롭지 않다. 중국의 공유경제 시장은 2010년 이래 연평균 65%씩 성장하며 2017년 4조 9,205억 위안(약 832조 8,930억 원)을 기록했다. 공유경제 플랫폼 관련 일자리는 716만 개로 2016년 대비 131만 명이 증가했고 공유경제 서비스 이용자도 7억 명으로 총인구의 절반을 넘는다. 시장 규모로만 보면 이미 미국을 뛰어넘었다. 2025년에는 중국 전체 국내총생산GDP에서 차지하는 비중이 20%를 넘어설 전망이다.

4차 산업혁명 시대 앞당기는 공유 자전거

중국의 공유경제 플랫폼 중에서 가장 두드러진 성장세를 보이는 분야는 차량공유 시장이다. 많은 사람들이 도심으로 몰리면서 대중교통 서비스가 한계에 부딪히면서 차량공유 서비스에 대한 수요가 연일 급증하고 있다. 미국 금융 전문 매체「CNN머니」 보도에 따르면 중국 차량공유 시장 규모는 300억 달러(약 32조 3,850억 원) 수준으로 전 세계 시장을 모두 합한 것보다 크다. 미국의 차량공유 시장은 120억 달러로 세계 2위지만 중국의 절반에도 미치지 못한다. 글로벌 컨설팅 기업 베인앤드컴퍼니는 2020년에는 중국의 차량공유 시장이 720억 달러(약 77조 6,736억 원) 규모로 급성장할 것으로 전망하고 있다.

이중 90% 이상을 중국 최대 차량공유업체인 디디추싱滴滴出行이 장악하고 있다. 2016년 8월 우버차이나를 인수하며 사실상 시장을 독점했다. 택시를 대체하는 기존 우버 모델을 넘어 출퇴근 시간에 이용 가능한 버스 공유 서비스를 시작해 20개 도시에서 2,000여 개 이상의 노선을 운영 중이다. '중국판 우버'로 불리는 디디추싱의 기업가치는 3,000억 위안(약 50조 7,630억 원)으로 알리바바 핀테크 계열사인 앤트파이낸셜과 샤오미에 이어 중국 데카콘 3대 기업으로 꼽히고 있다.

최근 중국에서 차량 공유 못지않게 가장 주목받는 공유경제 플랫폼은 단연 공유 자전거다. 자전거는 기술적으로 특이점이 없고 새로운 개념도 아니지만 중국의 복잡한 대중교통 문제와 중국 시장을 빠르게 점령하는 공유경제 플랫폼이 결합되면서 폭발적인 성장을 보이고 있다. 일례로 중국 베이징에서는 노란색이나 오렌지색 자전거를 탄 사람들을 흔하게 볼 수 있다. 노란색은 '오포ofo'이고 오렌지색은 '모바이크Mobike'라는 회사의 공유 자전거다. 차량공유와 마찬가지로 스마트폰 앱으로 언제 어디서든 공유 자전거를 이용할 수 있다. 앱으로 주변의 자전거 위치를 검색해서 QR코드를 스캔해 잠금장치를 해제하는 방식이다. 저렴한 가격, 간단한 이용법, 그리고 대중교통이 닿지 않는 단거리 이동에 최적화된 공유 자

중국 공유 자전거 사용자 추이

2,000만 명
1,710만 명

1,000만 명

232만

2015 16 17 18 19 2020년

(출처: 상하이시)

세계 주요 도시의 공유 자전거 규모

상하이	45만 대
베이징	10만
런던	1만 3,600
뉴욕	1만
워싱턴	3,700
샌프란스시코	1,000

전거는 중국인들에게 높은 인기를 얻고 있다.

여기서 끝이 아니다. 공유 자전거는 고속철, 인터넷 쇼핑, 알리페이에 이어 '현대 중국의 4대 발명품'으로 꼽힐 만큼 미래 산업으로 평가받고 있다. 그 이유는 빅데이터에 있다. 오포와 모바이크는 공유 자전거에 위성위치추적시스템GPS과 블루투스 장치를 탑재했다. 이용자가 공유 자전거로 이동할 때마다 이동 경로, 시간, 이용 패턴 등 구체적인 데이터가 실시간으로 쌓인다. 개인정보 규제로 자전거를 빌린 사람이 누구이고 어디에 반납했는지 정도만 알 수 있는 우리의 공유 자전거 시스템과 달리 중국 기업들은 실시간 이동 경로에 기반을 둔 빅데이터 수집을 광범위하게 진행하고 있다.

2014년 설립된 오포는 세계 21개국 250여 개 도시에 빠르게 진출해 2억 명의 이용자를 확보했다. 2015년 설립된 모바이크도 세계 200여 개 도시에서 공유 자전거 서비스를 제공하고 있다. 이들 두 업체가 전 세계에서 운영하는 공유 자전거 1,850만 대가 매일 수집하는 교통 관련 데이터는 수십 테라바이트에 이른다. 알리바

중국에 공유 자전거 붐을 일으킨 오포 VS 모바이크

구분	오포 ofo	모바이크 mobike
창업자	장스딩 등 베이징대 출신 3명	우버차이나 상하이법인 총경리 출신 왕샤오펑
창업시기	2015년	2016년
1일 이용자 수	49만 명	98만 명
이용 방식	-휴대폰 앱에 자전거등록번호 등 입력하면 자물쇠 비밀번호 전송. -모바일 결제	-자전거에 GPS가 내장돼 휴대폰으로 추적 가능. -QR 코드 스캔하면 잠금 자동으로 해제. 모바일 결제
이용 요금	-보증금 99위안(약 1만 6,800원) -시간당 요금: 학생 0.5위안(85원), 일반인 1위안(170원)	-보증금 299위안(약 5만 원) -30분당 0.5~1위안
주요 투자자	샤오미, 디디추싱, 디지털스카이테크놀러지	워버그핀커스, 텐센트, 테마섹, 팍스콘, 씨트립

(출처: 조선DB)

바와 텐센트가 이들 업체에 대규모 투자를 단행한 것도 그래서다. 우버는 매일 전 세계에서 약 550만 회 주행하고 리프트는 약 100만 회 주행한다. 반면 공유자전거 업체인 오포는 1,000만 회 주행하고 모바이크는 2,500만 회 주행한다. 알리바바와 텐센트와 같은 IT 기업에게 이를 통해 축적되는 많은 양의 빅데이터는 미래 먹거리 발굴을 위한 귀중한 자원이다. 오포와 모바이크가 연일 적자에도 사업을 계속 확장하고 있는 이유이다.

실제로 오포는 2014년 설립 이후 총 22억 달러(약 2조 3,744억 원)를 투자받았다. 이중 절반에 가까운 8억 6,600만 달러(약 9,346억 원)가 앤트파이낸셜 등 알리바바그룹이 투자한 것이다. 모바이크도 지금까지 9억 2,800만 달러(약 1조 15억 원)의 투자를 이끌어냈다. 그중 텐센트의 몫이 상당하다.

중국 베이징 시 시민들이 공유자전거를 타고 있다.

베이징 시 도로를 꽉 채운 공유자전거

경제 성장의 새로운 동력이 된 공유경제

공유경제 플랫폼의 진원지인 미국도 제치고 중국이 세계 최대 규모의 공유경제 시장으로 성장한 비결은 무엇일까? 많은 사람들이 중국은 불과 30년 전만 해도 소유보다 공유에 익숙한 공산주의 시스템이었고 빠른 도시화로 공백이 생긴 기존의 공공 서비스를 보완할 수단으로 공유경제 모델만한 것이 없다고 설명한다. 중국의 자가용은 1억 5,000만 대에 이르지만 열 명 중 서너 명은 매일 택시를 잡지 못해 발을 동동 구르고 있다.

중국의 유휴주택은 통계상 5,000만 채에 이르지만 도시로 사람들이 모여들면서 주택 공급이 턱없이 부족하다. 실제로 중국의 공유주택 시장은 최근 가파르게 성장하고 있다. 2018년 5월 중국경제연구센터가 발표한 보고서 「중국 공유주택 발전보고 2018」에 따르면 2017년 중국 공유주택 시장 거래 규모는 145억 위안(약 2조 4,513억 7,000만 원)으로 2016년과 비교해 70% 이상 증가했고 공유주택 거주자도 7,600만 명에 달한다. 2020년이 되면 공유주택 거래 규모는 500억 위안(8조 4,525억 원)이고 공유주택 숫자는 600만 채이고 공유주택 거주자도 1억 명을 넘을 것이다.

중국인 세 명 중 한 명이 사용하는 알리페이 등 모바일 결제 서비스도 온라인 플랫폼을 기반으로 한 공유경제 시장의 성장에 큰 역할을 했다. 2016년 중국 모바일 결제 사용자는 1억 9,500만 명으로 미국의 3,700만 명보다 압도적으로 많다. 일례로 차량중개 플랫폼 디디추싱의 2016년 차량호출 건수는 15억 5,000만 건으

중국 공유경제 현주소 (2016년 말 기준)

| 거래액 3조 4,500억 위안 (전년 대비 103% 증가) | 참여 인구수 6억 명 | 서비스 제공자 수 6,000만 명 | 신규창출 일자리 수 85만 개 | 연간 자금조달액 1,710억 위안 |

2020년 중국 공유경제 전망

| GDP 비중 | 2020년 10% | 서비스 제공자 수 1억 명 |
| | 2025년 20% | 연평균 성장률 40% |

(출처: 아주경제DB, 자료: 공유경제 발전 보고서, 2017)

로 미국 전역에서 발생한 차량호출 건수의 두 배를 기록했다. 우버가 지난 6년간 전 세계에서 받은 호출 건수는 10억 건에 불과했다.

중국의 공유경제 시장이 이렇게 급성장한 결정적인 비결은 중국 정부의 적극적인 지원 덕분이다. 중국 정부는 2017년 3월 공유경제 발전을 중요한 정책 기조로 내세웠다. 리커창 중국 총리는 2017년 6월 국무원 회의에서 "인터넷을 활용한 공유경제가 과잉 생산을 흡수하고 다양한 신사업 모델을 통해 고용을 창출하는 수단이 되고 있다"며 "중국 경제 성장에 새로운 동력으로 공유경제를 신뢰해야 한다."라고 강조했다. 실제로 중국 정부는 공유경제와 같은 새로운 시장이 시작될 때마다 기존 제도를 적용해 규제하는 대신 일단 시장에 안정적으로 자리 잡을 때까지 거시적인 가이드라인만 제시한다. 정부가 앞장서서 관련 시장을 지원하겠다는 의지를 드러내면 각 지방정부가 구체적인 지원 방안을 내놓고 새로운 기업의 탄생을 유도하는 방식이다. 그 결과 승부가 갈리면 선택과 집중의 전략을 편다.

일례로 중국 정부는 공유 자전거 시장의 49%를 점유하고 있는 1위 기업 오포에게 원하는 특정 지역을 자전거 정거장 용지로 내줬다. 압도적으로 시장을 장악한 기업에게 더 많은 혜택을 몰아줘서 글로벌 기업으로 육성하는 전략이다. 이처럼 신산업 분야에 적극적인 규제 완화와 전폭적인 지원을 펼치되 심각한 사회 혼란이나 부작용이 발생할 때는 시장에 영향을 미치지 않는 선에서 제한적으로 규제를 적용한다. 새로운 비즈니스가 탄생하기에 최적의 조건인 셈이다.

반면 우리 정부는 정반대 정책을 취하고 있다. 중국 최대 차량중개 플랫폼인 디디추싱의 새로운 성장 동력이 되고 있는 출퇴근 버스공유 서비스는 국내 스타트업 콜버스랩이 먼저 시도한 비즈니스 모델이지만 우리 정부의 적극적인 규제로 국내 시장에서 완전히 퇴출당했다. 알리바바와 텐센트가 탐내는 공유 자전거 빅데이터는 우리 법 제도의 강도 높은 개인정보보호 규제로 시도조차 불가능하다. 최근 정부는 신산업 육성을 위해 규제를 대폭 완화하겠다고 의지를 밝혔지만 실제 현장의 체감도는 미미한 수준이다.

2015년을 넘어선 후에야 공유경제 시장의 가능성에 눈을 뜨고 공격적으로 지원정책을 펼친 중국 정부는 불과 2~3년 만에 공유경제 플랫폼의 본거지인 미국을 완전히 압도적으로 제압해버렸다. 과거 제조업 시대에는 꿈도 못 꿀 일이지만 지금처럼 첨단기술이 제조업을 좌우하는 4차 산업혁명 시대에는 얼마든지 가능한 일이다. 우리에게도 공유경제를 포함한 신산업 육성을 위해 중국을 넘어서는 과감한 결단과 빠른 집행이 절실히 필요하다.

공유경제는 대안 경제 시스템

공유경제를 이야기할 때마다 빠지지 않고 등장하는 것이 바로 우버다. 세계 최초로 공유경제 시스템을 비즈니스로 전환해 성공시킨 우버는 이후 등장한 모든 공유경제 플랫폼의 공식이라 할 만하다.

공유경제 모델이 흔들리고 있다

하지만 최근 우버는 전 세계에서 '퇴출 1순위 기업'으로 지목되며 고난을 겪고 있다. 영국은 런던에서만 4만 명의 우버 운전자들이 활동하고 있고 우버 서비스를 이용하는 사람도 350만 명에 달한다. 그야말로 우버 천국이다. 하지만 우버 운전자들이 연루된 성폭행 사건이나 우버 차량을 이용한 테러 등이 연달아 발생하며 안

우버는 이후 등장한 모든 공유경제 플랫폼의 공식이라 할 만하다.

전성 문제가 계속 제기됐다. 이에 영국 런던교통공사는 2017년 9월 우버가 이용자들의 안전을 위한 조치에 소홀했다며 공공의 안전과 보안을 위해 더 이상 면허를 연장하지 않겠다고 통보했다. 또한 2017년 11월에는 영국 사법부가 우버 운전자를 자영업자가 아닌 회사에 고용된 운전기사로 봐야 한다는 판결을 내렸다. 우버와 운전자는 승객을 연결해주고 중개수수료를 받는 협력 관계가 아니라 법정 휴가와 최저임금을 보장해줘야 하는 고용 관계라는 것이다. 이에 대해 미국 대표 일간지 『뉴욕타임스』는 "공식 계약을 하지 않고 노동자에게 의존하는 우버식 공유경제 모델이 흔들리고 있다."라고 평가했다.

에어비앤비도 사정이 다르지 않다. 캐나다 밴쿠버 시는 2017년 11월 실제 거주하는 집만 임대할 수 있도록 제한하는 내용의 조례를 통과시켰다. 에어비앤비로 큰 돈을 벌고자 여러 채의 집을 구입

에어비앤비로 큰돈을 벌고자 여러 채의 집을 구입하는 사람들로 주택난이 심해지는 부작용도 생겼다.

하는 사람들로 주택난이 심해지자 규제에 나선 것이다. 조사 결과 밴쿠버 시는 2009년 이후 6년간 주택 가격이 두 배 이상 폭등했다. 그러다 보니 집을 구하지 못한 신혼부부나 저소득층이 시 외곽으로 강제 이주당하는 현상이 두드러졌다. 이에 대해 그레고리 로버트슨 밴쿠버 시장은 "공유경제는 분명 부작용을 일으키고 있다. 이를 통제하는 방법을 찾아야 한다."라고 말했다.

승승장구하던 공유경제가 위기를 맞고 있다. 추가적인 투자 없이 기존의 자원을 활용해 경제적 이윤을 창출하는 공유경제는 분명 우리 사회를 긍정적으로 바꿀 새로운 경제 시스템이다. 하지만 이를 현실로 옮기는 과정에서 다양한 부작용이 속출하고 있다. 가장 큰 부작용은 범죄 위험이다. 우버 차량을 이용하다가 폭행 등의 범죄 피해를 보는 사례가 꾸준히 늘고 있다. 호의로 낯선 이에게 빈방을 내줬다가 마약 사범으로 몰리는 등 숙박공유 서비스도 다양한 위험에 노출되고 있다. 저렴한 가격으로 공유 서비스를 이용하는 대가라고 하기엔 그 피해가 상당하다.

공유경제 거품론까지 제기되고 있다

더 큰 문제는 플랫폼 기업만 살찌는 기형적인 수익 모델이라는 지적이다. 우버는 스마트폰 앱으로 운전자와 승객을 연결해주고 중개 수수료를 받지만 그 어느 나라에도 세금을 내지 않는다. 운전자들에게도 휴가 등 복리혜택이나 최저임금 보장 등을 일절 제공하지 않는다. 우버 측은 정식으로 해당 나라에 사업등록을 하고 세금을 내고 복리후생을 제공하면 가격 경쟁력이 떨어져 그만큼 이용자들의 혜택이 줄어들 것이라고 주장한다. 하지만 반론이 만만찮다. 우버로 대표되는 공유경제형 일자리들은 저임금에 임시직이 대부분이다. 이용자들은 택시보다 저렴하게 차량 서비스를 이용하고 있지만 그만큼 운전자들에게 돌아갈 몫은 줄어든다. 호출 건수가 많을수록 많은 돈을 벌 수 있다고 말한다. 하지만 사실 건수가 많아져서 더 많은 이득을 챙기는 건 우버 플랫폼 운영자들이다. 우버는 2018년 1분기에만 순매출이 2017년 같은 기간보다 70% 늘어난 26억 달러(약 2조 8,000억 원)를 기록했다.

우버와 함께 공유경제 대표 모델로 거론되는 에어비앤비도 최근 기업형 집주인들로 인해 공격 대상이 되고 있다. 원래 취지는 안 쓰는 빈방을 빌려줘 수익을 내는 것인데 에어비앤비를 찾는 사람들이 늘어나자 집을 여러 채 구매해서 대규모로 방을 빌려주는 사

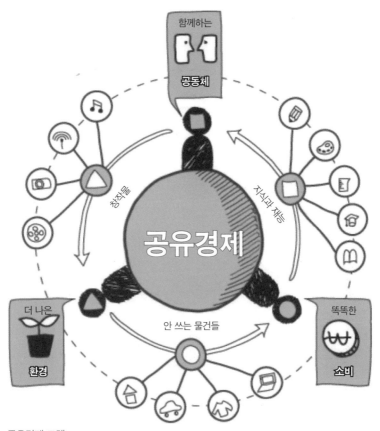

함께하는
공동체

창작물

지식과 재능

안 쓰는 물건들

더 나은
환경

똑똑한
소비

공유경제

공유경제 모델

람들이 등장하기 시작했다. 이들은 숙박업소 못지않은 수익을 올리면서도 세금은 1원도 내지 않는다. 일각에서는 공유경제형 일자리가 노동력 착취를 구조화하고 타인의 불행을 상품화하며 유휴자원의 공유가 아닌 자본의 돈벌이 수단으로 전락하고 있다고 비판한다. 개인의 이익이 모두의 이익이 되는 공유경제의 원래 목적에서 벗어나 기존 제도의 바깥에서 세금 등 규제를 피하기 위한 편법적 수단이 되고 있다는 것이다. 그러다 보니 공유경제 모델은 일

시적인 유행에 지나지 않는다는 '공유경제 거품론'까지 제기되고 있는 상황이다.

모두에게 이익이 돌아가는 공유경제 시스템을 만들자

하지만 이 같은 논란에도 공유경제가 지금의 소유와 독점과 경쟁에 찌든 불균형의 시장 질서를 바꿀 혁신적인 경제 시스템이며 곳곳에 흩어져 있는 자원을 하나로 모아 적재적소에 효과적으로 배분하는 데 가장 최적화된 모델이라는 것에는 이견이 없다. 또한 앞으로 맞춤형 서비스에 대한 욕구가 높아질수록 IT 기술로 무장한 공유경제 플랫폼은 가장 효율적이면서 가장 저렴한 비즈니스 툴이 될 것이란 전망에도 공감대가 높다.

공유경제는 우리 사회에 비즈니스 모델로 통용되기 시작한 지 불과 10년도 되지 않았다. 현재로선 과도기 단계로 여러 부작용이 부각되고 있긴 하지만 과거 전자상거래 보안 문제 등이 그랬던 것처럼 다양한 문제들을 최소화할 대안적 방법들을 고안해낼 필요가 있다. 문제를 해결한답시고 정부가 섣불리 규제하거나 공유경제 자체를 불신하는 분위기를 조성해선 곤란하다. 공유경제가 원래 목적대로 모두에게 이익이 돌아가는 대안적 경제 시스템으로 자리매김할 수 있도록 모두가 힘과 지혜를 모아야 할 때이다.

모든 것이 연결된 플랫폼
스마트시티

1989년 개봉한 영화 「백 투 더 퓨처 2」의 주인공은 2015년으로 시간여행을 떠난다. 고교생 마티 맥플라이와 괴짜 과학자 브라운 박사가 타임머신 자동차 드로리언을 타고 2015년에 와서 본 것들은 얼마나 현실화됐을까. 날아다니는 자동차, 쓰레기를 자동차 연료로 사용하는 기술, 초 단위 일기예보, 몸에 맞춰 크기를 자동으로 조절하는 옷, 날아다니는 스케이트보드는 아직 실현되지 못했거나 초보 수준에 불과하다. 하지만 자동으로 끈을 묶어주는 신발, 3D 영화, 무인식당, 다채널 텔레비전, 영상통화, 전자안경, 인공장기, 조리하면 크기가 커지는 피자는 이미 현실화됐다.

아직 실현하지 못한 기술들도 몇 년 내로 현실화될 것이다. 그만큼 정보통신기술의 발전 속도는 광속으로 빨라지고 있다. 스마트시티도 그중 하나다. 얼마 전까지만 해도 스마트시티는 영화 「백

스마트시티

스마트 에너지 　　교육　　　사물인터넷　　스마트 리테일

스마트 헬스　　스마트 모빌리티　　스마트 홈　　오픈 데이터

투 더 퓨처」처럼 영화에나 등장하는 미래 사회의 모습이었다. 하지
만 우리는 이미 몸을 움직이지 않아도 말 몇 마디로 집안의 전등이
나 가스 등을 제어하고 출근할 필요 없이 집에서 각종 기기를 활용
해 업무를 처리하며 운전자 없이도 자동차가 알아서 최단 거리로
목적지까지 운행하는 자율주행자동차를 경험하고 있다. 지금의 기
술 발전 속도라면 현재의 수준을 훨씬 능가하며 모든 것이 하나로
연결되고 지능적으로 움직이는 스마트시티가 수년 내로 당연한 일

상이 될 것이다.

당신이 꿈꾸던 4차 산업혁명의 모든 것

문재인 정부는 '사람 중심의 4차 산업혁명'을 목표로 2017년 9월 대통령직속 4차산업혁명위원회를 출범하고 그해 11월 스마트시티 특별위원회를 설치했다. 도시 자체가 혁신 성장의 동력이 되고 국민들의 삶의 질을 높일 수 있도록 앞으로 5년 내 세계 최고 수준의 스마트시티 조성을 목표로 하고 있다. 국토교통부와 스마트시티 특별위원회는 2018년 1월과 5월 두 차례에 걸쳐 '스마트시티 추진전략'을 발표했다. 간단하게 요약하면 도시 두 곳에 시범적으로 최고 수준의 첨단기술들을 적용시켜 영화에서나 보던 미래형 도시를 현실화한다는 것이다. 2021년 입주가 목표이다.

정부는 백지 상태의 부지에 미래 혁신기술을 자유롭게 적용할 수 있도록 세종 5-1 생활권과 부산 에코델타시티 두 곳을 스마트시티 국가 시범도시로 선정했다. 현재까지 발표된 바로는 세종특별자치시에는 스마트팜, 스마트 교육 시스템, 미세먼지 모니터링, 자율주행 대중교통, 혁신창업구역, 제로에너지 특화단지 등이 조성될 예정이다. 구체적인 계획은 알려지지 않았지만 앞선 사업들을 토대로 대략적인 청사진을 그려볼 수 있다. 앞서 세종시는 2016년 국토교통부의 'U-시티 체험형 테스트베드 구축 공모 사업'에 선정됐다. 첨단 유비쿼터스 기술을 기반으로 24시간 가동되는 도시통합운영센터를 구축해 원격으로 다양한 공공 서비스를 제공하는 것으로 스마트 교육 시스템과 미세먼지 모니터링 등에 활용될 것으로 보인다.

2017년에는 세종시 두레농업타운에 '친환경 전기농기계 실증 테스트베드 구축을 위한 사업'이 진행됐다. 위성신호를 받아 밭을 자동으로 가는 자율주행 트랙터, 드론을 이용한 방제 작업, 승용관리기와 전기다목적 이식기, 여성과 고령층도 쉽게 사용할 수 있는 전기 다목적 운반차량 등 4차 산업혁명 시대의 미래 농업 기술이 총동원됐다고 해도 과언이 아니다. 스마트팜은 이미 몇 걸음을 내디딘 셈이다. 2018년 4월부터는 자율주행자동차 연구개발을 본격적으로 시작했다. 앞으로 5년간 145억 원을 투입해 자율주행자동차가 실제 도로에서 운행될 때 생길 수 있는 안전 문제를 해결한다는 계획이다. 자율주행자동차는 이미 자율주행 11인승 버스가 신분당선 판교역부터 판교제로시티까지 5.5킬로미터 구간을 자율주행 모드로 운행하고 있다. 정부는 2019년부터 일반도로를 대상으로 자율주행 트럭과 버스를 시범 운행할 방침이다. 이 속도라면 자율주행이 대중교통에 속할 날도 머지않았다.

다른 시범도시인 부산 에코델타시티는 낙동강 옆에 자리한 지리적 자원을 활용해 수자원 등 환경에 특화된 첨단기술과 생활체감형 기술을 적용한다는 계획이다.

스마트시티가 붕괴된 도시 공동체를 복원한다

스마트시티는 공공 서비스와 시민들의 일상이 네트워크로 연결된 도시 규모의 거대한 플랫폼이라고 할 수 있다. 어느 한 기업이나 특정 기술이 아닌, 우리가 알고 있는 범위를 넘어서는 수준의 첨단기술과 서비스가 융합되어 구현될 것이다. 스마트시티를 구성하는 핵심 영역으로 공유경제가 주목받고 있다. 특히 교통 부문에서 일대 변화를 예고하고 있다. 자율주행자동차가 상용화되면 차량을 소유하지 않고 공유하는 문화가 생겨날 것이다. 차량공유 시스템이 대중화되면 출퇴근 시간 교통난은 자연스레 해결될 것이다. 또한 자동차를 공유하게 되면 주차장의 필요가 없어지므로 그 여유 공간을 공공의 이익을 위해 어떻게 활용할 것인가에 대한 논의가 제기될 것이다. 모두 공유경제의 영역이다.

현재 도시의 가장 큰 문제는 공동체 사회 붕괴이다. 옆집에 누가 사는지 알지도 못하고 관심도 없다. 엘리베이터에 이웃이 함께 타면 반가운 마음보다 혹시 나를 해코지하지 않을까 하는 두려움이 먼저 생긴다. 스마트시티는 기술이 공동체 회복에 어떻게 기여할 수 있는지를 보여줄 시금석이 될 것이다. 앞서 세종시에 적용된 유비쿼터스 시티 모델은 공공 서비스와 시민들을 연결하는 기술력은 확보했지만 시민과 시민을 연결하는 공동체 개념은 전혀 고려되지 않았다. 반면 현재 추진 중인 스마트시티는 동네에 분쟁이 발생하면 온라인 커뮤니티 투표를 통해 문제를 해결하고 각자가 보유한 물품과 재능과 정보 등을 활용해 서로 필요한 것을 공유한다. 그렇게 함으로써 공유 주방이나 공유 오피스와 같은 새로운 공유경제 공동체가 탄생하는 것을 지향하고 있다. 스마트시티가 그 자체로 공유경제 플랫폼 역할을 하는 것이다.

문제는 법이다. 이 모든 것이 가능하려면 많은 양의 빅데이터가 필수적이다. 5G, 사물인터넷, 인공지능, 빅데이터 등 스마트시티에 적용된 첨단기술들은 미세먼지나 교통 같은 공공 영역부터 시민들의 쇼핑 동선이나 운동 패턴 등 개인적인 영역에 이르기까지 전방위로 모든 데이터를 모으고 축적한다. 이를 기반으로 시민들의 불편을 최소화할 수 있는 공공 서비스를 개발하고 삶의 질을 높이기 위한 최적의 동선과 맞춤형 서비스를 제공하게 된다. 하지만 이런 서비스들이 고도로 지능화된 단계로 진화하려면 일부는 사생활 침해라고 느낄 만큼 초밀착으로 데이터 수집이 이뤄질 수 있다. 초연결과 초지능이 구현된 스마트시티를 현실화하는 것과 개인정보보호 등 사생활 침해를 최소화하는 것 사이의 간극을 좁히는 일은 세계에서 가장 엄격하다는 개인정보보호법을 가진 우리에게 절대 쉽지 않은 문제이다.

사실상 4차 산업혁명의 신기술들이 모두 적용되는 스마트시티는 기존 법제도와의 충돌이 불가피하다. 그래서 정부는 2018년 3월 신산업 육성을 위한 각종 특례와 민간 투자 활성화를 위해 규제 완화를 적용한 혁신성장 진흥구역 도입 등을 골자로 한 스마트도시법 개정안을 발의했다. 국회 통과 여부가 숙제로 남아 있지만, 과거 규제 일변도의 정부와 비교하면 대단히 진일보했다고 할 수 있다.

이미 첫 단추는 끼워졌다. 이제 남은 과제는 이미 세운 계획과 실천 의지를 앞으로도 계속 유지하는 것이다. 또한 스마트시티와 공유경제 활성화의 주축이 될 스타트업과 지속적으로 소통하며 지금 시점에서 가장 나은 대안을 계속 만들어가는 일일 것이다. 때마침

모든 것이 하나로 연결되고 지능적으로 움직이는 스마트시티가 수년 내로 당연한 일상이 될 것이다.

최근에 배달의민족을 운영하는 우아한형제들, 공유숙박 기업 코자자, 주차공유 기업 모두의주차장, 승차공유 기업 풀러스와 럭시, 차량공유 기업 그린카 등 국내를 대표하는 공유경제 스타트업 25곳과 테크앤로 법률사무소, 공공 사회단체와 학계 등 50여 곳이 '한국공유경제협회'를 발족했다. 협회는 공유경제 활성화를 위해 민간 기업과 정부부처를 연결하는 소통 창구 기능을 담당하고 있다.

그동안 정부 주도로 사업을 추진했다가 실패로 끝났던 것을 되풀이해선 안 된다. 세계 최고 수준의 스마트시티를 구축하기 위해서는 공유경제 스타트업 등 관련 업계에 귀를 기울이는 열린 자세가 그 어느 때보다 절실한 시점이다.

6장

세계는 핀테크
금융혁명 중이다

세계 경제를 장악한 모바일 결제

매년 11월 11일이 되면 중국에선 '광군절' 행사가 열린다. 광군光棍은 빛나는 막대기란 뜻으로 연인이 없는 싱글을 의미한다. 11월 11일은 혼자를 상징하는 숫자 1이 4개나 겹쳐 있는 날이어서 중국 청년들 사이에선 이날이 '싱글데이(솔로데이)'로 통한다. 하지만 우리에겐 '중국판 블랙프라이데이'라는 표현이 더 익숙하다. 매년 11월 11일 중국 알리바바 쇼핑몰에 접속하면 파격적인 할인가로 전 세계 상품을 구매할 수 있기 때문이다.

시작은 초라했다. 알리바바는 2009년 11월 11일 중국 젊은이들을 끌어모을 요량으로 '광군절에는 쇼핑으로 외로움을 달래야 한다'며 자사 쇼핑몰인 타오바오Taobao를 통해 대대적인 온라인 쇼핑 할인행사를 열었다. 참여 업체는 35개에 거래액은 5,000만 위안(약 85억 원)에 불과했다. 그로부터 9년이 흐른 2017년 11월 11

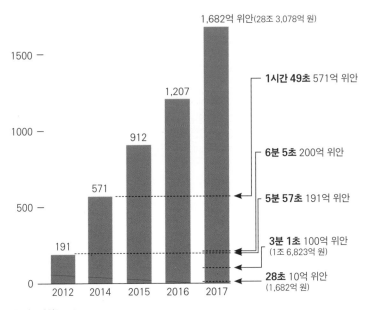

알리바바 광군제 행사 매출 추이

1,682억 위안(28조 3,078억 원)

1500 —

1시간 49초 571억 위안

1,207

1000 —

912

6분 5초 200억 위안

571

5분 57초 191억 위안

500 —

3분 1초 100억 위안
(1조 6,823억 원)

191

28초 10억 위안
(1,682억 원)

0

2012 2014 2015 2016 2017

(출처: 연합뉴스)

일엔 많은 것이 달랐다. 무려 14만 개가 넘는 글로벌 브랜드가 상품을 판매했다. 전 세계 222개국 소비자들이 물건을 구매했으며 단 하루 거래액만 1,682억 위안(약 28조 3,080억 원)에 달했다. 2009년과 비교해 무려 3,000배가 넘는 성장을 이룬 것이다.

주목할 것은 비단 매출 성장만이 아니다. 이날 거래의 90%는 모바일에서 이뤄졌다. 당일 0시부터 새벽 2시까지 두 시간 만에 이날 하루 전체 거래액의 97%가 달성됐다. 1초당 무려 32만 건의 거래가 아무런 문제 없이 처리됐고 매일 8억 개에 달하는 택배가 무사히 배송됐다. 이날 첫 주문 고객은 결제 12분 만에 택배를 받았고 해외에서 주문한 고객은 정확히 33분 만에 물건을 받았다. 중국

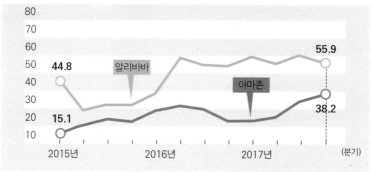

알리바바 vs 아마존 매출 증가율 추이

(출처: 블룸버그)

알리바바가 미국 아마존에 버금가는 세계 최대 전자상거래 업체로 꼽히는 건 그래서이다. 하지만 아마존의 아성을 뛰어넘을 날이 곧 머지않았다. 아마존에는 없고 알리바바에는 있는 그것, 바로 온라인 결제 플랫폼 알리페이Alipay 때문이다.

4세 알리페이가 150세 금융 골리앗을 쓰러뜨렸다

알리바바는 1999년 마윈이 친구들과 창업한 회사다. 마윈은 중국 인터넷 시장의 성장 가능성에 주목했고 중국의 크고 작은 상점들이 인터넷 공간에서 물건을 사고파는 장면을 상상했다. 미국 이베이의 오픈마켓 모델을 모방해 2003년 온라인 쇼핑몰 타오바오를 만들었다. 어디서 사야 저렴하게 구매하고 어디서 팔아야 매출을 더 많이 올릴 수 있을지 고민해온 중국의 젊은이들이 타오바오로 몰려들었다. 하지만 결정적 문제가 있었다. 많은 사람들이 인터넷 상거래를 믿지 못했다. 돈을 보낸다고 해서 물건이 온다는 보장이 없었다. 당시만 해도 인터넷 상거래가 시작 단계여서 홈페이지만 그럴싸하게 만들어놓고 결제가 이뤄지면 숨어버리는 사기 행위가 줄을 이었다.

알리바바는 해결책으로 알리페이라는 자체 결제 시스템을 개발했다. 구매자가 알리페이 가상계좌에 돈을 입금하면 물건을 보내고 수령이 확인되면 그때 판매자에게 돈을 보내주는 에스크로 시스템이었다. 구매자와 판매자 모두 믿을 만한 신용 체계가 마련되자 거래가 폭증하기 시작했고 타오바오의 성장으로 알리바바는 순식간에 중국 최대 전자상거래 기업으로 올라섰다. 알리바바 시가총액은 2018년 1월 기준 5,242억 달러(약 566조 6,602억 원)로 세계 8위를 기록했다. 2017년 13위에서 5계단이나 수직으로 상승한 결과다. 현재 알리바바가 운영하는 온라인 쇼핑몰에서는 매일 1억 명이 접속해 물건을 구매하고 있다. 이중 절대다수가 알리페이로 결제가 이뤄진다.

중국의 모바일 결제시장은 2016년부터 급속도로 성장했다. 백화점부터 노점상까지 모바일 결제가 안 되는 곳이 없다. 상점에 비치된 QR코드나 바코드를 스마트폰으로 찍으면 결제가 이루어진다. 농담이 아니라 거리에서 구걸하는 사람들도 QR코드를 목에 차고 있을 정도다. 시장조사업체 아이리서치에 따르면 2017년 중국의 모바일 결제 규모는 99조 위안(약 1경 6,000조 원)에 이른다. 2018년에는 167조 위안(약 3경 원), 2020년에는 300조 위안을 넘어설 것으로 전망되고 있다.

스마트폰으로 타오바오에서 쇼핑하고 알리페이로 결제한다.

　중국 모바일 결제시장의 선두주자가 바로 알리페이다. 시장조사 업체 애널러시스에 따르면 알리페이의 시장점유율은 2017년 3분기 기준 54%로 절반을 넘어섰다. 알리바바는 모바일 간편결제 서비스로 탈바꿈한 알리페이를 기반으로 2014년 핀테크 계열사인 앤트파이낸셜을 설립했다. 앤트파이낸셜은 5억 2,000만 명에 달하는 알리페이 이용자 관리부터 알리페이 거래 데이터를 활용한 모바일 신용평가로 소액 대출, 보험, 인터넷 은행, 자산관리 등의 금융 서비스를 제공하는 즈마신용Zhima Credit 운영을 했다. 최근에는 안면인식을 포함한 생체인증 서비스 개발에도 주력하고 있다.

　흔히 중국의 IT 공룡을 'BAT'라고 부른다. 바이두, 알리바바, 텐센트의 영문이름 앞글자를 따서 만든 것이다. 그런데 최근 들어 'ATA'라고 바꿔 부르는 사람들이 늘고 있다고 한다. 부침을 겪는 바이두를 대신해 급성장 중인 앤트파이낸셜을 포함시킨 것이다. 앤트파이낸셜의 2018년 1분기 매출은 131억 위안(약 2조 2,246억 4,200만 원)에 기업가치는 1,500억 달러(약 161조 9,400억 원)에 달한다. 반면 뉴욕 월가의 대표적인 투자은행이자 150년 전통의 골드만삭스 기업가치는 938억 달러(약 101조 2,664억 8,000만 원)에 그쳤다. 4세 다윗이 150세 금융 골리앗을 쓰러뜨린 셈이다. 알리페이라는 무기 하나로 말이다.

생체정보 기술력이 금융 산업 핀테크 리더를 바꾼다

지금 전 세계 핀테크 시장은 지급결제 플랫폼이 좌우하고 있다고 해도 과언이 아니다. 2017년 기준 미국 핀테크 상장사 1위 기업은 온라인 지불결제 서비스인 페이팔Paypal이다. 페이팔의 시가총액은 2018년 2월 기준 950억 달러(약 102조 6,000억 원)로 아메리칸 익스프레스 뱅크Amex를 훌쩍 넘어선다. 비상장사 1위 기업도 역시 결제서비스 플랫폼 기술회사인 스트라이프Stripe다. 스트라이프의 기업가치는 92억 달러(약 10조 원)로 평가받고 있다. 핀테크 시장의 주도권이 결제서비스에 있음을 보여주는 방증이다.

최근 생체인증 기술 개발이 활발한 것도 같은 맥락이다. 간편결제 서비스의 핵심은 간편하면서도 안전한 인증 절차이다. 기존에는 비밀번호나 패턴 인식이 다수를 이뤘다. 하지만 요즘에는 지문이나 홍채 등 바이오 정보로 신원을 인증하는 생체인증이 비중을 늘려가고 있다. 2002년 톰 크루즈 주연의 영화 「마이너리티 리포트」에서 홍채 인식으로 신원을 확인하는 장면을 볼 때만 해도 아주 먼 미래의 일처럼 여겨졌다. 그런데 이제는 홍채는 기본이고 팔뚝의 정맥, 음성, 얼굴 모양처럼 다양한 바이오 정보가 간편결제 본인인증에 활용되고 있다.

미국 핀테크 상장사 1위 기업은 온라인 지불결제 서비스인 페이팔이다. 핀테크 기술의 발달로 은행에 갈 필요 없이 스마트폰으로 언제 어디서나 금융 거래를 할 수 있다. 페이팔 본사.

사람마다 고유한 특성이 있는 생체정보는 위변조와 도용을 할 수 없어 보안성이 높다. 비밀번호는 잊어버리면 다시 만들어야 하는 번거로움이 있지만 생체정보는 한 번만 등록하면 평생 사용할 수 있다. 하지만 생체인증 정보가 유출되면 도용을 막을 수 없고 회복 불가능한 피해가 발생할 수 있기 때문에 안전성이 최우선으로 꼽힌다. 앞으로의 핀테크 지급결제 시장은 생체정보 기술력에 있다고 해도 무방할 것이다. 이렇듯 세계 핀테크 시장이 미래를 향해 열심히 나아가고 있는 것과 달리 우리나라의 현실은 암울하기만 하다.

핀테크 기술의 발달로 은행에 갈 필요 없이 스마트폰으로 언제 어디서나 금융 거래를 할 수 있다. 하지만 없으면 안 되는 게 하나 있는데 바로 공인인증서다. 목소리나 얼굴 모양, 최근에는 서명으로도 신원 확인을 하고 결제가 이뤄지는 세상이다. 그런데 우리는 아직도 무슨 족쇄처럼 공인인증서를 USB에 넣어 들고 다니고 있다. 2018년 하반기에나 공인인증서가 사라진다고 하니 우리나라

생체정보는 한 번만 등록하면 평생 사용할 수 있다. 하지만 생체인증 정보가 유출되면 도용을 막을 수 없고 회복 불가능한 피해가 발생할 수 있다.

핀테크가 아직도 갈 길이 멀다는 생각을 지울 수가 없다. 휴대폰 본인인증 때 필요한 문자메시지sms 입력 절차를 생략하고 스마트폰에 신용카드를 갖다 대기만 해도 결제가 이뤄지는 근거리무선통신NFC 간편결제 서비스도 정부 허가를 받기까지 2년이나 걸렸다. 기술 개발은 진즉 끝났는데 방송통신위원회가 개인정보를 보유한 신용카드사를 본인확인기관으로 지정하지 않으면 사업 허가를 낼 수 없다며 발목을 잡은 탓이다. 이미 서비스 참여 업체에 방송통신위원회 자신들이 지정한 본인확인기관인 신용평가사 코리아크레딧뷰로KCB가 포함돼 있었는데 말이다.

핀테크 산업은 IT 기술을 바탕으로 이뤄지는 금융 서비스이다. 지리적 물리적 경계에 제한받지 않는 국경을 초월하는 분야이다. 핀테크 선진국이 세계 금융의 중심이 되는 시대가 코앞으로 다가왔다. 그렇기에 세계 각국이 자국의 핀테크 산업을 육성하고 지원하는 데 주력하는 것이다. 하지만 우리는 여전히 각종 규제에 발목이 묶인 채 걸음마만 계속하고 있는 형국이다. 기존 금융시장이 거대 소수의 독점 플레이어의 시대였다면 핀테크 시대의 금융시장은

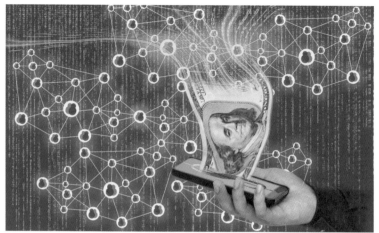

핀테크 기술의 발달로 은행에 갈 필요 없이 스마트폰으로 언제 어디서나 금융 거래를 할 수 있다.

다수 플레이어의 공존 시대라고 할 수 있다. 우리의 핀테크 스타트 업들은 다수 플레이어 시장에서 선두로 앞서 나갈 것인가, 아니면 뒤에서 이끌려 다닐 것인가. 결과는 앞으로 우리 정부가 핀테크 산 업에 어떤 태도를 보이느냐에 달려 있다.

금융 강국을 뒤바꾸는
P2P 대출과 해외송금

요즘 20대에게 금융 거래란 스마트폰과 동의어다. 오프라인 점포에 가서 계좌를 개설하고 은행 앱에 접속해 돈을 이체하는 것보다는 스마트폰에서 카카오뱅크 계좌를 만들고 카카오톡으로 돈을 보내는 것이 훨씬 더 익숙하다. 물론 여전히 오프라인 점포에서도 많은 거래가 이뤄지고 있지만, 이미 거래의 중심은 스마트폰으로 이동한 지 오래다. 대단한 변화인 것은 분명하다. 하지만 이를 두고 핀테크라고 하기에는 다소 무리가 있다. 핀테크의 본질은 오프라인에서는 불가능한 서비스를 온라인에서만 제공하는 혁신성에 있다. 종전에 오프라인 은행에서 제공하던 금융 서비스를 스마트폰으로 옮긴 것은 기존 금융 서비스의 불편함을 해결한 정도라고 평해야 적절할 것이다.

그렇다면 IT 기술로 새로운 금융 서비스를 창조하는 핀테크란

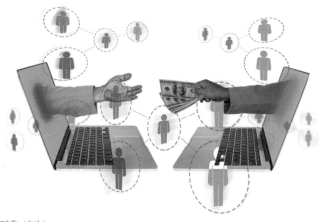

P2P 대출 서비스

과연 어떤 것일까. SNS 게시글 등 비정형 데이터를 포함한 새로운 신용평가시스템을 도입해 더 낮은 이자로 돈을 빌려주고 훨씬 안정적으로 투자금을 회수할 수 있는 P2P 대출 서비스나 은행 대신 블록체인 기술로 더 빠르고 저렴하게 해외로 돈을 보내는 해외송금 서비스 정도는 돼야 혁신이란 단어를 붙일 만하다.

혁신의 기준은 개선이 아닌 창조

그동안 은행에서 돈을 빌리려면 까다로운 절차를 거쳐야 했다. 은행 등 금융기관의 대출은 카드 거래 내역, 직업, 연체 여부 등 객관적으로 수치화할 수 있는 거래 데이터를 점수화해 신용등급을 나눈 뒤 이를 기준으로 대출 가능 여부와 금액을 결정한다. 필요에 따라 추가 서류를 제출하거나 신용보증인을 요구하기도 한다. 이 과정에서 신용등급이 낮거나 금융거래 실적이 없는 신 파일러Thin

카카오 뱅크

Filer는 상환 능력과 관계없이 대출을 받지 못하거나 고금리로 빌려야 하는 일이 다반사다.

반면 은행을 통하지 않고 돈을 빌리고 싶은 사람과 돈을 투자하고 싶은 사람을 일대일로 연결해주는 P2P 대출 서비스는 다른 과정을 거친다. 2015년 5월부터 서비스를 시작한 국내 P2P 대출 스타트업인 렌딧Lendit의 경우에는 대출 신청자의 최근 1년간 금융거래 실적을 대출 판단 기준으로 삼고 있다. 은행에선 현재 신용등급이 3등급이면 동일한 기준을 적용한다.

하지만 렌딧은 지난 1년 동안 1등급에서 3등급으로 떨어진 사람에겐 낮은 신용점수를 매기고 같은 기간 5등급에서 3등급으로 올라간 사람에겐 높은 신용 점수를 매긴다. 현재 시점의 신용이 아니라 과거 일련의 신용 패턴을 분석해 원금 상환 가능성을 판단하는 것이다. 비금융 데이터도 적극 활용한다. 페이스북이나 인스타그램 등 SNS 글들을 분석해서 자신을 백수라고 소개하거나 명품 가방 등 사치스런 생활을 자랑하는 내용이 자주 등장하면 신용 점수

렌딧 비즈니스 모델

를 깎는 식이다.

그 결과 돈을 빌리고 싶은 사람은 금융권보다 더 많은 금액을 더 낮은 이자로 빌릴 수 있게 됐다. 돈을 빌려주는 사람도 은행에 맡기는 것보다 훨씬 높은 금리를 받으며 안정적으로 투자금을 회수할 수 있게 됐다. 그리고 중간에서 둘 사이를 중개해주는 렌딧은 국내 P2P 개인신용대출 분야에서 시장점유율 45%로 독보적 1위를 유지하고 있다. 지난 3년간 렌딧이 집행한 누적 대출 건수는 9,032건이고 누적 대출 금액은 2018년 5월 기준 1,276억 원에 이른다.

블록체인 기술을 이용한 해외송금 서비스도 은행만 안전하다는 기존의 관행을 깨고 훨씬 빠르고 저렴한 해외송금 모델을 선보였다. 그동안 외국 유학 중인 자녀에게 학자금과 생활비를 보내려면 국내 은행 수수료, 국제 중개은행 수수료, 현지 은행 수수료를 모두 부담해야 했다. 세계은행에 따르면 2016년 말 기준 국내 은행에서 국외로 돈을 보낼 때 수수료는 원금의 5% 수준이다. 500만 원을 보내도 실제 자녀가 손에 쥐는 돈은 수수료 25만 원을 제외한 475만 원밖에 안 된다.

블록체인 기술은 해외송금 수수료를 1%로 대폭 낮췄다. 핵심은 암호화폐 거래기술이다. 자녀에게 보낼 돈을 은행에서 현지 화폐로 환전하는 대신에 국내 암호화폐 거래소에서 비트코인이나 이더리움 같은 암호화폐로 바꾼다. 국제 중개은행을 통하는 대신에 해외 암호화폐 거래소에 돈을 보낸다. 이후 자녀가 암호화폐를 현지 화폐로 환전하면 기존의 국내 은행 환전 수수료와 국제 중개은행 수수료를 절약할 수 있다. 500만 원 기준으로 수수료는 5만 원만 내면 된다.

시간도 대폭 단축했다. 보통 시중은행을 거치면 2~3일, 길면 5일이나 소요되지만 암호화폐 거래기술을 이용하면 평균 1시간 정도면 송금이 완료된다. 하지만 이들 서비스는 도입 초기 채 뜻을 펼쳐보지도 못하고 한동안 강제로 시장에서 물러나 있어야 했다. 정부로부터 '불법' 낙인을 받았기 때문이다.

규제 샌드박스 제도의 적극 활용

모인MOIN은 블록체인 기술을 활용해 중계은행을 거치지 않고 해외로 돈을 송금하는 블록체인 해외송금 스타트업이다. 원화를 암호화폐로 바꿔서 해외 거래소로 보내고 다시 현지 화폐로 바꾸는 방식으로 수수료와 송금 기간을 대폭 줄였다. 또한 디바이스나 운영 체제와 관계없이 최초 한 번만 본인인증을 하면 PC 또는 스마트폰으로 간편하게 해외송금이 가능하다. 모인은 이 같은 혁신적인 서비스 모델을 기반으로 2016년 3월 첫 서비스를 시작한 이래 분기별로 전기대비 평균 138%씩 무섭게 성장하며 국내 해외송금 트렌드를 주도했다. 2016년 9월에는 금융위원회와 금융감독원이 공동 주최한 '금융권 공동 창업경진대회'에서 2위에 해당하는 '금융감독원장상'을 받기도 했다.

하지만 2017년 1월 기획재정부가 모인 등 해외송금 스타트업을 금융감독원에 고발하며 제동이 걸렸다. 기획재정부는 비트코인 등 금융 범죄에 악용될 수 있는 암호화폐를 해외로 송금한 것은 외국환거래법 위반이라고 결론 내렸다. 또한 외국환거래법 제8조에 따르면 외환송금 등의 업무는 금융회사만 가능한데 모인 같은 핀테크 업체는 금융사가 아니므로 불법 행위를 한 것으로 판단했다. 외국환거래법 위반으로 규정되면 3년 이하 징역 또는 3억 원 이하 벌금형에 처한다.

핀테크 업체들은 즉각 반발했다. 외국환거래법상 비트코인은 지급수단에 해당하지 않으며 외국환 개념에도 포함되지 않았다. 현재 비트코인에 대한 법적 정의조차 마련되지 않은 상황에서 일부 불법 사례를 이유로 비트코인을 활용한 금융 서비스 자체를 불법으로 규정하는 것은 불합리하다고 지적했다. 하지만 결국 모인은 2017년 7월 영업을 중단했다. 기획재정부가 외국환거래법 시행령을 개정해 모인과 같은 소액 해외송금업에 대해 새로운 라이선스 발급 제도를 도입했기 때문이다.

개정 전 외국환거래법은 핀테크 업체가 은행권과 컨소시엄을 구성해 협업하는 경우에만 해외송금 서비스를 허용했다. 개정 후에는 자기자본 20억 원 이상(해외송금업 전업사는 10억 원)을 보유하고 외환 업무 경력 2년 이상의 임직원을 5명 이상 채용하고 전산설비와 외환전산망 연결 등의 요건을 갖춘 업체에 한해 라이선스를 발급하고 있다. 다만 금융회사가 아닌 핀테크 업체는 건당 3,000달러 이하로 연간 2만 달러 한도 내에서만 거래를 허용했다. 또한 일평균 지급 요청액의 3배를 금융감독원에 예탁하도록 했다.

법 개정으로 더 이상 은행을 거치지 않아도 단독으로 영업이 가능하게 된 것은 다행이다. 하지만 법이 정한 면허 조건을 달성하기까지 상당한 시간이 걸렸다. 모인이 정식으로 라이선스를 취득한 것은 2018년 1월이고 다시 해외송금 서비스를 시작한 것은 2018년 2월부터이다. 아무런 소득 없이 무려 7개월간 무중력 상태를 견뎌야 했다. 신생 스타트업에게 그것은 절대 쉽지 않은 일이었다. 불행 중 다행으로 모인의 성장 잠재력을 높이 평가한 투자자들로부터 25억 원의 자금을 유치해 암흑 같던 시간을 넘길 수 있었다. 국제금융센터에 따르면 2018년 3월 말 기준 정식 인가를 받고 금융감독원에 등록된 국내 소액 해외송금 업체는 총 18곳이다.

그러나 이것은 시작에 불과했다. 라이선스 취득 이후에도 이런저런 규제가 계속 발목을 잡고 있다. 금융실명법과 자금세탁방지법에 따라 고객 정보는 여전히 은행을 통해 받아야 한다. 모인의 경쟁력은 암호화폐 거래를 통한 수수료 절감이다. 그런데 정부가 암호화폐를 사용하지 말라는 지침을 내린 탓에 지금까지도 법정화폐만을 이용해 해외송금 서비스를 제공하고 있다. 특히 라이선스 도입에 따른 7개월의 무중력 기간은 국내 기업이 주도권을 잡았던 아시아 해외송금 시장을 해외 스타트업에게 고스란히 내어주는 결과로 이어졌다. 그중에서도 싱가포르 스타트업의 활약이 두드러졌다.

싱가포르 통화청MAS은 2015년부터 대대적으로 핀테크 기업 육성에 나서며 규제 전반을 뜯어고쳤다. 기존 시장에 없던 새로운 서비스가 출시될 때 일정 기간 규제 적용을 면제해주는 '규제 샌드박스Regulatory Sandbox' 제도를 도입했고 자금력이 부족한 스타트업의 시장 진입장벽으로 꼽혔던 재무건전성, 최소 납입자본, 신용등급 등 기존 설립 요건 규제를 대폭 완화했다. 그 결과 싱가포르는 불과 몇 년 사이에 기업가치가 1조 원 이상인 스타트업을 뜻하는 '유니콘'이 줄지어 탄생했다.

반면 같은 기간 우리 정부는 암호화폐를 활용한 금융 거래를 법적 근거 없이 불법으로 규정하고 형사 처분을 전제로 관련 스타트업에 대해 수사를 진행했다. 또한 해외송금 스타트업의 합법화를 명분으로 과도한 설립 요건을 규정해 진입 장벽을 더욱 높였다. 일례로 영국의 경우 해외송금 스타트업의 최소 자본금은 3만 달러(약 3,244만 원) 수준이며 미국도 5,000달러(약 540만 원)를 넘지 않는다. 특히 싱가포르에선 정부가 앞장서 지원정책을 펴는 암호화폐에 대해 우리 정부는 제도권 내에서 사용 금지 입장을 고수하고 있다. 그 결과 2017년 7월만 해도 충분히 글로벌 경쟁력을 갖추고 있던 아시아 해외송금 시장에서 국내 스타트업들은 한순간에 밀려나고 말았다.

기존의 금융산업 관련 규제는 투자자 보호를 위해 인허가를 받은 상품에 대해서만 허용되고 새로운 서비스 모델은 무조건 나쁘다는 총론적 차원의 논의만 진행된 측면이 강하다. 그러다 보니 전 세계적으로 최고 수준의 IT 기반을 갖추고 있고 핀테크 시장에서 우위를 점할 기반이 충분한데도 각종 규제로 인해 국내 핀테크 생태계는 여전히 열악한 수준이다. 해외송금업 사례만 보더라도 새로운 핀테크 비즈니스 모델을 규율할 명확한 규정이나 기준이 없고 전통적인 금융 규제와 IT 산업의 규제가 중첩 적용되면서 핀테크 스타트업들은 이중 삼중의 고통에 시달리고 있다. 이는 단계적으로 핀테크 산업의 부진, 스타트업 생태계 구축의 미비, 특허 생태계의 미성숙, 해외 진출의 지연으로 이어질 수밖에 없다.

물론 금융 소비자 보호와 금융산업의 신뢰 확보를 위해 큰 틀의 규제는 유지되어야 할 것이다. 하지만 선진국과 비교해 새로 등장한 서비스 모델을 지나치게 억누르고 금융 소비자 보호와 밀접한 관련 없이 스타트업에게 진입 장벽으로 작용하는 불필요한 규제는 과감하게 폐지할 필요가 있다. 만약 당장 규제를 완화하기 어렵다면 법과 제도가 새로운 기술을 따라가지 못해 발생하는 규제 장벽을 해결하기 위해 한시적으로 인허가 및 규제 적용을 유예하는 규제 샌드박스 제도를 적극 활용해야 한다.

정부의 핀테크 정책은 궁극적으로 생태계 구축을 통한 핀테크 산업의 선순환 구조를 마련하는 것에 목표를 두어야 한다. 정부가 하루라도 빨리 규제 일변도 정책의 한계를 인식하고 핀테크 지식재산 생태계 구축의 필요성을 이해하며, 이를 위한 일관되고 적극적인 정책을 추진해나가길 기대한다.

왜 한국 핀테크 스타트업들은
실패하는가

게임 개발사 블루홀은 창업 3년째인 2009년 폐업 위기에 놓였다. 심혈을 기울여 개발하던 게임이 영업비밀 침해로 소송을 당하면서 3년의 노력이 물거품으로 변했다. 창업 자금도 바닥을 보인지 오래였다. 그 순간 그들에게 구원의 손길을 내민 이가 있었으니 바로 케이넷투자파트너스를 포함한 6개 벤처캐피털VC, Venture Capital이었다. 이들은 '소송 중인 기업에는 투자하지 않는다'는 벤처투자업계 불문율을 깨고 블루홀에 171억 원을 투자했다. 시간은 좀 걸렸지만 결과는 대성공이었다. 블루홀은 투자 2년만인 2011년 소송 2심에서 승소했고 2017년 3월에는 고심 끝에 선보인 PC 서바이벌 슈팅 게임 배틀그라운드Battlegrounds가 출시 13주 만에 매출 1억 달러(약 1081억 원)를 기록하는 기염을 토했다. 세계 최대 게임 플랫폼 스팀Steam에서 세계 누적 판매량이 4,200만 장에 달

스타트업들이 가장 싫어하는 용어 중 하나가 바로 '죽음의 계곡'이다. 창업 3년 즈음부터 각종 규제, 기존 산업과의 충돌, 자금난 등으로 악순환을 겪다가 소리소문없이 사라지는 현상을 의미한다.

한다.

최근 2018년 5월 배틀그라운드 모바일 출시 때는 첫날에만 안 드로이드폰 사용자 기준으로 194만 명이 접속했다. 이는 2017년 1 월 출시된 AR 게임 포켓몬고Pokémon GO의 291만 명 다음으로 역 대 최고 기록이다. 블루홀의 기업가치는 2018년 5월 현재 약 5조 4,000억 원으로 평가받고 있다. 2017년 매출액은 6,665억 원에 영 업이익은 2,517억 원에 달한다. 블루홀에 투자한 벤처캐피털들이 보유한 24% 규모의 지분가치도 1조 원을 상회할 전망이다. 이는 초기 투자금의 60배 수준이다.

스타트업들이 가장 싫어하는 용어 중 하나가 바로 '죽음의 계곡 Death Valley'이다. 창업 3년 즈음부터 각종 규제, 기존 산업과의 충 돌, 자금난 등으로 악순환을 겪다가 소리소문없이 사라지는 현상 을 의미한다. 통계청 2017년 기업생멸행정통계를 보면 20대 청년

벤처캐피털은 스타트업 생태계의 핵심 구성원으로서 신생 스타트업들이 유니콘으로 성장하는 데 결정적 역할을 담당하고 있다.

스타트업 중 3년 넘게 생존한 기업은 26.6%에 불과하다. 만약 그때 벤처캐피털의 투자가 없었다면 어떻게 됐을까. 블루홀도 죽음의 계곡에 빠져 흔적도 없이 사라져 버렸을 것이고 벤처캐피털들도 이만큼 막대한 수익을 내지 못했을 것이다.

아무리 독창적인 기술을 개발해도 투자자가 나타나지 않으면 무용지물이나 다름없다. 자금난 등으로 죽음의 계곡에 빠진 스타트업에게 벤처캐피털의 존재는 그야말로 구세주다. 스타트업의 성장에 필요한 자금Capital, 자문Advisory, 네트워크Network 등을 제공하는 벤처캐피털은 스타트업 생태계의 핵심 구성원으로서 신생 스타트업들이 유니콘으로 성장하는 데 결정적 역할을 담당하고 있다. 실제로 한국벤처캐피털협회KVCA 보고서를 보면 2011년부터 2015년 사이에 국내 벤처캐피털에게서 투자를 받은 스타트업은 창업 이후 기업공개IPO까지 12.4년이 걸려 투자받지 못한 기업보다 3.4년이나 짧게 소요됐고 기업가치도 1,050억 원으로 28%나 높게 나타났다.

스타트업 살리는 마중물 벤처캐피털

벤처캐피털은 벤처기업을 대상으로 투자하는 기업 또는 자본을 뜻한다. 주로 뛰어난 기술을 보유하고 있어 장래성이 있지만 금융기관에서 융자가 어려운 창업 7년 이내 벤처기업의 주식을 샀다가 그 기업이 코스닥에 등록되거나 증권거래소에 상장된 후 주식을 되파는 형태로 투자금을 회수한다. 높은 수익을 낼 수도 있지만 벤처기업의 창업과 성장 지원 목적으로 담보 없이 투자하기 때문에 자금 회수에 실패하기도 한다. 그래서 벤처캐피털을 '모험자본'으로 부르기도 한다. 우리나라 벤처캐피털은 1974년 정부가 설립한 한국기술진흥금융(현 기술보증기금)이 그 시초다. 이후 1986년 중소기업창업지원법이 제정되면서 벤처캐피털 회사들이 본격적으로 설립되기 시작했다.

현재 국내 벤처캐피털은 크게 두 가지 형태로 나뉜다. 새로 설립되는 중소기업에 창업자금 지원을 전담하는 중소기업창업투자회사(창투사)와 신기술 개발을 전문으로 하는 중소기업에 자금을 투자하는 신기술사업금융회사(신기사)다. 창투사는 창업 7년 이내의 스타트업을 중심으로 보유한 자금을 투자한다. 반면 신기사는 업력에 관계없이 기술력만을 기준으로 다른 기관의 자금을 융자해주는 업무도 담당하고 있다. 하지만 벤처캐피털의 투자 환경은 그리

녹록지 않다. 진입장벽이 너무 높아서 새로운 벤처캐피털 설립은 하늘의 별 따기 수준이고 회사 유형에 따라 각기 다른 규제가 적용돼 역차별이 존재하며 기존에 없던 새로운 유형의 업종에 대해서는 투자 자체가 쉽지 않다. 스타트업의 성공을 위한 마중물 자체가 말라가고 있는 형국이다.

벤처캐피털 마중물을 되살리기 위해서는 다음과 같이 해야 한다. 첫째, 높은 진입 장벽을 완화해야 한다. 중소기업창업지원법에 따르면 창투사를 새로 설립하기 위해서는 자본금 50억 원과 2명 이상의 전문 인력을 보유해야 한다. 전문 인력은 변호사나 회계사 등 자격증을 보유하거나 창투사에서 3년 이상 종사한 사람으로 한정하고 있다. 신기사는 최소 자본금이 200억 원이었다가 2016년 100억 원으로 줄어들었다. 스타트업에 투자하기 전에 자신부터 투자를 받아야 할 정도로 기준이 너무 높다. 반면 미국이나 영국 등 벤처캐피털에 의한 스타트업 투자가 활발한 나라들에선 특별한 규제가 없다. 특정 경력이나 자격증으로 전문가를 규정하지도 않고 누구든 정보공개 등의 기본적인 의무만 준수하면 자유롭게 민간 투자자의 펀딩을 받아 투자할 수 있다. 전문가에 대한 평가는 투자 수익률 등으로 시장 내에서 자연스럽게 이뤄지기 때문이다. 국내 벤처투자 시장이 질적으로 성장하려면 미국이나 영국처럼 능력 있는 투자자들이 자유롭게 벤처캐피털을 설립하고 펀드를 운용할 수 있는 환경이 조성되어야 한다. 지금처럼 높은 수준의 자본금과 까다로운 전문 인력 기준은 새로운 투자자들이 시장에 들어오지 못하도록 빗장을 걸어 잠근 것과 마찬가지다. 투자자의 전문성 평가는 정부가 아닌 시장에서 이뤄지도록 하는 것이 바람직하다.

둘째, 이원화된 규제를 단일화해야 한다. 현재 벤처캐피털은 창투사는 중소벤처기업부이고 신기사는 금융위원회로 이원화되어 있다. 그러다 보니 서로 다른 규제가 적용된다. 특히 동일한 스타트업에 대해 투자를 고려할 때 창투사와 신기사에 적용되는 투자 요건이 달라 한쪽으로 더 나은 조건이 쏠리는 역차별 현상이 발생하고 있다. 여기에 2017년 새로 도입된 창업 벤처 전문 사모투자 펀드PEF는 설립 요건이나 투자 운용 등 규제가 창투사나 신기사에 비해 훨씬 낮아서 또 다른 갈등을 일으키고 있다. 물론 각자 전문 분야와 투자 방법이 달라서 그에 따른 다른 규제가 적용되는 것은 필요할 수 있다. 하지만 중장기적으로는 중소기업청과 금융위원회로 분산 운영되고 있는 칸막이식 벤처투자제도를 단일화해서 중복과 비효율을 제거하는 노력이 필요하다. 이대로 다원화된 벤처투자 구조가 지속될 경우 고래 싸움에 스타트업만 피해를 볼 수 있기 때문이다.

셋째, 일률적인 투자 업종 규제를 개선해야 한다. 중소기업청에 등록된 창투사는 특정 업종으로 분류되는 기업에는 투자할 수 없다. 물론 공익에 반하는 도박 같은 사행성 업종은 제한할 필요가 있다. 하지만 금융, 보험업, 부동산업, 음식이나 숙박업 등에까지 투자를 제한하는 것은 지나치다. 특히 이들 분야는 4차 산업혁명 시대에 융복합이 활발하게 이뤄진다는 점에서 스타트업의 혁신적인 서비스 모델 창출에 걸림돌이 될 수 있다.

실제로 스타트업 전문 미디어인 「플래텀」에 따르면 2015년 핀테크 스타트업에 대한 투자를 부분적으로 허용하자 국내 금융업과 보험업에 대한 벤처캐피털 투자금이 15배나 증가했다. 이는 핀테크 스타트업에 대한 투자 기회와 수요가 그만큼 급증하고 있음을 보여준다.

핀테크 성장을 가로막는 주범 그림자 규제

스타트업의 성공 파트너는 비단 벤처캐피털만이 아니다. 최근 들어 은행이나 금융기관을 통하지 않고 개인끼리 돈을 빌려주는 P2P 금융이 새로운 스타트업 마중물로 급부상하고 있다. P2P 금융은 온라인 대출과 투자를 연결하는 핀테크 서비스다. 돈이 필요한 사람이 P2P 플랫폼에 대출을 신청하면 심사를 거쳐 투자 상품으로 만들고 투자자를 모집해 연결해준다. 이 모든 과정이 온라인을 통해 이뤄지기 때문에 지점 운영이나 영업 비용 등 불필요한 경비가 들지 않는다. 그래서 돈을 빌리는 사람은 신용 등급보다 낮은 금리로 받고 투자자는 시중 금리보다 높은 금리로 이자를 받을 수 있다. 렌딧이 대표적 예이다.

하지만 기존 P2P 금융은 개인과 개인을 연결해주는 방식이어서 투자금액에 제약이 따를 수밖에 없다. 써티컷30CUT은 다르게 접근했다. 굳이 개인만 고집할 게 아니라 저축은행이나 캐피털, 자산운용사 같은 금융기관으로부터 자금을 모집해 대출을 연결해주면 스타트업처럼 큰 규모의 자금이 필요한 사람들도 더욱 낮은 금리로 돈을 빌릴 수 있게 된다. 이에 써티컷은 국내 최초 '기관투자가형

P2P 모델'을 구상하고 본격적인 준비를 해나갔고 순조롭게 진행됐다. 2015년 10월부터 금융감독원과 적법성 협의를 진행했고 2016년 11월 사업 약관을 승인받았다. 그런데 갑자기 상황이 급반전됐다. 금융감독원 내 각 투자기관을 담당하는 부서들이 각자 서로 다른 해석을 내놓은 것이다.

저축은행감독국은 P2P 투자행위에 대해 '예금 담보 제공'으로 봤다. 반면 자산운용국은 '대출'로 판단했고 여전감독국은 '투자'로 해석했다. 저축은행, 보험사, 캐피털은 투자 또는 예금담보 제공이 불가능하다. 결국 금융감독원은 이들 투자기관의 P2P 플랫폼 참여를 불허했다. 이는 대표적인 '그림자 규제'이다. 그림자 규제란 명확한 법적 근거가 없는 비공식적인 행정지도 때문에 신규 사업 모델이 불법으로 규정되거나 영업 정지 처분까지 받는 경우를 말한다. 국내법상 P2P 투자에 대한 구체적인 규정이 없는데도 금융감독원이 자의적으로 해석해 국내 기관투자자들의 P2P 참여를 원천적으로 차단했다.

반면 해외 시장에선 기관투자가의 P2P 투자가 활발하게 이뤄지고 있다. 미국은 2012년부터 기관투자자들이 자기자산운용으로 P2P 투자에 참여하기 시작해 2015년에는 누적대출금이 10조 원을 넘겼다. 금융기관들은 P2P 투자로 여유자금을 운용해 수익을 내고 대출자들은 중금리로 큰 금액을 빌릴 수 있는 윈윈형 모델로 평가받고 있다. 최근에는 기관투자자들의 P2P 참여가 전체 투자의 40%를 차지할 만큼 그 비중이 높아지고 있다. 조만간 전 세계 대출 거래의 상당수가 P2P 플랫폼으로 옮겨질 것으로 전망된다.

핀테크 금융의 가장 큰 특징은 소비자가 국경을 넘어 금융 서비스 공급자를 선택할 수 있다는 것이다. 예를 들어 렌딩클럽 같은 미국 P2P 업체에게 돈을 빌리고 은행 대신 영국의 트랜스퍼와이즈 같은 해외송금 업체를 이용해 암호화폐로 전달받고 원금과 이자도 외국에 있는 해외송금 업체를 이용해 상환할 수 있다. 모든 금융 거래가 온라인에서 이뤄지므로 국내 금융기관은 개입할 여지가 전혀 없다. 앞으로 금융 소비자는 물리적으로 가까운 국내 금융이 아니라 편의성, 안전성, 가격 경쟁력 등을 고려한 최적화된 서비스를 선택할 것이다. 국경의 제약 없이 혁신적인 서비스가 최우선적으로 선택될 것이 당연하다. 국내 스타트업이 해외 P2P 플랫폼을 통해 창업 자금을 빌리는 장면도 결코 무리가 아니다.

금융 소비자가 은행을 바꾸고 국경의 장벽을 넘어 대출 거래가 이뤄질 날이 머지않았다. 그때 우리의 금융기관은 어떤 상황에 이를지 불을 보듯 뻔하다. 지금처럼 각종 규제로 새로운 금융 서비스를 막아선다면 불과 수년 내 글로벌 금융 서비스에 밀려 금융 시장을 통째로 내주는 상황이 생길 수도 있다. 새로운 서비스는 무조건 불법으로 규정해 시장 진입을 막는 것은 국내 금융 산업의 발전을 위해서나 국내 금융 소비자들의 경제 주권을 위해서나 절대 바람직하지 않다. 금융 당국의 현명한 판단을 기대한다.

스타트업의 성공적 안착을 위한
법률 상담

2015년은 법률가로 살아온 지 20년이 되는 해였다. 나는 그때 심한 열병을 앓았다. 몇 년 전부터 이어진 스타트업 열풍이 정부의 전폭적인 지원으로 불을 뿜는 걸 보면서다. 전국에 창조경제혁신센터가 개설됐고 지역경제와 연결된 스타트업 창업이 활기를 띠었다. 벤처캐피털과 액셀러레이터, 엔젤 투자자들이 스타트업을 발굴해 투자하는 사례가 급증했다. 마루180, 구글캠퍼스, 네이버 디투D2와 같이 대기업이 앞장서 스타트업에 입주 공간을 내주고 임대료 부담을 덜어줬다. 경기도도 판교에 경기문화창조허브를 짓고 콘텐츠 스타트업을 입주시키기 시작했다.

시점이 다소 늦기는 했지만 경제 사회 분야마다 정보통신기술 혁명이 가져온 변화를 보며 마치 내가 직접 창업 전선에 뛰어든 듯 흥분을 느꼈다. 하지만 스타트업에 더 가까이 다가가자 흥분은 이내 사그라졌고 그 빈자리에 걱정과 우려가 차올랐다. 스타트업을 밖에서 바라보았을 때는 희망과 열정으로 샘솟았지만 안에서 마주해보니 수많은 규제와 제약들로 몸살을 앓고 있었다.

스타트업이 꼭 알아야 할 법률 상식

2014년 12월 스타트업얼라이언스 고문변호사를 맡으면서 스타트업 기업들을 위한 무료 자문을 지원했다. 2018년 8월까지 총 220개 기업에 대해 법률 자문을 했다. 이 과정에서 들여다 본 국내 스타트업의 실태는 매우 열악했다. 자문 내용을 분야별로 열거해보면 전자상거래 관련 법률 이슈, 지식재산권과 영업비밀 보호에 관한 이슈, 개인정보보호 이슈, 핀테크 이슈, 인사노무에 관한 법률 문제 등이었다. 스타트업들은 아직 매출이 확보되지 않은 경우가 많아 급여 지급에 상당한 애로를 겪고 있었다. 미지급 급여를 주식으로 대체해서 지급해도 되는지 문의하는 경우가 많았다. 법정통화 이외의 것으로 임금을 지급하기 위해서는 법령 또는 단체협약에 특별한 규정이 있어야 한다. 단체협약은 서면으로 작성해 당사자 쌍방이 서명 또는 도장을 찍고 15일 이내에 행정관청에 신고하면 된다. 직원이 동의한다면 주식으로 급여를 지급해도 가능하다는 얘기다.

가장 문의가 많았던 내용은 계약서 검토 등 투자 관련 법률자문이었다. 상당히 많은 스타트업이 중국에 현지 법인을 설립하거나 중국 투자자의 투자금 유치를 계획하고 있었다. 중국에 합작회사를 설립하기 위한 법률자문을 요청하는 경우가 대다수를 차지했다. 중국은 기업법 체계가 우리나라와 전혀 달라서 중국 현지 법률가의 도움을 받는 것이 안전하다. 안타깝게도 국내에선 구체적인 법률 자문에는 한계가 있다. 그다음으로 문의가 잇따른 것이 기본적인 회사 설립에 관한 법률문제였다. 현재 준비 중인 사업 모델이 법적으로 문제가 없는지 법률 적합성에 내한 문의가 많았다. 이는 심야버스앱 콜버스랩이나 기관투자자형 P2P 대출 써티컷의 경우에서 보듯이 새로운 사업 모델에 도전하는 스타트업에게는 생존이 달린 가장 중요한 문제라고 할 것이다.

당시에는 O2O 사업 모델이 주목을 받으면서 상당수 스타트업들이 물류나 여객 운송업 등에 관심을 보였다. 운수사업 허가 없이 플랫폼 사업자가 해당 서비스를 제공할 수 있느냐가 쟁점이었다. 대개는 플랫폼 이용 수수료를 넘지 않는 선에서 이용료를 받으면 중개 사업이 가능하다. 하지만 법률로 알선 행위를 명확히 금지하고 있는 분야라면 플랫폼 사업은 어렵다. 운수사업법은 무허가 알선 행위를 금지하는 조항이 많다. 무상으로 운송 주선을 해주더라도 플랫폼 이용 수수료가 유상운송 주선에 해당할 수 있다.

용역을 중개해주는 플랫폼도 인기다. 홈서비스앱 대리주부처럼 집 안 청소나 심부름을 대신 해주는 일꾼들을 연결해주는 중개 플랫폼 사업이다. 이런 사업을 할 때는 직업안정법 또는 파견근로자 보호 등에 관한 법률을 반드시 검토해야 한다. 인력 공급은 종래 전통시장에서 인력착취 문제가 많이 발생해 용역 수행자를 보호하는 법령이 많이 발달했기 때문이다.

온라인 플랫폼도 법적 시비가 존재한다. 관심사 소셜 네트워킹 서비스인 피키캐스트Pikicast와 같은 소프트한 콘텐츠 서비스가 인기를 끌고 있다. 하지만 온라인에서 입수할 수 있는 정보를 수집해 제공하는 콘텐츠 사업은 저작권법 또는 영업비밀 보호의 이슈가 발생한다. 단순한 링크를 통해 다른 정보를 모아 제공하는 것은 저작권법 위반이 아닐 수 있다. 하지만 프레임링크 또는 인라인링크 방식이라면 저작권법상 불법복제로 인정될 가능성이 높다. 타인의 저작권을 완벽하게 확인할 수 없으므로 지속적인 사업모델로 만들 때는 저작권 문제 발생의 가능성을 충분히 검토해야 한다.

이외에도 동업자들이 회사를 그만두었을 때 함께 개발한 소스코드의 귀속 문제, 바람직한 동업자 계약상 지분 배정의 문제, 투자 유치 시 투자 조건의 문제 등 스타트업이 사업을 추진할 때 검토해야 할 법률 이슈가 연속적으로 발생했다.

투자받기 전에 확인해야 할 법률 이슈

스타트업에게 가장 비일비재하게 발생하는 법적 문제를 꼽으라면 단연 계약서다. 그런데 예상외로 계약서에 관한 지식이 부족한 상황이다. 아무래도 다른 산업 영역보다 구성원의 연령대가 낮기 때문일 것이다. 일례로 거래 계약서를 작성한 뒤 상황이 급변해 원치 않는 분쟁에 휘말릴 수 있다. 그럴 때 계약서 작성 과정에서 '분쟁이 발생할 때 중재한다'는 내용을 문서로 만들어두면 소송하지 않고 단기간에 분쟁을 끝낼 수 있다. 그런데 이런 사실을 몰라서

중소기업이나 스타트업은 소송을 당하면 일단 당황하게 마련이다. 그럴 땐 혼자서 끙끙 앓는 것보다는 냉정하게 그 분야 전문 변호사를 찾아가 상담을 받는 것이 현명하다.

계약서에 넣지 못하는 경우가 상당했다.

중소기업이나 스타트업은 소송을 당하면 일단 당황하게 마련이다. 그럴 땐 혼자서 끙끙 앓는 것보다는 냉정하게 그 분야 전문 변호사를 찾아가 상담을 받는 것이 현명하다. 법적 소송은 전문가의 영역이다. 사람이 아프면 전문의를 찾아가듯이 법적 문제가 생기면 변호사를 찾아야 한다. 가능하다면 해당 분야에 전문성을 갖춘 변호사가 많은 도움이 될 것이다. 특허 소송을 막기 위해서는 기업이 가진 아이디어를 특허로 미리 등록해둘 필요가 있다. 스타트업이 자신의 아이디어나 기술을 보호하기 위한 최선의 방어막은 특허 등록이라는 점은 아무리 강조해도 지나치지 않다.

만약 전혀 접점을 찾기 어려운 특허 소송이 발생할 경우에는 상대 기업과 특허 상호사용 계약을 맺는 것도 방법이 될 수 있다. 실제로 국내 대기업 간 또는 해외 기업과 국내 기업 간 특허 소송 시

상호사용 계약을 맺은 사례가 적지 않다. 다소 비용 부담이 있지만 분쟁 소지를 없애려면 계약 단계부터 그 분야의 전문 변호사에게 자문받는 것이 좋다. 창업 이후에도 법적 분쟁 여지가 많으므로 가능하다면 고문 변호사를 두는 것도 권할 만하다.

하지만 자금 형편이 좋지 않은 스타트업으로선 고문 변호사는 커녕 법적 시비가 발생할 때마다 변호사를 찾아가는 것이 쉬운 일은 아니다. 법무부가 2016년부터 전국의 창조경제혁신센터에 법률자문관을 파견해 스타트업을 대상으로 법률 자문을 지원하는 것은 그래서이다. 하지만 법률자문관마다 자문 가능한 분야에 한계가 있고, 센터에 입주하지 않은 스타트업의 경우에는 접근성이 제한된다.

미국은 조금 다르다. 실리콘밸리의 많은 기업들에겐 본격적인 투자를 받기 전에 법률 이슈를 탄탄하게 해결하는 방법이 있다. 중견 규모 이상의 로펌이 스타트업들에게 전문적인 자문을 제공하고 그 대가로 스타트업이 일정 지분을 스톡옵션이나 신주인수권으로 부여하는 것이다. 로펌은 해당 스타트업의 사업성을 평가해 자문 제공을 결정할 것이므로 스타트업으로서는 사업성 여부를 미리 검증받는 기회도 될 수 있다.

내가 몸담고 있는 법률사무소도 이미 여러 유망한 스타트업에 이 같은 방식으로 법률 자문을 투자해 상생의 길을 만들어나가고 있다. 앞으로 더 많은 법률가들이 우리나라 혁신을 주도할 스타트업의 성장에 힘을 보태주길 기대한다.

7장

디지털 화폐와 블록체인

'현금 없는 사회'로 재편되고 있다

덴마크에서는 현금을 사용하는 사람들을 찾아보기 어렵다. 덴마크에서 이뤄지는 거래 중 현금이 차지하는 비중은 20% 정도에 불과하다. 그 대신 모바일 결제가 주류를 이루고 있다. 덴마크 단스케은행DanskeBank은 2013년부터 현금이나 신용카드 없이도 스마트폰 앱으로 결제가 가능한 모바일페이MobilePay 서비스를 시작했다. 덴마크 전체 인구 560만 명의 절반을 웃도는 300만 명이 모바일페이를 사용하고 있다. 덴마크에서는 노숙자들도 현금 대신 모바일페이로 기부를 받을 정도다. 이에 덴마크 중앙은행은 2017년 1월 1일 이후부터 동전과 지폐 생산을 전격 중단했다. 화폐 수요가 급감하고 모바일 결제 비중이 급증한 데 따른 것이다. 덴마크는 2030년이 되면 현금 없는 사회가 현실화될 것으로 전망하고 있다.

스웨덴은 현금 없는 사회의 대표주자로 꼽힌다. 이미 2007년부터 대중교통에서 현금 결제를 금지했고 주요 은행들과 상점들에서도 현금 거래가 불가능하다. 스웨덴 전역의 1,600여 개 은행 중 1,000여 개 지점은 현금을 보유하지 않고 있으며 현금 인출도 안 된다. 2010년부터는 현금인출기ATM도 아예 철거해 버렸다. 그 대신 스웨덴 은행들은 2012년 스위시Swish라는 모바일 결제 서비스를 공동으로 개발해 시행 중이다. 스마트폰에 스위시 앱만 설치하면 지갑이 필요 없다. 2015년 현재 스위시 사용자는 스웨덴 전체 인구 950만 명 중 500만 명을 넘어섰다.

스웨덴은 앞으로 5년 안에 완전한 무無 현금사회를 구현할 전망이다. 2011년 990억 크로나였던 유통 현금이 2015년 770억으로 무려 22%나 감소했다. 2018년 현재 지폐와 동전 사용량은 전체 통화 거래량의 13%에 불과하다.

동전과 지폐가 없는 무無 현금사회

전 세계가 현금 없는 사회Cashless Society로 빠르게 재편되고 있다. 가장 적극적인 나라는 유럽이다. 상당수 나라들이 일정 금액 이상의 현금 거래를 법적으로 금지하고 있다. 프랑스와 이탈리아는 1,000유로(약 126만 원), 스페인은 2,500유로(약 315만 원), 우루과이는 5,000유로(약 630만 원) 이상은 현금 결제가 불가능하다.

우리나라도 세계적 추세에 걸맞게 현금 없는 사회로의 걸음을 서두르고 있다. 한국은행은 2016년 1월 현금 없는 사회로의 중간단계로 2020년까지 '동전 없는 사회'를 만들겠다고 선언했다.

전 세계가 현금 없는 사회로 빠르게 재편되고 있다.

2017년 4월부터 편의점이나 마트에서 현금으로 결제한 뒤 거스름돈을 교통카드 충전이나 카드 포인트로 적립해주는 시범사업을 하고 있다. 그 결과 2017년 동전 발행액은 495억 4,000만 원으로 2016년 대비 46% 줄었고 동전 환수액은 373억 8,700만 원으로 2016년보다 154% 늘었다.

이와 동시에 모바일 결제 비중은 많이 증가하고 있다. 한국은행 발표로는 2017년 스마트폰 간편결제를 포함한 전자지급서비스 이용금액은 하루 평균 4,688억 원으로 2016년 대비 36.5% 급증했다. 하루 평균 이용건수도 2,259만 건으로 전년보다 11.5% 늘었다. 2017년 국회입법조사처가 발간한 보고서를 보면 국내 현금 이용 비중은 17%로, 독일 53.2%, 네덜란드 34.3%, 캐나다 23.1%와 비교해 훨씬 낮다.

전 세계가 현금 없는 사회를 지향하는 이유는 크게 두 가지다. 하나는 동전과 지폐를 생산하고 유통하고 관리하는 비용이 만만치

않아서다. 현재 국내에 유통되고 있는 동전은 구리, 니켈, 알루미늄, 아연 등을 재료로 만든다. 10원짜리 동전을 만드는 데 30~40원이 소요되는 것으로 알려졌다. 더 크고 두꺼운 100원과 500원짜리 동전의 생산비는 더 높을 것이다. 한국은행에 따르면 동전 발행액은 2014년 408억 원, 2015년 539억 원, 2016년 537억 원 등으로 해마다 500억 원 규모가 사용되고 있다. 반면 동전 회수율은 10% 남짓이다. 동전 100개를 제작해 시중에 유통하면 은행으로 되돌아오는 동전이 10개 정도에 불과하다. 그러다 보니 매년 새로 동전을 제작하는 악순환이 반복되고 있다. 동전 없는 사회가 구현되면 국민들은 동전을 들고 다녀야 하는 불편함을 줄일 수 있고 상인들도 거스름돈을 위해 동전을 확보해야 하는 부담이 사라진다. 한국은행을 비롯한 금융기관들도 동전의 확보와 보관, 지급, 회수에 들어가는 비용을 크게 줄일 수 있다.

더 큰 이유는 지하경제 양성화다. 지하경제란 정부 공식 통계에

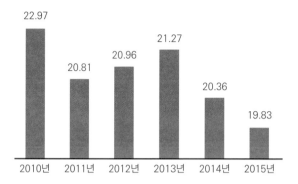

한국 GDP 대비 지하경제 규모 (단위: %)

22.97	20.81	20.96	21.27	20.36	19.83
2010년	2011년	2012년	2013년	2014년	2015년

우리나라 지하경제 규모는 국제통화기금이 최근 발간한 보고서 『전 세계 지하경제: 지난 20년의 교훈』에 따르면 2015년 기준 GDP의 19.83%로 나타났다. (출처: IMF 조사보고서)

잡히는 않는 경제활동을 말한다. 한마디로 세금을 내지 않는 현금 거래를 뜻한다. 현금은 익명성을 띠고 있어서 거래 기록이 남지 않기 때문에 세금을 내지 않는 무자료 거래에 효과적이다. 운반과 은폐도 쉽기 때문에 불법적인 뇌물이나 비자금 조성 등에도 빈번히 사용되고 있다. 2010년 우리나라 지하경제 규모는 국내총생산GDP의 24.7%로 추정됐다. 이에 역대 정부는 세수 확보를 위해 지하경제 양성화 정책을 펴왔다. 1993년 금융실명제를 시행했다. 1999년에는 카드사용액을 소득공제 대상에 포함시켰으며 2005년부터는 현금영수증 제도를 시행하고 있다. 그 결과 지하경제는 크게 줄었다. 국제통화기금IMF이 최근 발간한 보고서 『전 세계 지하경제: 지난 20년의 교훈』에 따르면 우리나라 지하경제 규모는 2015년 기준 GDP의 19.83%로 나타났다.

하지만 미국 7%, 독일 7.75%, 영국 8.32% 등과 비교하면 여전히 두 배 이상 높다. 지하경제 양성화를 위한 가장 효과적인 방법은 현금을 없애는 것이다. 하지만 당장 지폐를 없앨 순 없으니 일부 국가들에선 고액권 지폐 발행을 중단하는 방법을 쓰고 있다. 고액권은 일반 국민들에게 자주 사용되지 않으면서 탈세, 뇌물, 부패수단으로 악용되는 경우가 많기 때문이다. 실제로 캐나다는 2000년 최고권종인 1,000캐나다달러(약 83만 원) 지폐의 발행을 중단했고 싱가포르도 2014년 1만 싱가포르달러(약 805만 원), 유럽중앙은행ECB도 2016년 500유로(약 63만 원) 지폐 발행을 중단했다. 미국에서도 최고권종인 100달러를 폐지해야 한다는 주장이 계속 제기되고 있다.

세계 중앙은행은 디지털 화폐로 변신 중

앞으로 수년 이내에는 현금 없는 사회가 현실이 될 것으로 보인다. 그렇다면 동전과 지폐 같은 실물 화폐가 사라진 세상에선 무엇이 교환수단의 역할을 대신하게 될까. 정답은 바로 디지털 화폐다. 디지털 화폐Digital Currency란 디지털 인증을 통해 온라인으로 거래되는 전자화폐를 말한다. 동전이나 지폐처럼 실물 있는 화폐와 달리 제작, 운반, 보관 등에 드는 비용과 번거로움이 없고 소액이나 거액에 상관없이 몇 번의 터치만으로 거래가 가능하다.

모든 실물 경제가 온라인으로 이동하는 디지털 경제 시대를 맞아 국가가 통제하는 법정통화도 디지털 화폐로 전환하는 것이 시간문제라는 견해가 지배적이다. 실제로 많은 국가들이 디지털 화폐

디지털 화폐의 종류

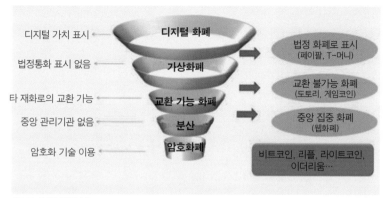

(출처: IMF 보고서)

를 법정통화로 전환하는 데 적극적이다. 아랍에미리트는 2018년 1월 세계 최초로 정부가 직접 발행하고 관리하는 디지털 화폐인 엠캐시emCash를 선보였다. 매일 마시는 커피부터 전기세, 등록금, 해외송금까지 다양한 서비스에 사용할 수 있다. 베네수엘라 정부도 2018년 2월 국가 공인 디지털 화폐인 페트로Petro를 발행했다.

2018년 5월 에스토니아 정부가 발행한 에스트코인Estcoin은 디지털 화폐 정의와 가까운 모델로 평가된다. 에스토니아는 대표적인 디지털 경제 국가로 이미 오래전부터 일상생활에 필요한 거의 모든 업무를 온라인으로 처리하고 있다. 2000년 e-텍스 시스템을 시작했고 2001년부터 디지털 신분증을 발급했으며, 2005년에는 전자투표를 도입했다. 2014년에는 세계 최초로 '전자영주권e-Residency' 프로그램을 도입했다. 전자영주권은 외국인에게 디지털 신분증을 부여해 에스토니아에 거주하지 않아도 계좌 개설과 법인 설립 등이 가능하도록 해주는 제도다. 그야말로 국경 없는 디지털

디지털 화폐 검토 중인 주요국 중앙은행

네덜란드 중앙은행	중앙은행 내부에서 쓰는 'DNB코인' 개발 완료
스웨덴 중앙은행	2016년부터 'e크로나' 프로젝트 추진
영국 중앙은행	중앙은행 디지털 화폐 발행을 중요 연구과제 선정
중국 인민은행	중앙은행 디지털 화폐 제작, 국유은행과 송금 및 결제 테스트 시행
에스토니아 중앙은행	가상화폐 'est코인' 발행 검토
캐나다 중앙은행	은행 간 결제용 디지털 화폐 'CAD코인' 개발 추진
일본 중앙은행 유럽중앙은행(ECB)	블록체인 기술 공동 연구

(출처: 한국은행 등)

국가라고 할 만하다. 여기에 디지털 화폐인 에스트코인까지 발행했으니 이제는 모든 금융거래도 디지털로 이뤄지게 됐다.

인구 6만 명의 작은 섬나라 마셜제도공화국은 2018년 4월 디지털 화폐를 법정화폐로 인정하는 내용의 법안을 통과시켰다. 지금까지는 자국 통화가 없어 미국 달러를 사용했지만, 앞으로는 국가 디지털 화폐인 '소버린sov'을 사용하게 될 전망이다. 이외에도 많은 나라들이 디지털 화폐 발행을 준비 중이다. 스웨덴은 2016년부터 법정 디지털 화폐인 'e-크로네' 도입을 추진해왔으며 2018년 말경 정식 발행할 예정이다. 러시아는 2017년 10월 국가 공인 디지털 화폐인 '크립토루블CryptoRuble' 개발에 돌입했다. 애초 러시아는 디지털 화폐에 부정적이었지만 각종 세금 징수에 효과적이라는 판단으로 입장을 바꿨다. 캄보디아 정부도 정부 주도 디지털 화폐인 엔타페이Entapay 발행을 검토하고 있다.

또한 중국과 싱가포르, 네덜란드와 캐나다, 영국과 스위스 등도

최근 몇 년 사이 법정화폐는 디지털 화폐로 변신할 수밖에 없는 상황과 직면했다. 바로 비트코인으로 대표되는 암호화폐의 등장 때문이다.

국가 주도의 디지털 화폐 도입 계획을 밝힌 상태다. 앞으로 법정화폐를 디지털 화폐로 바꾸는 국가들은 더욱 늘어날 전망이다. 사실 법정화폐를 디지털 화폐로 전환하는 것은 좀 더 시간이 걸릴 것으로 예상됐다. 디지털 화폐의 효율성은 이미 검증된 바지만 여전히 실물 경제에서 현금 거래가 큰 비중을 차지하고 있고 해킹이나 위변조 등 기술적 문제도 보완이 필요해서다. 하지만 최근 몇 년 사이 법정화폐는 디지털 화폐로 변신할 수밖에 없는 상황과 직면했다. 바로 비트코인으로 대표되는 암호화폐의 등장 때문이다.

세계 금융시장의 새 기준
암호화폐

역사적으로 모든 국가의 화폐는 국가권력에 의해서만 발행돼 왔다. 어느 나라든 한 가지 통화만을 보유하고 있으며, 법정화폐의 발행권은 정부와 중앙은행이 독점하고 있다. 중앙은행Central Bank이란 한 나라의 모든 금융기관의 최상위에 위치하여 금융제도의 중추적 역할을 하는 기관을 말한다. 중앙은행은 각국의 특별법에 의해 설립되어 정부의 감독하에 업무를 수행한다. 미국 연방준비제도FRB, Federal Reserve Board, 유럽중앙은행ECB, Europe Central Bank, 영국 영란은행BOE, Bank of England, 한국 한국은행The Bank Of Korea 등이 그 예다.

중앙은행은 크게 세 가지 기능을 맡는다. 첫째, 발권은행Issue bank으로서 은행권의 발행 독점권을 갖고 일국의 통화를 공급하며 그 조절을 책임진다. 둘째, 은행의 은행Bank of banks으로서 시중은행의 지급준비금을 맡고 시중은행의 대출 및 재할인율 조정정책 등을 통해 시중은행을 통제한다. 셋째, 정부의 은행Government bank 으로서 국고의 수납과 지출, 보관, 공채발행 등을 통해 재정과 금융의 조화를 도모한다. 이처럼 지금의 통화제도는 정부와 중앙은행의 통제하에 운영되는 중앙집중적 제도라고 할 수 있다. 그런데 최근 몇 년 사이 중앙은행의 권력에 도전장을 내민 존재가 등장했으니 바로 암호화폐다.

더 빠르고 안전하며 경제적인 암호화폐

암호화폐Crypto Currency란 암호화 기술cryptography을 이용한 디지털 화폐를 말한다. 디지털 화폐가 온라인으로 거래되는 전자화폐를 통칭하는 것이라면 암호화폐는 디지털 화폐의 일종으로 일대일 P2PPeer-to-Peer 네트워크 거래의 안전성을 위해 암호화 기술을 적용한 전자화폐를 의미한다.

기존 법정화폐와 구분되는 암호화폐의 특징은 크게 세 가지를 꼽을 수 있다. 첫째, 각 나라 중앙은행이 발행하는 법정화폐와 달리 암호화폐는 특별히 정해진 발행기관이 없다. 암호화폐는 암호화 기술의 토대인 블록체인 기술을 활용하면 누구나 독자적으로 새로운 암호화폐를 발행할 수 있다. 대중에는 비트코인이나 이더리움이 많이 알려져 있지만, 2018년 1월 현재 전 세계에서 거래되는 암호화폐 종류는 2,000여 개에 이른다. 지금 이 순간에도 새로운 암호화폐가 만들어지고 있을 것이므로 누구도 정확한 숫자를

기존 거래 방식 vs 블록체인 방식

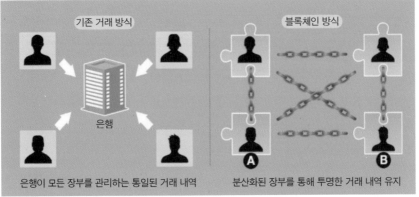

블록체인이란 사용자 간에 데이터 혹은 신뢰자산을 안전하게 전달, 교환, 저장하는
차세대 기술이다. (출처: 딜로이트 컨설팅)

파악하는 것은 불가능하다.

둘째, 실물 화폐와 달리 분실 위험이 없고, 블록체인 기술을 적용
해 해킹의 가능성도 없다. 블록체인BlockChain은 간단히 말해 해킹
을 차단하는 기술이다. 기존 은행은 모든 거래 내용을 단일한 중앙
서버에 보관하기 때문에 서버가 해킹되면 모든 정보가 유출된다.
반면 블록체인은 모든 거래 정보를 암호화된 '블록Block'에 저장하
고 여러 블록을 '체인Chain'으로 연결한 뒤 모든 사용자의 개인 서
버에 분산해서 저장한다. 만약 특정 블록을 해킹하려면 그 블록과
연결된 수많은 블록들이 저장된 서버를 동시에 해킹해야 한다. 이
는 전 세계에서 가장 성능이 좋은 컴퓨터 1~10위의 연산력을 모
두 더해도 물리적으로 불가능하다.

셋째, 은행 등 기존의 금융기관을 통하지 않고 개인과 개인이 직
접 주고받는다. 지금까지 송금이나 대출 등 금융거래는 은행 같은

금융기관을 통하는 것이 상식이었다. 하지만 암호화폐는 제3자의 간섭이나 통제 없이 일대일 거래가 가능하다. 기존 법정통화보다 빠르고 간편하며 저렴하다. 일례로 은행을 통해 해외송금을 하면 비싼 수수료를 내야 한다. 하지만 비트코인 등 암호화폐를 이용하면 종전보다 훨씬 저렴한 수수료로 더 빨리 국경 너머 돈을 주고받을 수 있다. 또 기존에는 스타트업들이 자금을 마련할 때 벤처캐피털이나 은행의 손을 빌려야 했지만, 기업마다 독자적인 암호화폐를 만들어 투자자를 모집하면 훨씬 간단하게 필요한 자금을 확보할 수 있다.

암호화폐는 이처럼 기존 법정화폐의 한계로 지적되어 온 많은 문제들을 일거에 해결했다. 기존 화폐보다 빠르고 안전하며 경제적인 암호화폐는 많은 사람들에게 지지를 받으며 경제 시스템 안에 급속도로 파고들었다. 이는 국가들에게 위협적일 수밖에 없다. 국가가 인정하지 않는 민간이 발행한 화폐가 대규모로 유통되면 통화제도에 대한 국가의 지배력이 그만큼 약해지기 때문이다. 일례로 암호화폐처럼 다양한 가치교환 수단이 대중화되면 국가나 중앙은행이 종전처럼 국채를 화폐화하는 등의 방법으로 재정 지출을 확대하는 것이 더는 어렵게 된다. 암호화폐를 이용해 외국 통화로 도피하면 그만이기 때문이다. 또한 암호화폐는 금융기관의 중개 없이 일대일로 거래되므로 소득 추적을 통한 세금 부과가 불가능하다. 국가 권력을 지탱하던 경제력을 암호화폐에게 한순간에 빼앗길 수도 있다.

과거 방송국은 국영이 당연했지만 지금은 대다수 국가에서 민영 중심으로 운영되고 있다. 화폐 시스템 역시 국가가 아닌 민간 자율 분산 시스템으로 전환될 가능성이 높다. 그러자 많은 국가들이 타협점을 찾기 시작했다. 그중 하나가 디지털 화폐를 제도권 안으로 적극 끌어들이는 것이다. 민간이 발행하는 암호화폐에 통화 주도권을 빼앗기느니 차라리 법정화폐를 디지털 화폐로 바꿔서 정부 주도권을 계속 유지하겠다는 것이다. 우리 정부를 포함해 많은 국가들이 암호화폐를 불법으로 규정한 것도 같은 맥락이다. 암호화폐 자체가 불법적인 것이 아니라 정부가 통제할 수 없으므로 불법이라는 올가미를 씌운 것이나 마찬가지다.

블록체인 성장을 막는 암호화폐 규제

최근 우리나라는 비트코인 투기 열풍으로 몸살을 앓았다. 2016년 12월 8일에는 90만 원대였던 비트코인이 2017년 12월 8일에는 2,400만 원으로 1년 만에 26배 넘는 상승률을 기록했다. 특히 2017년 11월과 12월 한 달 사이에 비트코인 가치가 2~3배로 급등했고 2018년 초에는 2,800만 원대까지 치솟았다. 초기에 8만 원을 투자했다가 가치 급등으로 280억 원을 번 23세 청년 등 투자 성공 사례가 언론에 알려지며 무려 100만 명에 달하는 국내 인구가 비트코인 거래에 뛰어들었다. 개장과 폐장 시간이 정해진 주식 시장과 달리 24시간 365일 거래할 수 있는 비트코인의 특성 때문에 밤낮을 가리지 않고 시세를 확인하는 사람들이 늘면서 '비트코인 좀비'라는 신조어까지 등장했다.

정부 가상화폐 금지 관련 일지

2017년	9. 1	가상화폐 관계기관 태스크포스TF 개최
	9. 29	정부가 모든 형태의 가상화폐공개ICO 전면금지
	12. 13	미성년자 및 외국인 거래 금지 내용 담긴 긴급대책 발표
	12. 28	가상화폐 거래실명제 추진 내용 담긴 특별대책 발표
2018년	1. 11	법무부 "가상화폐 거래소 전면 폐쇄" 발언(오전) 및 청와대 "부처간 협의중" 해명(오후)
	1. 15	금강원 가상화폐 거래 관리 감독 위한 TF 구성
	1. 16	청와대 '가상화폐 규제 반대' 청원 20만 명 돌파, 김동연 부총리 "거래소 폐쇄 옵션 살아 있다"
	1. 30	가상화폐 거래실명제 실행
	2. 14	청와대 가상화폐 청원 답변 "거래 투명화 최우선, 블록체인 기술은 적극 육성"
	3. 21	김동연 부총리 G20 회의서 국제공조 촉구
	4. 19	금융정보분석원FIU·금감원, 은행권 가상화폐 현장점검(예정)

그 결과 전 세계 비트코인 거래의 20%가 원화로 결제되고 국제 시세보다 20% 정도 높게 거래되는 비정상의 상황이 이어졌다. 특히 비트코인의 국내외 시세차와 환전 수수료를 노린 불법 외환거래(환치기)나 가상화폐 거래계좌와 연동된 입금계좌로 입금을 유도하는 비트코인 보이스피싱 등 각종 신종 범죄가 생겨났다. 그러자 정부는 비트코인 규제에 나섰다. 금융위원회는 2017년 9월 가상통화(암호화폐) 관계기관 합동TF를 개최하고, 암호화폐 거래소를 유사수신업자로 규정하는 내용의 '유사수신행위 등 규제법(유사수신행위법)' 개정 방침을 발표했다. 암호화폐 거래소를 불법으로 규정한 것이다. 또 암호화폐를 이용한 자금조달 행위ICO도 자본시장법 위반으로 처벌할 것이라고 밝혔다.

2017년 12월에는 암호화폐 주무부처를 금융위원회에서 법무부로 변경해 처벌 의지를 한층 강화했다. 또한 암호화폐의 사행성 투기 과열 방지를 위해 미성년자와 외국인의 암호화폐 계좌 개설과 거래를 전면 금지했고 투기 심리를 자극할 수 있다는 이유로 은행 등 금융권이 비트코인 같은 암호화폐를 보유하거나 매입하거나 투자하지 못하도록 했다. 암호화폐를 이용한 신종 범죄는 당연히 단속과 처벌의 대상이다. 하지만 정부는 그 수준을 넘어 암호화폐 자체를 불법으로 규정하는 무리수를 뒀다. 일례로 금융위가 발표한 유사수신행위법 개정안은 법리적으로 성립하지 않는다. 유사수신행위법 제2조는 인허가를 받지 않고 불특정 다수로부터 자금을 조달하는 행위를 유사수신행위로 규정하고 있다. 원금 전액 또는 초과 금액을 100% 보장한다거나 손실액을 모두 보전해준다며 투자를 유치하는 행위는 유사수신행위로 간주해 5년 이하의 징역 또는 5,000만 원 이하의 벌금형을 받는다.

금융위는 법 개정을 통해 암호화폐 거래소를 유사수신업자로 규정하겠다고 밝혔다. 하지만 암호화폐 거래소는 원금 지급을 약정하거나 투자를 받는 곳이 아니라 암호화폐라는 상품을 판매하고 중개하는 곳이다. 애초에 수신행위에 해당하지 않는 것이다. 그런데도 검찰은 2018년 5월 암호화폐 거래소를 압수 수색하고 임직원들을 구속하는 등 무리한 수사를 강행하고 있다. 검찰은 존재하지 않는 암호화폐를 전산상 있는 것처럼 속여 거래하는 이른바 장부거래를 한 것으로 보고 해당 거래소에 사기 및 사私전자기록 위작행사 혐의를 적용했다. 하지만 장부거래가 있었다고 해도 언제든 현금화할 수 있어 고객에게 피해가 가지 않는다. 사기죄가 성립하지 않는다. 또 거래소가 시세 조정을 위해 장부거래를 했을 때도 거래차익을 본 고객도 있고 손실을 본 고객도 있다. 그 자체로 손해를 끼쳤다고 보기 어렵다. 검찰이 암호화폐 거래소에 대한 정확한 이해가 없거나 암호화폐 거래를 불법으로 규정한 정부 방침을 무리하게 따른다는 지적이 나오는 이유다.

암호화폐와 블록체인 산업이 정부 규제 때문에 정체되고 있다. 2017년 12월 금융위원회는 비트코인 등 암호화폐를 자본시장법상 파생상품의 기초자산으로 볼 수 없다는 유권해석을 내렸다. 이에 따라 암호화폐는 금융상품에서 제외돼 자본시장법 적용을 받지 않는다. 암호화폐 관련 범죄가 발생했을 때 적용 가능한 처벌은 사기, 횡령, 배임 정도이다. 그런데 암호화폐 거래소는 신생 업체이기 때문에 대기업과 비교해 회계처리가 부실할 수밖에 없다. 그러다 보니 의도적으로 범죄를 저지른 것이 아닌데도 횡령이나 배임이 아님을 입증할 기록이 없는 셈이다. 사기 혐의를 벗기 위해 암호화폐를 모두 처분해야 하는 말도 안 되는 상황이 벌어질 수도 있다. 그런 상황에서 관련 산업에 뛰어들 사람은 많지 않을 것이다. 이는 곧 암호화폐와 블록체인 등 혁신 산업의 후퇴로 이어질 수밖에 없다.

투기 논란을 빚은 비트코인은 2,000개가 넘는 암호화폐 중 하나에 불과하다. 비트코인이 범죄에 악용될 우려가 있다는 이유로 암호화폐 전체를 불법으로 규정하는 것은 빈대 잡으려고 초가삼간을 태우는 것과 같은 이치다. 우리 정부가 인정하든 안 하든 암호화폐는 이미 전 세계 금융시장을 빠르게 점령하고 있다. 스웨덴에서 비트코인 거래는 법정화폐 거래의 3.5배에 달한다. 법정화폐 대비 비트코인 거래량은 홍콩 63.5%, 캐나다 51.9%, 스위스 40% 등으로

현재 전세계적으로 암호화폐가 2,000여 개가 발행됐다.

그 비중이 갈수록 늘어나고 있다.

　미국연방국세청IRS은 2014년 암호화폐를 자산으로 인정해 채굴이나 거래 등으로 수익을 얻을 경우 소득세를 매기고 있다. 뉴욕금융감독청NYDFS은 2015년 암호화폐 서비스 업체를 대상으로 면허제를 도입했고 2017년 12월에는 시카고상품거래소CME와 시카고옵션거래소CBOE가 비트코인 선물 거래를 시작했다. 일본은 2017년 4월 자금결제법을 개정해 암호화폐를 법적 결제수단으로 인정했다. 또한 2017년 9월에는 암호화폐 거래소를 공식 허가하며 본격적으로 금융 제도권에 포함시켰다. 2017년 12월 현재 일본

내에서 비트코인 결제 시스템을 도입한 매장은 1만 개가 넘는다.

2018년 5월에는 G20 재무장관·중앙은행총재회의가 암호화폐를 사실상 가상자산으로 인정했다. 이에 따라 G20 각국은 암호화폐 관련 규정을 제정하고 글로벌 표준화 작업도 진행할 것으로 보인다. 만약 우리 정부가 지금처럼 암호화폐 규제를 고집한다면 한국의 암호화폐와 블록체인 산업은 '갈라파고스(세계 시장 고립)' 신세가 될 것이다. 암호화폐 등 디지털 화폐는 인터넷과 같은 속성을 띠고 있다. 암호화폐의 등장은 우리가 아직 겪어보지 못한 개인 대 개인의 P2P형 경제 시스템, 분산형이자 국경을 넘은 민간 주도형 경제 시대가 도래했음을 의미한다. 모든 나라가 앞다퉈 암호화폐를 법정화폐로 전환하는 등 디지털 경제로의 전환을 서두르고 있는 것은 그래서다. 기존 경제시스템을 디지털 시대에 맞게 새롭게 개편하지 않으면 과거와 같은 강력한 통제력을 상실할 수 있다는 위기감의 발로이다.

암호화폐가 버블이냐 아니냐를 분석하는 것도 중요하고 부작용을 최소화할 규제 방안을 마련하는 것도 중요하다. 하지만 그보다 더 중요한 것은 코앞으로 다가온 4차 산업혁명 시대에 암호화폐가 어떻게 진화해나갈 것인지 예측하고 뒤로 물러서기보다 앞서 대응할 방법을 마련하는 일이다. 역사상 가장 강한 개인의 시대가 다가오고 있다. 우리의 미래가 역사상 가장 지혜로운 정부의 시대가 되길 국민 모두 한마음으로 바라고 있다.

암호화폐 글로벌 스타트업 육성

2014년 9월 검찰은 '사이버 명예훼손 전담수사팀'을 발족하고 관계 기관 대책회의를 개최했다. 그런데 이 회의에 카카오, 네이버, 다음, 네이트 임원이 참석했다. 국내 주요 모바일 메신저 기업들이 정부의 사이버 검열에 동참할 것을 우려한 사람들이 카카오톡에서 텔레그램Telegram으로 '사이버 망명'을 선택했다.

2013년 출시된 모바일 메신저 텔레그램은 강력한 암호화 기술로 모든 메시지를 보낸 사람과 받은 사람만 볼 수 있고 제3자 전달이 불가능하다. 서버를 독일에 두고 있어서 정부가 압수수색을 하더라도 대화 내용을 엿볼 수 없다. 특히 메시지 확인 기간을 지정하면 메시지가 자동으로 삭제되고 이후에는 서버에 기록이 남지 않는다. 텔레그램은 이러한 강력한 보안성을 강점으로 전 세계 10억 명이 넘는 사용자를 보유하고 있다.

텔레그램은 2018년 1월 텔레그램 오픈 네트워크라는 블록체인 플랫폼과 자체 암호화폐인 '그램'을 개발할 것이라고 발표했다.

텔레그램은 보안성을 더욱 강화하기 위해 최근 블록체인 기술을 도입했다. 텔레그램은 2018년 1월 텔레그램 오픈 네트워크TON라는 블록체인 플랫폼과 자체 암호화폐인 '그램GRAM'을 개발할 것이라고 발표했다. 텔레그램 오픈 네트워크가 개발되면 텔레그램 사용자들은 메신저에서 암호화폐 그램을 이용해 결제나 송금을 할 수 있게 된다. 텔레그램은 이와 함께 암호화폐 공개를 단행했다.

기업들은 투자를 받기 위해 주식이나 채권을 발행한다. 증시에 주식을 내놓고 주주들에게 투자금을 모으는 것을 기업 공개IPO, Initial Public Offering라고 한다. 텔레그램은 주식 대신 암호화폐를 발행했다. 주식 대신 암호화폐로 자금을 모집하는 행위를 암호화폐 공개ICO, Initial Coin Offering라고 한다. 기업이 높은 성과를 내서 주식이 오르면 투자자들이 이익을 얻는 것처럼 암호화폐를 발행한 기업의 가치가 올라가면 암호화폐를 구입한 투자자들도 차익을 얻게 된다.

텔레그램은 2018년 2월과 3월 두 차례 ICO를 통해 총 17억 달러(약 1조 8,343억 원)의 투자금을 유치했다. 2018년 1분기에 이뤄진 ICO 투자금은 63억 달러(6조 7,977억 원)에 이른다. 이는 같은 기간 미국에서 이뤄진 IPO 투자금 156억 달러(약 16조 8,324억 원)의 절반 수준이다. 앞으로 기업들이 주식이 아닌 암호화폐로 투자금을 유치하게 될 것이라는 전망이 나오는 배경이다.

국내 규제 피해 해외로 망명하는 스타트업

창업한 지 얼마 안 된 스타트업은 주식 상장을 통한 투자금 유치가 사실상 불가능하다. 필요 자금을 확보하려면 벤처캐피탈 등에 기대거나 은행 대출을 받아야 한다. 하지만 암호화폐 공개를 이용하면 비교적 손쉽게 거금을 투자받을 수 있다.

블록체인 스타트업인 블록체인OS는 2017년 5월 국내 기업 중 처음으로 ICO에 나섰다. 블록체인OS는 자체 개발한 국내 첫 암호화폐 보스코인BOSCoin으로 ICO를 진행한 결과 157억 원의 투자금을 끌어 모았다. 또 다른 블록체인 스타트업 더루프theloop도 2017년 8월 자체 개발한 암호화폐 아이콘ICON으로 ICO를 진행해 233억 원을 투자받았다. 국내 1세대 블록체인 기업인 글로스퍼 Glosfer도 자체적으로 만든 암호화폐인 하이콘Hycon을 통해 2017년 9월 국내 ICO를 진행한 결과 148억 원을 투자받았다.

하지만 이후 ICO로 투자금을 유치한 국내 스타트업의 사례를 찾아볼 수 없게 됐다. 우리 정부가 ICO를 전면 금지했기 때문이다.

현재 ICO를 금지한 나라는 우리나라와 중국뿐이다. 그러나 중국은 정부가 경제 정책을 통제하므로 사실상 시장경제를 채택한 나라 중 ICO를 금지한 곳은 우리나라뿐이다.

금융위원회는 2017년 9월 1일 암호화폐 관계기관 합동TF를 열고 "암호화폐를 이용해 자금을 조달하는 모든 형태의 ICO 행위에 대해 자본시장법 위반으로 처벌하겠다"고 발표했다. 2017년 12월에는 ICO 금지를 골자로 한 '유사수신행위 등 규제법(유사수신행위법)' 개정안을 정부 입법으로 추진하겠다고 밝혔다.

현재 ICO를 전면 금지한 나라는 우리나라와 중국뿐이다. 그러나 중국은 정부가 경제 정책을 통제하므로 사실상 시장경제를 채택한 나라 중 ICO를 금지한 곳은 우리나라뿐이다. 전 세계적으로 ICO를 지원하는 방향으로 가고 있는 반면 유독 우리나라만 금지하는 이유는 아주 단순하다. ICO가 범죄에 악용될 가능성이 높다는 것이다.

ICO를 하기 위해서는 암호화폐 발행 목적, 규모, 운용 계획을 담은 사업계획서인 백서White Paper를 발행해야 한다. 투자자들은 백서에 적힌 사업 목적이나 성장 가능성을 보고 신뢰가 생기면 암호화폐를 구입해 투자를 하게 된다. 하지만 백서를 발행하는 기업들

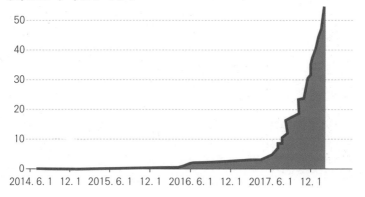

누적기준 (출처: 코인데스크)

대다수가 블록체인 기술을 이용하다 보니 전문적인 용어가 많아 전문가가 아니면 온전히 이해하기 어렵다. 그러다 보니 이를 악용해서 실체 없는 기술을 그럴듯하게 포장해 거액의 투자금을 받아낸 뒤 자취를 감추는 이른바 'ICO 사기Scam'가 늘고 있다. 수익률을 과장해 고수익을 미끼로 투자를 받는 다단계 사기 수법도 횡행하고 있다.

암호화폐나 블록체인은 아직 초기 단계이기 때문에 사기 등의 부작용이 얼마든지 있을 수 있다. 소비자 피해를 막으려는 정부의 취지와 입장도 충분히 공감이 간다. 하지만 ICO를 악용한 불법 행위자를 단속하고 처벌해야지 ICO 자체를 금지하는 것은 온당한 일이 못 된다. 이것은 마치 잡초가 많으니 논밭을 없애고 부동산 투기가 심하니 부동산중개업을 없애고 뾰루지가 났으니 발을 자르는 것과 마찬가지다. 게다가 규제의 실익도 없다. 암호화폐는 국경을 넘나들기 때문에 우리나라에서 금지해도 다른 나라를 통해 우회해서 얼마든지 ICO를 진행할 수 있다.

실제로 더루프는 정부의 금지 발표 직후 스위스에서 ICO를 진행해 1,000억 원 규모의 투자금을 유치했다. 글로스퍼도 2018년 3월 글로벌 ICO를 진행해 총 5,000만 달러(약 539억 5,000만 원)를 끌어모았다. ICO를 위해 해외에 법인을 설립하는 스타트업들도 늘고 있다. 국내 게임 개발업체 리얼리티 리플렉션Reality Reflection은 2018년 1월 에스토니아에 법인을 세웠다. ICO를 통해 증강현실AR 게임 '모스랜드'에 투자를 받기 위해서다. 현재 30여 개에 달하는 국내 암호화폐 관련 스타트업이 에스토니아에서 ICO를 준비 중인 것으로 알려졌다.

블록체인 기반 헬스케어 스타트업인 메디블록MediBloc은 2017년 11월 영국령 지브롤터에 법인을 세우고 ICO를 해 200억 원의 자금을 유치했다. 이외에도 스위스와 싱가포르 등 암호화폐 산업이 활발한 나라들에 국내 스타트업의 법인 설립이 잇따르고 있다. 현재 ICO를 위해 해외로 나간 국내 기업은 100개 이상이며 2018년 말까지 200개에 달할 것으로 추정된다. 국가마다 다르긴 하지만 해외에 법인을 설립하면 그 나라에서 모금한 자금의 20%가량은 그 나라에 두고 와야 한다. 이로 인해 법인세와 인건비 등을 포함해 국외로 빠져나간 기회비용만 1,000억 원에 이르고 있다.

스타트업들을 범죄자로 만들어선 안 된다

우리 정부가 이처럼 엄청난 국부 유출에도 ICO 금지를 고집하며 내세운 명분은 투자자 보호다. 하지만 오히려 ICO 금지가 투자자 피해를 더 키우고 있다. 현재 정부는 ICO를 금지한다는 방침만 밝혔을 뿐 실제로 법 개정은 이뤄지지 않은 상태다. 법적으로 ICO는 합법과 다름없는 셈이다. 혹시 모를 규제를 우려해 대다수 기업들이 해외에 법인을 설립하고 글로벌 ICO를 진행하고 있다. 하지만 여전히 상당수 기업들이 국내에서 ICO를 추진하고 있다. 다만 정부가 금지 방침을 밝힌 만큼 공개적으로 하지는 못하고 음지에서 ICO 설명회를 여는 형편이다. 상황이 이렇다 보니 투자자들은 진짜 ICO와 가짜 ICO를 구분하기 더 어려워졌다. 투자의 기본은 정확한 정보인데 대다수 ICO가 해외나 음지에서 이뤄지다 보니 사기꾼을 가려내기가 쉽지 않다. 실제로 최근 카카오톡 단체 채팅방을 중심으로 가짜 ICO 판매가 기승을 부리고 있다. ICO 금지 조치가 범죄를 더 쉽게 만들고 있는 것이다.

해외에 법인을 설립한 스타트업도 정부의 모호한 태도 때문에 범죄자로 전락할 위기에 처했다. 해외에 법인을 설립하면 법인세, 인건비, 임대료, 법률 및 금융 서비스 사용료 등 상당한 자금을 그 나라에서 지출하게 된다. 이 같은 해외 투자는 외화 반출이 수반되기 때문에 외환 당국에 신고하고 허가를 받아야 한다. 하지만 대부분의 기업들이 정당한 신고와 허가 절차를 거치지 않았을 가능성이 높다. 또한 한국은행이 해외 ICO 목적을 밝힌 기업들에게 외환 송금을 허가했을 가능성도 그리 높지 않다. 만약 작정하고 과거 ICO 사례를 전수조사하면 상당수 기업들이 외국환거래법 위반으로 처벌받을 수 있다.

2018 암스테르담 블록체인 엑스포에 참가한 지브롤터가 ICO를 유치하기 위해 적극적으로 홍보 중이다. (사진제공: 전명산)

조세회피 혐의를 받게 될 가능성도 무시할 수 없다. 한국의 법인세는 22%인데 싱가포르는 7%에 불과하다. 우리 정부는 싱가포르를 조세회피처로 지정하고 있다. 만약 정부가 싱가포르에 법인을 설립한 이유를 ICO가 아닌 국내에서 발생할 매출을 해외로 빼돌리기 위한 것이라고 판단하면 대다수 스타트업들이 조세회피 혐의를 받게 될 것이다. 또한 해외에서 모금한 암호화폐는 법인 소유이기 때문에 그 돈으로는 한국에 세금을 납부할 수 없다. 만약 한국에 있는 모회사의 세금 납부를 위해 해외 법인의 자금을 사용하면 업무상 횡령 또는 배임에 해당할 수 있다.

사기죄 적용도 얼마든지 가능하다. 정상적인 사업계획이라고 해도 ICO 백서 내용 중 일부가 현실 가능성이 낮다고 판단되면 투자자는 해당 스타트업을 사기죄로 고소할 수 있다. 기업의 의도와 다

미국 증권거래위원회는 유가증권법을 적용해 ICO를 제도권으로 편입시켰다.

르게 암호화폐 거래 과정에서 다단계식 판매가 이뤄지면 유사수신이나 방문판매법 위반에 해당한다. 누군가 작정하고 빌미를 잡으면 얼마든지 현행법상 처벌받을 수 있는 것이 현재 ICO 스타트업이 처한 상황이다. 암호화폐와 블록체인 산업의 활성화를 기대하기란 하늘의 별 따기보다 어려운 상황이다.

눈앞의 부작용을 막기 위해서는 전면 금지가 가장 손쉽고 빠른 방법이다. 하지만 장기적으로는 글로벌 기업과의 경쟁에서 뒤처지는 결과로 이어진다. 미국 증권거래위원회SEC는 유가증권법을 적용해 ICO를 제도권으로 끌어당겼고 유럽연합도 증권법으로 ICO를 통제하고 있다. 일본은 자금결제법을 개정해 13개 거래소를 합법적으로 운영하는 가장 전향적인 나라다. 암호화폐와 블록체인 산업의 발전과 성장을 바란다면 한시라도 빨리 ICO 가이드라인을 제시해서 체계적이고 합리적인 규제가 이뤄져야 한다. 지금처럼 무조건 규제하고 방관하는 태도는 단기적으로 국부가 유출되고 장기적으로는 블록체인 후진국이라는 결과를 부를 뿐이다.

미래 금융의 핵심 블록체인 기술

2014년 영국에 설립된 와일렉스는 암호화폐 직불카드crypto debit cards 서비스를 선보였다. 사용법은 체크카드와 똑같은데 차이가 있다면 카드에 연결된 것이 법정화폐가 아닌 암호화폐이고 결제 때마다 당시 시세에 맞게 전환돼 지급된다는 것이다. 암호화폐는 특정 국가의 간섭을 받지 않고 국경의 영향도 없으므로 해외에서 사용하기에 최적이다. 그 나라 화폐로 환전할 필요 없이 곧바로 결제가 가능하기 때문이다. 또 블록체인 기술을 이용해 해외송금도 훨씬 낮은 수수료로 이용할 수 있고, 기존 화폐로는 불가능한 사물인터넷 기기 소액결제도 가능하다.

와일렉스는 비자카드와 제휴를 맺어 비자카드 사용이 가능한 상점 모두에서 암호화폐 직불카드를 사용할 수 있도록 했다. 현재 와일렉스의 암호화폐 직불카드 사용자는 130여 개 국가 100만 명에

블록체인 작동 원리

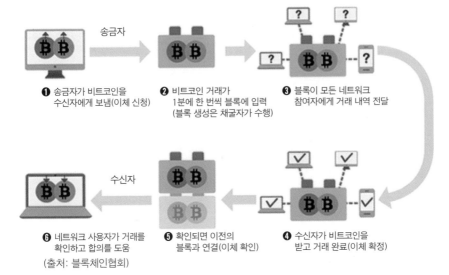

❶ 송금자가 비트코인을
수신자에게 보냄(이체 신청)

❷ 비트코인 거래가
1분에 한 번씩 블록에 입력
(블록 생성은 채굴자가 수행)

❸ 블록이 모든 네트워크
참여자에게 거래 내역 전달

❻ 네트워크 사용자가 거래를
확인하고 합의를 도움
(출처: 블록체인협회)

❺ 확인되면 이전의
블록과 연결(이체 확인)

❹ 수신자가 비트코인을
받고 거래 완료(이체 확정)

달한다. 블록체인 기반의 암호화폐가 단순히 투자 수단이 아닌 실
생활에서 화폐로도 사용될 수 있음을 보여주는 대표적 사례다.

핀테크 2.0의 핵심기술 블록체인

"과거 인터넷을 활용한 모든 서비스를 핀테크 1.0이라고 불렀
다면 현재는 핀테크 1.5다. 인공지능, 빅데이터, 사물인터넷 등 새
로운 기술을 접목하는 시기다. 핀테크 2.0은 블록체인을 핵심기술
로 삼는 단계이다. 현재 차세대 금융 플랫폼은 블록체인밖에 없다
고 인식하고 있다. 암호화폐에 국한하지 않고 시선을 블록체인 전
체로 옮기면 이 기술과 시장 확대는 거의 확실하다. 앞으로 금융뿐
아니라 다양한 서비스에서 블록체인 기술이 활용될 것이다."

2018년 3월 방한한 후지모토 마모루 SBI 홀딩스 블록체인 담당 임원의 말이다. SBI 홀딩스는 일본 최대 인터넷 금융회사로, 2016년부터 블록체인을 이용한 차세대 금융 플랫폼을 연구해왔다. 세계에서 가장 많은 자금을 블록체인 연구에 투자하는 기업으로도 유명하다. 방한 당시 소개한 SBI 홀딩스 블록체인 사업 모델 중 가장 눈길을 끈 것은 단연 일본 61개 은행이 참여하고 있는 블록체인 컨소시엄이었다. 일본 은행 자산 총액의 80%를 차지하는 61개 은행은 이르면 올해 가을쯤 블록체인 기반의 통합 스마트폰 앱인 '머니 탭'을 출시할 예정이다.

일본은 전체 결제 중 현금 비중이 65%로 선진국 평균의 두 배 수준이다. 현금 결제를 위해 지출되는 운송비용만 매년 2조 엔(약 19조 6,288억 원)에 이른다. SBI 홀딩스는 일본 금융계의 고질적인 문제를 해결하기 위해 세계 3위 규모의 암호화폐인 미국 리플과 합작으로 SBI리플아시아를 설립했다. 실제로 자체적으로 입출금 거래에 블록체인 리플 기술을 적용한 결과 9~15%의 비용 절감 효과를 거뒀다. 리플 기술을 적용한 머니 탭은 송금에 걸리는 시간이 10초에 불과하고 송금 수수료도 종전 10분의 1 수준이다. 머니 탭에 주목하는 이유는 기존에 스타트업 중심으로 소규모로 진행돼온 블록체인 방식의 금융거래를 일본 은행 전체로 확대 적용했기 때문이다. 이는 앞으로 일본 금융거래에 대대적인 혁신을 불러일으킬 전망이다.

블록체인은 지역화폐 등 지역경제 활성화에도 상당한 역할을 할 것으로 보인다. 지역화폐는 법정화폐를 보완하는 수단으로 지역

경제 발전의 원동력을 지역에서 찾아 활용하자는 취지로 도입됐다. 현재 우리나라 지역화폐는 총 60여 개로 2018년에만 10여 개가 추가될 것으로 보인다. 2016년 발행을 시작한 경기도 성남시 '성남사랑상품권'과 서울시 마포구 '모아'가 대표적이다. 마포구 모아는 누적 유통 규모가 2억 원에 이를 정도로 규모가 크다. 하지만 지역화폐는 데이터 집계가 어렵고 활용 범위가 제한적이며 발행비용의 부담이 적지 않다. 그러나 블록체인 기술이 결합된 지역 암호화폐는 이런 문제들을 한번에 해결할 수 있다.

노원구청은 2018년 2월 세계 최초로 블록체인 기반 지역 암호화폐인 '노원No-Won'을 개발해 운영 중이다. 중앙 통제 시스템과 연동된 프라이빗 블록체인 기술로 데이터 안정성을 높였고 데이터 표준화와 전산화로 결산과 감사에 필요한 서면 작업을 간소화했다. 법정화폐와 일대일 비율로 시세를 고정해 부정 사용 가능성도 차단했다. 이를 통해 지역경제 활성이라는 원래 목적을 달성하면서 동시에 비용 절감과 투명성까지 확보했다. 최근에는 노원의 성공에 자극을 받은 여러 지역에서 블록체인 지역화폐 도입을 적극 추진 중이다. 블록체인을 적용한 새로운 금융 거래가 우리의 일상으로 자리 잡을 날도 머지않았다.

중앙집중화가 아닌 분산화로의 패러다임 전환

암호화폐 기술은 블록체인의 일부에 지나지 않는다. SBI 후지모토가 지적한 것처럼 블록체인을 활용한 서비스 모델은 금융 말고

헬스케어 분야 블록체인 개념도

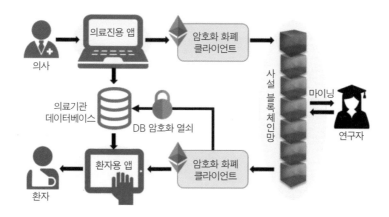

도 무궁무진하다. 의료 서비스 혁신도 그중 하나다. 지금까지 의료 정보는 정부, 병원, 의료진만 열람할 수 있는 독점적 구조였다. 과거 진료 기록을 알고 싶을 때는 해당 병원이나 정부 기관을 통해야만 했다. 하지만 블록체인을 적용하면 환자는 스마트폰 앱으로 자신의 의료 정보를 언제 어디서나 열람할 수 있다. 병원과 보험사에게 어느 정도까지 의료 정보를 공개할지도 환자 스스로 결정할 수 있다. 환자의 정보 주권이 한층 높아지는 것이다.

개인정보 유출 가능성도 원천 봉쇄된다. 기존에는 해당 병원의 중앙서버가 해킹당하면 환자들의 의료 정보가 간단히 유출됐지만 블록체인 기술을 적용하면 해킹 자체가 불가능하다. 국내 의료 분야 블록체인 스타트업인 메디블록은 환자와 병원과 연구자를 하나로 연결하는 블록체인 플랫폼을 개발했다. 메디블록의 서비스를 이용하면 환자들은 자신의 의료정보를 손쉽게 관리할 수 있고 보험 청구와 심사도 원스톱으로 이용할 수 있다. 연구자도 병원과 연계하지 않아도 환자에게 직접 데이터를 받아 연구를 진행할 수 있다. 메디블록은 늦어도 2019년 초에는 정식 앱을 출시해 새로운 의료 정보 플랫폼을 구축한다는 할 계획이다.

블록체인을 이용하면 게임업계 골칫덩이 중 하나인 아이템 확률과 아이템 조작을 막을 수 있다. 기존 게임들은 개발사에 따라 부도덕한 조작이 가능했다. 하지만 블록체인을 적용하면 모든 거래가 투명하게 공개돼 부정이 끼어들 틈이 없다. 실제로 최근 게임업계는 블록체인에 이목을 집중하고 있다. 리얼리티 리플렉션은 2018년 5월 블록체인 기술을 이용한 증강현실 부동산 게임AR인 '모스랜드'를 선보였다. 모스랜드는 가상화폐로 부동산을 사고파는 가상경제 게임으로 가상화폐 모스코인Moss Coin과 자체 블록체인인 모스체인Moss Chain 기술을 적용했다. 게임 속 부동산 거래로 획득한 모스코인은 향후 암호화폐 거래소 상장을 통해 실제로 환전이 가능하도록 할 예정이다.

한빛소프트는 게임과 연계한 블록체인 플랫폼 '브릴라이트'를 구상 중이다. 브릴라이트 플랫폼에 참여하는 게임을 플레이하면 브릴라이트 코인BRC을 적립해주고 블록체인 기술을 통해 게임 속 자산을 안전하게 저장하고 이동할 수 있다. 이외에도 넷마블게임즈, 넥슨, 엠게임 등 국내 게임업체 다수가 블록체인 기술 개발에 들어간 상태이다. 이처럼 블록체인 기술을 이용한 새로운 비즈니스 모델이 속속 등장하고 있고 블록체인 관련 산업은 나날이 규모를 키워가고 있다.

하지만 정작 블록체인과 관련한 법 제도는 전무한 실정이다. 가

전세계 블록체인 기술 시장 규모는 2024년에 607억 달러가 될 것으로 예상된다. (출처: 딜로이트)

장 문제가 되는 것은 개인정보다. 현행 개인정보보호법은 미리 정한 개인정보 사용기간이 지나면 해당 정보를 파기하도록 규정하고 있다. 하지만 블록체인은 한번 저장된 정보는 절대 수정할 수 없다. 만약 관련 규정이 없는 상태로 블록체인 관련 비즈니스가 대중화되면 개인정보 침해 문제가 대규모로 발생할 수 있다. 블록체인 기술의 특성을 고려해 식별 가능한 정보를 삭제한 개인정보에 한해서 파기 규정을 예외로 두는 규정을 신설해야 하는 이유다.

블록체인 기술이 적용된 암호화폐에 대해서도 법적 정의를 명확히 할 필요가 있다. 현행법상 암호화폐를 증권으로 취급하면 암호화폐를 발행할 때마다 금융위원회의 허가를 받아야 한다. 전자금융법의 적용을 받는 ICO는 5억 원 이상의 자본금이 필요하다. 스

2017년 8월 블록체인 스타트업을 중심으로 한국블록체인산업진흥협회가 출범했다.

타트업이 투자금을 모으기 위한 방법이 ICO인데 암호화폐로 자금을 모으려면 5억 원이나 되는 자금을 마련해야 하는 앞뒤가 뒤바뀐 상황이 발생할 수 있다. 법으로 암호화폐에 대한 정의를 명문화하고 기존 규제를 배제하거나 완화하는 규정을 마련해야 한다. 이외에도 블록체인 신산업과 기존 규제 사이에는 수많은 갈등과 충돌이 존재한다. 법조계 전문가들과 관련 분야 실무자들이 머리를 맞대고 구체적인 대안을 만들어가는 노력이 그 어느 때보다 시급하다.

불행 중 다행으로 2017년 8월 블록체인 스타트업을 중심으로 한국블록체인산업진흥협회가 출범했다. 국내 블록체인 산업이 큰 갈등 없이 지금에 이른 것은 협회의 공이 크다. 2018년 5월에도 '블록체인 산업진흥 기본법'을 제안하는 등 블록체인 산업 활성화를 위해 많은 노력을 기울이고 있다. 2018년 8월에는 법조계 인사들을 중심으로 '블록체인법학회'도 만들어졌다. 정기 세미나를 통해 국내 규제 현황과 해외 판례 연구를 통해 블록체인 관련법 기틀을 마련할 계획이다.

세계 경제는 빠른 속도로 디지털 경제로 변화하고 있고 그 중심에 블록체인 기술이 있다. 얼마 전까지만 해도 디지털 경제는 중앙형 인터넷 플랫폼 사업자의 중개로 재화와 서비스 유통이 이뤄졌다. 하지만 최근에는 블록체인 기술을 근간으로 분산형 서비스들이 속속 등장하고 있다. 정부나 대기업을 통하지 않아도 기술력만 있으면 얼마든지 개인과 개인이 직접 재화와 서비스를 주고받을 수 있게 됐다. 중앙형 공급자가 없어도 서비스 생태계가 만들어지고, 그 생태계 위에서 다시 재화와 용역의 공급자들이 생존할 수 있는 분산형 생태계가 도래하고 있는 것이다.

블록체인은 중앙집중화가 아닌 분산화라는 새로운 패러다임으로 우리의 일상을 혁신할 수 있는 획기적인 기술이자 인터넷 회선 강국이면서도 글로벌 인터넷 서비스 강국에선 밀려난 지난 과오를 극복할 기회이기도 하다. 그러자면 현재 블록체인에 쏠린 과도한 규제를 걷어내고 관련 산업이 건강한 생태계를 조성할 수 있도록 적극적인 지원이 뒤따라야 한다. 네이버와 다음 이후 혁신적 기업의 탄생 여부는 블록체인에 대한 우리 정부의 선택에 달려 있다.

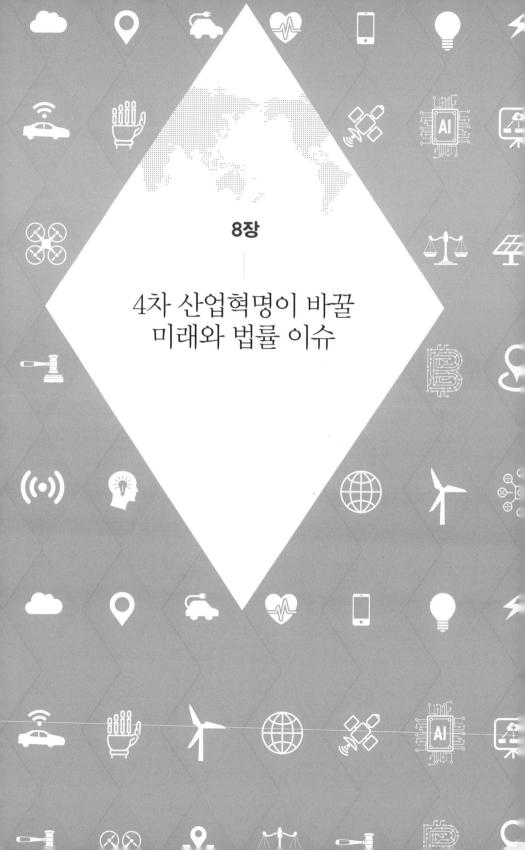

8장

4차 산업혁명이 바꿀
미래와 법률 이슈

인공지능 스피커 추천 상품은 믿을 만한가

얼마 전까지만 해도 쇼핑은 PC에서 인터넷 쇼핑몰을 이용하거나 스마트폰으로 앱에서 결제하는 것이 일반적이었다. 하지만 최근 인공지능 음성인식 스피커가 대중화되면서 쇼핑 방식도 크게 달라지고 있다. 인공지능 스피커는 한두 마디 말로 음악을 들려주고 음식을 배달하며 택시를 호출한다. 스마트폰을 터치하는 것보다 음성으로 명령하는 것이 훨씬 편리하다. 음성 명령은 쇼핑에서 더 큰 장점을 발휘한다.

기존 스마트폰 쇼핑은 언제 어디서나 물건 구매가 가능하다는 장점이 있다. 하지만 반대로 상품 정보가 너무 많아서 어떤 것을 골라야 할지 선택장애가 발생했다. 인공지능 스피커는 이 문제를 빅데이터와 인공지능 알고리즘으로 손쉽게 해결한다. 사용자가 스피커를 통해 쇼핑을 많이 할수록 데이터가 축적되고, 인공지능 알

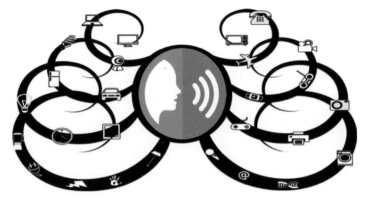

음성이 주요 입력 수단으로 변하고 있다.

고리즘이 이 데이터를 분석해 사용자의 쇼핑 패턴을 분석한다. 그 결과 사용자의 취향과 선호에 가장 가까운 상품을 추천해준다. 검색 과정 없이도 음성 명령만으로 가장 최적화된 쇼핑이 가능해지는 것이다.

그래서 앞으로의 쇼핑은 인공지능 음성인식 스피커가 좌우할 것이란 전망이 지배적이다. 과거 중세유럽시대에 귀족들이 집사에게 모든 살림 운영을 맡긴 것처럼, 이제는 인공지능 음성비서가 사용자에게 필요한 모든 물품 구매를 알아서 진행하는 시대가 될 것이다. 퇴근하고 집에 돌아오면 주문하지 않은, 그러나 꼭 필요한 물품이 배달되는 장면이 일상이 되는 것이다.

인공지능 스피커가 소비 주권 빼앗을까

현재 인공지능 스피커는 아마존과 구글 두 기업이 시장을 양분하고 있다. 아마존이 2014년 맨 먼저 인공지능 스피커를 출시한

아마존은 소비 빅데이터를 분석해 고객에게 딱 맞는 상품을 추천하는 큐레이션 서비스를
제공하고 있다.

뒤 선두를 달리는 가운데 구글이 그 뒤를 바짝 뒤쫓고 있다. 아마
존의 강점은 뛰어난 적중률이다. 1990년대 창업 초기부터 고객의
구매내역과 검색내역 등 소비 빅데이터를 축적하고 분석해 고객에
게 딱 맞는 상품을 추천하는 '큐레이션 서비스'를 제공해왔다. 그
러다 보니 고객이 여러 사이트에 접속해 여러 판매자의 상품과 가
격을 비교해야 하는 번거로움이 없다. 한발 더 나아가 2013년에는
'예측 배송'을 시작했다. 고객의 쇼핑 패턴을 예측해 구매가 이뤄지
기도 전에 배송을 시작하는 것이다. 배송 시간과 물류비가 획기적
으로 줄었다. 이는 아마존이 세계 최대 전자상거래 업체로 발돋움
하게 된 배경이 됐다.

아마존 에코는 이 같은 아마존의 기술력이 축적된 것으로 스피커
의 음성인식 기능과 아마존의 유통 채널이 결합해 고객에게 최적
의 쇼핑 경험을 제공한다. 아마존 에코가 세계 1위가 된 것은 가장
먼저 제품을 선보여 시장을 선점한 것도 있지만 인공지능 스피커

를 이용한 쇼핑에서 독보적인 편리함을 제공하기 때문이다. 문제는 인공지능 스피커를 이용한 상품 추천과 예측 쇼핑이 활성화될수록 소비자보호법 등 기존 법률과 충돌을 일으키게 된다는 점이다.

소비자기본법 제2장 제4조에 따르면 소비자는 물품 등을 선택함에서 필요한 지식과 정보를 제공받을 권리가 있고 거래 상대방, 구입 장소, 가격과 거래 조건 등을 자유롭게 선택할 권리가 있다. 또한 소비자보호법 제3장 제2절 제19조에 따르면 사업자는 물품 등을 공급함에서 소비자의 합리적인 선택이나 이익을 침해할 우려가 있는 거래 조건이나 거래 방법을 사용해서는 안 된다.

이 기준을 따르면 인공지능 스피커는 소비자의 권리를 침해하는 것으로 볼 수 있다. 인공지능 스피커는 소비 빅데이터를 통해 개인의 취향과 선호를 반영한 최적의 제품과 서비스를 추천해준다. 그리고 사용자가 필요로 할 것 같은 상품을 자동으로 구매한다. 이 편리함은 많은 사람들이 인공지능 스피커에 의존하게 한다. 이미 인공지능 추천으로 상품을 구매하는 데 익숙해진 사람들은 만약 인공지능 스피커가 고객의 이익이 아닌 자사의 이익을 기준으로 상품을 추천하더라도 이를 거절하기가 쉽지 않다. 소비 선택권이 사람이 아닌 인공지능 스피커로 이동하게 되는 것이다.

기존 소비와 구별되는 인공지능 스피커에 의한 물품 구매는 소비에 대한 새로운 법적 해설을 필요로 한다. 사용자가 그것을 동의했다 하더라도 면죄부가 되는 것은 아니다. 앞으로 고객의 소비 패턴을 분석해 물품 구매까지 자동으로 이뤄지는 과정을 법적으로 통제해야 하는지, 통제한다면 어느 범위까지 규제해야 하는지에

생태계의 창조자 공룡 기업들

사생활의 신	페이스북	하버드대생 수십 명		18억 명
돈의 신	크레디트 카드	200명/14개 가맹점		한국만 570조 원 사용
URL의 신	구글	검색 로봇	자발적 성장	전 세계 모든 URL
지도의 신	구글	인공위성		구글어스/맵
음성의 신	텔레콤	기지국		지구인 대부분 사용
음악의 신	애플	아이팟/아이폰		음악/비디오/책…
동영상의 신	유튜브 (구글)	파티 비디오 배포		매일 1억 개 조회수

(출처: 박창규, 『콘텐츠가 왕이라면 컨텍스트는 신이다』)

대해 다양한 목소리가 나오게 될 것이다.

소비 빅데이터가 화폐가 되는 시대

　독과점도 논란이 될 것으로 보인다. 나에게 딱 맞는 상품을 추천해주려면 나에 관한 데이터를 충분히 확보하고 있어야 한다. 이미 인공지능 스피커 시장을 장악한 글로벌 기업들은 쉽게 고객의 소비 데이터를 확보할 수 있다. 반면 뒤늦게 뛰어든 신규 스타트업은 스피커 상품 판매조차 쉽지 않다. 그만큼 데이터 확보가 어렵고 쇼핑 추천에서도 글로벌 기업에 비해 뒤떨어질 수밖에 없다.

　이는 아마존을 위시한 몇 개 기업에게로 전 세계 사람들의 데이터가 몰린다는 것을 의미한다. 또한 데이터를 가장 많이 확보한 기업에게로 전 세계의 부가 집중된다는 것을 의미하는 것이기도 하다. 글로벌 경영 컨설팅 기업인 맥킨지는 소비 빅데이터가 앞으로 일종의 화폐 역할을 하게 될 것으로 전망했다. "개인의 자산이나 소득 같은 정보들도 미래의 소비 활동을 예측하는 데 도움을 주지만, 그것보다 더 중요한 건 며칠 몇 달 몇 년에 걸쳐서 지속해온 과거의 행동 패턴에 대한 정보"라며 "예컨대 한 사람이 건강한 식생활을 유지하고 있다는 데이터가 있다면 헬스케어 업체나 보험사에는 매력적인 정보가 될 것"이라고 시적했다.

사실 인공지능 스피커는 기술 개발에 막대한 자금을 쏟아 부은 것치고는 가격이 저렴한 편이다. 이는 단순히 스피커 판매로 이윤을 창출하려는 것이 아니라 저렴한 가격으로 자사 스피커를 사용하는 인구를 더 많이 확보해서 더 많은 빅데이터를 축적하기 위해서이다. 그 빅데이터를 통해 쇼핑 중개를 포함한 다양한 부가적인 이익을 얻기 위한 것이다. 앞으로 사람들이 인공지능 스피커로 쇼핑하게 된다면 판매자들은 인공지능 스피커 회사를 통해 자사 제품을 판매하게 될 것이다. 판매자들은 가장 많은 고객을 확보한 인공지능 스피커 회사를 통해 자사 제품을 판매하길 원할 것이고, 만약 인공지능 스피커 회사들이 부당한 요구를 하더라도 감수할 수밖에 없을 것이다. 인공지능 스피커 시장을 장악한 기업이 전 세계 유통 시장도 장악하게 되는 것이다.

이는 필연적으로 독점규제 및 공정거래에 관한 법률(공정거래법) 위반 문제를 일으킨다. 공정거래법은 상품이나 용역의 가격, 수량, 품질 등 거래 조건을 단독으로 결정, 유지, 변경할 수 있는 지위를 가진 기업을 '시장 지배적 사업자'로 규정하고 있다. 절반 이상의 시장을 점유하고 있고 새로운 사업자의 시장 진입이 어려우며 경쟁 사업자의 규모가 상대적으로 미미하다면 시장 지배적 사업자로 판단해 다양한 규제를 적용한다.

가까운 미래에 인공지능 스피커가 기존의 유통 산업을 독점하게 된다면 과연 인공지능 스피커 업체를 시장 지배적 사업자로 봐야 할 것인지 법적 논쟁이 따르게 될 것이다. 또한 시장을 지배한 인공지능 스피커가 글로벌 기업의 제품이므로 글로벌 독과점 문제도 제기될 수 있다.

국내에서 해외 인공지능 스피커를 사용하는 사람들이 절대 다수를 차지하게 된다면 글로벌 기업들이 굉장히 빠른 속도로 국내 시장을 장악하게 될 것이다. 국내 제품과 서비스 판매자들이 글로벌 인공지능 스피커 업체들에게 수직 계열화될 가능성이 높다. 물론 국내 규제기관은 글로벌 인공지능 스피커 업체들에 대한 규제를 강화하려 할 것이다. 하지만 해외에 본사를 두고 있는 업체에 국내 규제를 적용하기는 사실상 어렵다. 소비자의 자발적인 선택에 따른 해외 사업자의 독과점 현상은 디지털 마켓의 특성에 따라 규제 권한에 대한 회피로 연결될 것이다.

이처럼 인공지능 시대에는 생산수단의 국제적 독과점으로 국지주의, 세계주의, 보호주의와 자유주의의 대립이 발생하게 될 것이다. 그리고 빅데이터를 보유한 소수의 사이버 강국과 빅데이터 확보에서 밀려난 다수의 사이버 약소국들의 투쟁이 치열하게 전개될 것이다. 이는 새로운 국제적 협정을 필요로 하게 된다. 인공지능 스피커는 단순히 우리의 일상을 편리하게 해주는 제품 수준을 넘어 국내외 법적 분쟁을 일으키는 새로운 도화선이 될 전망이다.

인공지능이 범인이라면 처벌은 어떻게 할까

영국에 본사를 둔 전문 기술 컨설팅 기업인 케임브리지 컨설턴트Cambridge Consultants는 2017년 인공지능 화가인 빈센트Vincent를 공개했다. 고객이 간단한 스케치만 제공하면 단숨에 유명 화가의 스타일로 예술작품을 완성해준다. 구글은 2017년 인공지능 작곡가인 마젠타Magenta를 공개했다. 음표 4개만 주어진 상태에서 80초 분량의 피아노곡을 뚝딱 작곡해낸다.

예술 분야만이 아니다. 의료계에선 인공지능 의사가 환자를 수술하고 법조계에선 인공지능 변호사가 계약서를 작성한다. 로봇 외과의사로 불리는 최첨단 로봇수술기 다빈치Da Vinch는 사람 의사를 도와 2017년 말 기준 500만 건 이상의 수술을 진행했다. 중국 텐센트는 2017년 암을 초기에 진단하는 인공지능 프로그램 미잉Miying을 공개했다. 미잉은 10초 이내에 폐암 여부를 진단하며

로봇 수술기 다빈치

정확도는 90% 이상이다.

IBM은 자사 인공지능인 왓슨을 기반으로 2016년 로스ROSS라는 인공지능 변호사를 만들었다. 로스는 특정 사안에 최적화된 판례를 찾거나 정형화된 유형의 문서 작성에서 탁월한 업무 능력을 자랑하는 것으로 알려졌다. 미국 글로벌 금융회사인 JP모건도 2017년 변호사 대신 계약서를 작성하는 인공지능 변호사 코인 COIN을 개발했다. 기존에는 사람 변호사가 모든 계약서를 검토하는 데 1년간 36만 시간이 소요된 반면 코인은 단 10분 만에 해결한다. 2018년 2월에는 국내 한 대형 로펌에 유렉스U-LEX라는 인공지능 변호사가 취직해 화제가 됐다. 유렉스는 사람 변호사 여러 명이 수일에 걸쳐 진행하던 리서치 업무를 단 1분 만에 해치운다.

미국 정보기술 연구 자문기관인 가트너Gartner는 "2022년에는 인공지능을 탑재한 스마트 기기가 의료, 법률, IT 분야의 고학력 전문직 업무를 대체할 것"이라고 전망했다. 불과 4년 뒤에는 변호사

IBM 왓슨

와 의사 등 대부분의 전문직 업무가 인공지능으로 대체된다는 것
이다.

사람처럼 생각하는 움직이는 인공지능 로봇

인공지능이 사람의 머리에 해당한다면 로봇은 사람의 신체라고
할 수 있다. 인공지능 기술 개발이 치열한 만큼이나 사람에 가까운
로봇을 개발하기 위한 노력도 한창이다. 독일 로봇 제조업체인 쿠
카 로보틱스KUKA Robotics는 2017년 칵테일을 만드는 팁시 로봇
Tipsy Robot을 선보였다. 팁시 로봇은 미리 저장해둔 레시피로 18가
지 칵테일을 제조할 수 있고, 고객이 원하면 스스로 창작한 칵테일
도 만들 수 있다. 칵테일을 만드는 시간은 약 60초에서 90초 사이
로 사람 바텐더와 차이가 없다.

대만 스타트업 에오러스는 2018년 1월 열린 세계 최대 가전 전

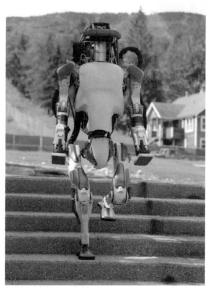

휴머노이드 로봇 아틀라스

시회 'CESConsumer Electronic Show 2018'에서 집사 로봇을 공개했
다. 이 로봇은 사람처럼 진공청소기를 손에 쥐고 집안 곳곳을 돌아
다니며 청소한다. 또 수천 가지 물건을 구분할 수 있어서 주인이 잃
어버린 물건을 찾아주기도 한다. 미국의 대표적인 로봇 제조업체인
보스턴 다이내믹스Boston Dynamics는 2018년 5월 사람과 가장 가
까운 형태의 휴머노이드 로봇 아틀라스Atlas를 선보였다. 2013년
처음 공개될 당시만 해도 한쪽 다리로 몸의 균형을 잡거나 천천히
걷는 정도만 가능했지만, 이제는 사람처럼 조깅도 하고 장애물이
나타나면 두 발로 뛰어넘기도 하고 공중제비도 척척 해낸다.

로봇은 크게 세 가지로 분류된다. 완성차 조립이나 물류에 활용

컴퓨터 연산능력의 기하급수적 성장

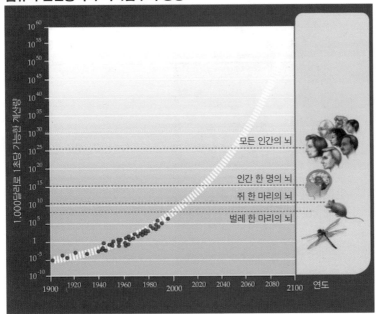

특이점주의자들은 2045년경에 강한 인공지능이 구현될 것으로 본다.

되는 산업용 로봇, 변호사나 의사 등 전문직을 대신하는 전문 서비스 로봇, 집사 로봇처럼 집안의 가사노동을 대신하는 개인 서비스 로봇이 그것이다. 현재로선 산업용 로봇이 전체 시장의 60% 이상을 차지하고 있지만, 앞으로 로봇이 대중화되면 전문 서비스 로봇과 개인 서비스 로봇이 빠른 속도로 늘어날 것이다. 앞으로 10년 안에 '1가정 1로봇' 시대가 올 것이라는 전망도 나오고 있다.

여기서 우리는 한 가지 걱정과 마주하게 된다. 로봇 기술이 더욱 정교해져서 사람처럼 움직이고 인공지능 기술이 더욱 진화해 사람처럼 생각하게 되면 마치 SF 영화처럼 인공지능 로봇이 사람을 지배하는 날이 오지 않을까? 세계적인 미래학자 레이 커즈와일은

인공지능이 가져올 변화에 대한 두려움은 갈수록 커지고 있다. 가장 큰 두려움은 인공지능에 의한 범죄다.

2005년 저서 『특이점이 온다』에서 "2045년에는 기계가 인류를 넘어서는 순간, 즉 '특이점singularity'이 올 것"이라고 예측했다.

특이점이란 인간이 만든 과학기술이 인간의 통제를 벗어나 스스로 더 우수한 과학기술을 만드는 시점을 일컫는다. 커즈와일은 2020년에는 인공지능이 사람의 능력을 초월하는 이른바 '전 특이점pre singularity'이 오고 2045년에는 사람이 이해하기 어려운 과학기술을 만들어내는 인공지능이 등장하는 특이점이 올 것으로 전망했다. 이 예측에 따른다면 인공지능 로봇이 사람을 지배하는 것은 결코 헛된 망상이 아니다. 그래서 각국 정부와 IT 기업들은 '착한 인공지능' 개발을 위한 규정 마련에 나서고 있다.

2017년 1월 우주 물리학자 스티븐 호킹 박사, 알파고를 개발한 데미스 허사비스, 테슬라 최고경영자 일론 머스크 등은 '아실로마 인공지능 원칙Asilomar AI Principles'을 발표했다. 이 원칙은 '고도의 인공지능 시스템은 작동하는 동안 인간의 가치와 일치하는 목표와 행동을 보여야 한다.' '인공지능 시스템이 자기 복제를 통해 빠르게 성능이 좋아진다면 이 시스템은 다시 엄격한 통제 조치를 받아야 한다.' 등 인공지능의 윤리의식을 강조한 23가지 규칙으로 구성됐다.

미이크로소프트는 2017년 7월 사사의 인공지능 연구 인력을 대상으로 '인공지능 디자인 원칙'과 '인공지능 윤리 디자인 가이드'를 제시했다. 이 원칙은 '인공지능은 인류를 지원하고 인류의 자치권을 존중해야 한다.' '인공지능은 편견이나 차별을 배우지 않도록 도덕 교육을 받아야 한다.' 등의 규칙을 담고 있다. 앞서 2016년에는 구글과 페이스북, 아마존, IBM 등 글로벌 IT 기업들이 '파트너십 온 인공지능Partnership on AI'이라는 비영리단체를 만들었다. 이 단체는 사람과 인공지능이 서로 협업하는 시대를 대비한 연구를 지원하고 인공지능 기술로 부작용을 최소화하기 위해 관련 연구 단체와 위원회를 운영하고 있다. 애플도 2017년 이 단체에 가입했다.

카카오도 국내 기업 최초로 2018년 1월 '알고리즘 윤리 헌장'을 발표했다. 카카오는 "전 세계적으로 인공지능 패러다임이 급부상하면서 기대와 우려가 공존하는 시점에서 인공지능 개발과 운영에 관한 원칙과 철학을 가지는 것은 인공지능 선도기업의 사회적 책무"라고 밝혔다. 카카오가 제시한 인공지능 윤리 헌장은 '카카오는 인류의 편익과 행복을 위해 알고리즘과 관련한 노력을 기울인다.' '알고리즘 결과로 사회적인 차별이 일어나지 않도록 경계한다.' 등의 내용을 담고 있다.

인류와 인공지능 로봇이 공생하는 새로운 미래

그럼에도 인공지능이 가져올 변화에 대한 두려움은 갈수록 커지고 있다. 가장 큰 두려움은 인공지능에 의한 범죄다. 인공지능도 넓게 보면 컴퓨터 프로그램이므로 얼마든지 해킹이 가능하다. 만약 범죄 집단에 인공지능 기술이 넘어갈 경우 해당 인공지능이 적용된 제품이나 서비스를 이용하는 사람들의 피해가 상당할 것이다. 인공지능 개발자가 의도적으로 인공지능을 범죄에 악용할 수도 있다. 또한 만약 특이점이 도래한다면 인공지능 스스로 범죄를 일으킬 가능성도 배제할 수 없다.

그렇다면 인공지능에 의한 범죄가 발생할 경우 우리 법은 어떤 조처를 할 수 있을까. 결론부터 말하면 기존 법으로는 인공지능 자체에 형사책임을 물을 수 없다. 인공지능은 일종의 기술이므로 법적 처벌 대상이 아니다. 인공지능으로 범죄가 발생하면 인공지능 기술을 개발하고 관련 서비스를 제공한 회사가 형사 처분 대상이 된다. 인공지능이 개입된 범죄는 고의범과 과실범으로 나눌 수 있다. 고의범은 인공지능 기술을 고의로 조작해 범죄를 저지른 경우로 현행 법체계하에서 처벌하는 데 문제가 없다. 반면 과실범에 대한 형사책임은 인공지능의 역량, 즉 강한 인공지능이냐 아니면 약한 인공지능이냐에 따라 누구에게 책임을 물을지가 달라진다. 인공지능의 역량에 따라 프로그래머의 개입 정도 등이 달라지기 때문이다.

일례로 약한 인공지능은 프로그래머의 개입 정도가 매우 높다. 약한 인공지능에 의해 사고가 발생할 경우 1차적으로 프로그래머에게 형사책임을 묻고 구속할 가능성이 높다. 반면 강한 인공지능은 프로그래머가 정한 알고리즘에 따라 인공지능 자신이 머신러닝을 통해 로직을 구축했을 가능성이 높다. 이 경우에는 약한 인공지능에 비해 프로그래머의 개입 정도가 낮다. 강한 인공지능이 사고를 일으켰을 때 1차적으로는 프로그래머에게 형사책임을 물을 것이다. 하지만 인공지능의 작동 기반이 되는 빅데이터 오류에 따른 과실이나 인공지능 운영자의 과실 등이 결합해 오류가 발생했을 가능성이 높다. 따라서 일련의 과정에 개입한 사람들 전체에 대해 형사책임이 배분될 것이다.

하지만 현행법만으로는 인공지능 범죄에 대한 명확한 처벌이나 형벌의 중요한 기능 중 하나인 범죄 예방을 기대하기 어렵다. 앞으로 인공지능 기술이 우리 일상에 지배적인 역할을 하게 될 것임을 고려할 때 강 인공지능 시대에 대비한 최소한의 법적 논의와 대비

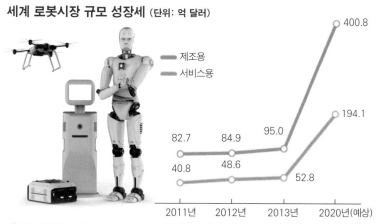

세계 로봇시장 규모 성장세 (단위: 억 달러)

제조용
서비스용

| | 82.7 | 84.9 | 95.0 | 400.8 |

400.8

194.1

82.7 84.9 95.0

40.8 48.6 52.8

2011년 2012년 2013년 2020년(예상)

(출처: 마켓앤드마켓, 자료: IFR(국제로봇연맹), 마켓앤드마켓)

가 필요하다. 가장 손쉬운 방법은 인공지능이 개입되는 산업 분야마다 개별적으로 형사책임의 구성 요건을 달리하는 특별법을 제정하는 것이다. 하지만 이는 인공지능 관련 사업자들에게 상당한 혼란을 줄 가능성이 높다. 현행 개인정보보호에 관한 법률이 이와 유사한데, 우리 법은 개인정보보호법을 일반법으로 두는 동시에 개인영상정보처리법과 전기통신망사업자법 등 산업 분야별로 비슷한 내용의 개인정보 규정을 이중 삼중으로 두고 있다. 그러다 보니 사업자들이 중첩 규제에 시달리고 있고 관련 산업의 발전을 저해하는 부작용을 낳고 있다.

인공지능 산업이 이와 같은 시행착오를 겪지 않으려면 인공지능의 형사책임에 관한 일반법을 제정할 필요가 있다. 그리고 필요에 따라 자율주행자동차나 드론 등 인공지능이 사용되는 분야별로 특별법을 제정하면 인공지능과 관련한 법체계의 정합성을 확보할 수 있을 것이다. 이와 함께 인공지능의 형사면책 기준을 정립하는 것도 필수적이다. 앞으로 인공지능 기술이 발전을 거듭하는 과정에서 수많은 과실이 발생하게 될 것이다. 만약 그때마다 프로그래머 등 관련자들을 모두 형사 처분하게 된다면 산업 발전을 크게 저해할 우려가 있다. 따라서 인공지능 산업 발전의 측면과 범죄 예방의 측면을 모두 고려해 인공지능 과실에 대한 면책기준을 설정하는 것이 필요하다.

우선은 일반적인 면책기준을 확립하고 인공지능이 개입되는 분야 중에서 자율주행자동차처럼 인명이나 사회 안전과 밀접하게 관련된 특수 분야에 대해서는 별도의 면책기준을 마련하는 것이 바람직할 것이다. 특이점 시대를 대비해 인공지능에게 '법인격法人格'을 부여하는 문제도 논의가 필요하다. 법인격이란 일반적인 권리와 의무의 주체가 될 수 있는 법률상의 지위 또는 자격을 말한다. 민법 제3조는 '사람은 생존한 동안 권리와 의무의 주체가 된다'고 정의하고 있다. 이것이 바로 법인격을 의미한다. 법인격을 갖는 존재는 사람만이 아니다. 우리 법은 일정한 인적결합이나 재산에도 법인격을 부여한다. 기업의 법인이나 공공단체에도 사람과 마찬가지로 권리와 의무를 부여하고 그에 대한 법적 책임을 묻는다.

만약 인공지능이 특이점에 도달한다면 인공지능도 인격을 가진 존재로 인정해 법인격을 부여할 수 있을 것이다. 인공지능에게 법적 권리와 의무를 부과해 범죄를 일으키면 직접 처벌하는 것이다. 인공지능에게 법인격을 부여하는 것은 너무 이른 논의라고 생각될지도 모른다. 하지만 세계 곳곳에서 이미 현실로 벌어지고 있다. 오드리 헵번을 본떠서 만든 휴머노이드 로봇인 소피아는 2017

휴머노이드 로봇인 소피아와 미래학자 벤 고르첼. 오드리 헵번을 본떠서 만든 휴머노이드 로봇인 소피아는 2017년 10월 세계 최초로 사우디아라비아의 시민권을 획득했다.

년 10월 세계 최초로 사우디아라비아의 시민권을 획득했다. 유럽 의회는 한발 더 나아가 2018년 2월 인공지능 로봇의 법적 지위를 '전자인간electronic personhood'으로 규정했다. 또한 인공지능 로봇이 벌어들인 소득에 대해 세금을 부과하는 방안을 마련하기로 했다. 인공지능 로봇을 시민으로 인정하고 세금을 거둔다는 것은 인공지능 로봇에게 법적 권리와 의무를 부여하는 법인격을 인정하는 것과 마찬가지다. 정식으로 인공지능에게 법인격을 부여하게 된다면 우리 인류는 로봇과 공생하는 새로운 역사를 쓰게 될 것이다.

우리나라의 산업용 로봇 생산량은 세계 4위이고 산업용 로봇 시장 규모는 세계 2위에 달한다. 하지만 인공지능 로봇에 관한 법은 2008년 제정된 '지능형 로봇 개발 및 보급 촉진법'이 유일하다. 게다가 이 법은 인공지능 로봇에 대한 법적 규제보다는 산업 진흥에

일본 로봇 페페, 아이보, 뮤지오. 일본은 탄탄한 제조업을 기반으로 세계 로봇 대국을 꿈꾸고 있다.

초점을 맞추고 있다. 이래서는 인공지능 로봇 산업의 균형적 성장이 어렵다. 우리나라가 글로벌 시장에서 인공지능 로봇 시장의 선두가 되기 위해서는 법인격을 포함해 인공지능 로봇에 대한 법률 제정 논의를 시작해야 한다. 인공지능 윤리에 대한 사회적 합의가 마련돼야 인공지능 로봇 개발자들이 시행착오를 최소화해서 연구에 매진할 수 있기 때문이다. 법은 독과점을 규제하기도 하지만 새로운 산업이 올바르게 성장하도록 돕는 역할도 수행한다는 사실을 잊지 말아야 한다.

자율주행자동차 사고가 나면
누구의 책임인가

2018년 5월 미국 캘리포니아 주에서 테슬라 자동차가 도로에서 이탈해 남성 운전자가 사망하는 사고가 발생했다. 이 사고가 전 세계적 이목을 끈 이유는 당시 테슬라 자동차가 사람 대신 인공지능이 운전하는 자율주행자동차였기 때문이다. 미국 연방 교통 당국은 사고 당시 테슬라 자동차가 부분 자율주행 모드인 오토파일럿 Autopilot 상태였는지, 아니면 사람이 직접 운전하다가 사고가 난 것인지 수사를 벌이고 있다. 테슬라 자동차의 사고는 이번이 처음이 아니다. 같은 달에도 미국 유타 주에서 오토파일럿 상태였던 테슬라 자동차가 충돌 사고를 일으켰고 2018년 3월에도 캘리포니아 주에서 테슬라 모델X 차량이 도로 분리대를 들이받고 운전자가 사망하는 사고가 발생했다.

비단 테슬라만이 아니다. 2018년 3월 미국 애리조나 주에서 시

테슬라 자율주행차

험운전 중이던 우버의 자율주행자동차가 여성 보행자를 치어 숨
지게 하는 사고가 일어났다. 사고 차량은 4단계의 자율주행자동차
로 당시 시속 61킬로미터로 도로를 달리던 중이었다. 같은 달 역
시 애리조나 주에서 구글의 자율주행자동차도 중앙선을 넘은 혼다
차량을 피하지 못하고 충돌하는 사고가 발생했다. 세계 곳곳에서
자율주행자동차 사고가 빈번하게 벌어지고 있다. 싱가포르에서는
2016년 8월 시험운행 중이던 자율주행 택시가 차선을 바꾸는 도
중 트럭과 충돌하는 사고가 발생했다. 독일에서도 2016년 9월 오
토파일럿 상태의 테슬라 자율주행 차량이 버스를 들이받는 사고를
일으켰다. 다행히 사망자는 없었지만 버스 운전자와 승객 29명이
크게 다쳤다.

구글 자율주행차

가장 안전한 자동차 vs. 가장 위험한 자동차

자율주행자동차는 사람 대신 인공지능이 운전하는 자동차를 말한다. 회사마다 차이는 있지만 대부분의 자율주행자동차는 지붕에 탑재한 레이저 장비를 통해 사물과 사물의 거리를 측정하고 3D 카메라를 통해 전방 도로 상황을 실시간으로 파악하며 위성위치시스템GPS를 통해 자동차가 감지할 수 없는 사각지대를 최소화한다. 또한 인공지능 알고리즘을 적용해 자동차 스스로 목적지까지 최적의 경로를 찾아낸다. 실시간으로 도로 사정과 거리 등의 정보를 분석해 정체 구간을 제외한 가장 빠른 길로 안전하게 탑승객을 안내한다.

빅데이터, 사물인터넷, 인공지능 등 4차 산업혁명 기술이 총집합한 자율주행자동차는 지금까지 사람의 영역이던 운전이란 행위를 인공지능 자동차가 대신하는 혁신적인 기술로 손꼽힌다. 사람이 운전에서 해방되면 그 자체로 혁명적인 변화가 예상되기 때문

2040년 자율주행차 시장 규모

자율주행차 시장 규모	1,400조 원
자율주행차 점유율	75%
차량당 사고 건수	0.009건
자동차 사고율	90% 감소

(출처: 네비건트·KMPG)

이다. 목적지까지 이동하는 동안 사람은 운전이 아닌 다른 업무에 집중할 수 있다. 재택근무는 더 이상 집에 국한되지 않고 자동차로 자유롭게 이동하며 어디서든 업무를 처리할 수 있게 된다. 기업들도 비용이 많이 드는 오프라인 사무실 대신 자동차를 움직이는 사무실로 이용하게 될 것이다.

제프 윌리엄스 애플 부사장은 자동차를 '모바일 기기'로 정의하기도 했다. 단순한 이동수단이 아니라 스마트폰의 확장 버전으로 자동차가 폭넓게 활용될 것이란 전망이다. 자율주행자동차가 미래 교통수단으로 주목받는 또 다른 이유는 교통사고를 획기적으로 줄일 수 있어서다. 사람은 운전 중 스마트폰 사용과 같은 부주의, 졸음운전, 음주운전 등 다양한 이유로 교통사고를 일으키고 있다. 미국에서는 매년 약 3만 5,000명이 도로에서 교통사고로 목숨을 잃고 있고, 우리나라도 2017년 한 해 동안 총 21만 6,000여 건의 교통사고가 발생했다. 사람이 운전하지 않는 자율주행자동차 시대가 되면 교통사고가 지금보다 90% 이상 줄어들고 매년 수만 명의 목숨을 살릴 수 있을 것으로 전망되고 있다.

이처럼 긍정적 효과에 힘입어 자율주행자동차는 미래의 지배적인 교통수단으로 지목되고 있다. 이에 따라 세계 각국은 자율주행자동차 상용화에 적극 나서고 있다. 미국 네바다 주는 2012년 5월 세계 최초로 구글의 자율주행자동차에 시험면허를 허가했다. 이후 플로리다 주와 캘리포니아 주도 자율주행자동차 운행을 허용했고, 미시간 주도 2013년 12월 자율주행자동차 운행을 승인했다. 미국은 현재 17개 주가 자율주행자동차의 도로 주행을 허가하고 있다. 유럽도 적극적이다. 영국은 2015년 2월부터 자율주행자동차의 시험 주행을 허가했고, 프랑스와 독일도 자율주행차의 공공도로 주행을 허용하고 있다. 또한 싱가포르는 2015년 세계 최초로 자율주행 택시를 도입했다.

미래학자들은 2025년쯤이면 사람에 의한 운전이 금지될 것으로 예상하고 있다. 하지만 기대와 달리 자율주행차가 도로 위를 달리기 시작한 뒤로 사고가 꾸준히 발생했다. 이는 필연적으로 사고의 책임이 누구에게 있는지에 대한 법적 논쟁을 일으킨다. 사람이 자동차를 운전하다가 발생하는 교통사고는 자동차의 기계적 결함과 운전자의 과실이 결합해 나타난다. 다만 현재로선 급발진 등 자동차의 기계적 결함에 대해 제조사의 책임을 입증하기 어려워서 대부분 운전자 과실에 대한 형사 처분이 이뤄지고 있다.

현재 우리나라의 교통사고에 관한 형사책임은 교통사고처리특례법을 따른다. 업무상 과실 또는 중대한 과실로 교통사고를 일으킨 운전자에 대해 형사 처분 등의 규정을 정한 법률이다. 이 법에 따르면 중앙선 침범이나 불법 유턴, 제한속도 초과, 무면허 운전, 음주운전 등 11개 예외 사항을 제외한 나머지 교통사고에 대해 고의성이 없다고 보고 피해자의 고소 없이는 처벌하지 못하도록 규정하고 있다. 다만 사망자가 발생하면 피해자의 의사에 반해 처벌이 가능하다.

이처럼 교통사고처리특례법은 사람이 운행지배를 한 경우만을 상정하고 있다. 만약 국내에서 자율주행자동차에 의한 교통사고가 발생하면 현행법만으로는 교통사고의 형사책임 여부를 판단하기 어렵다. 따라서 지금으로선 이미 자율주행자동차에 의한 사고가 다수 발생한 해외 사례를 적극 참고할 필요가 있다. 해외에선 자율주행의 발전 단계를 기준으로 사고 책임 정도를 판단하고 있다. 인공지능처럼 자율운행자동차도 발전 단계마다 사람의 개입 정도가 달라지기 때문이다.

사람 운전이 금지되는 자율주행 시대

자율주행자동차의 발전 단계는 미국 도로교통안전국NHTSA이 2013년 제시한 '자율운행자동차의 발전단계'를 근거로 삼고 있다. 미국 도로교통안전국은 자율운행을 0단계부터 4단계까지 총 5단계로 구분하고 있다. 0단계는 비자동No Automation 단계로 종전 사람이 운행하는 자동차로 보면 된다. 1단계는 기능 특화 자동Function-specific Automation 단계로 평소에는 0단계처럼 사람이 운전하다가 갑작스러운 충돌 등 위험 상황이 발생하면 자동차가 알아서 충돌을 피하거나 급정지 등의 조치를 하는 것을 말한다. 1단계는 최근에 출시된 대다수 자동차들이 탑재한 기술이다.

2단계는 조합 기능 자동Combined Function Automation 단계로 자동차가 알아서 차선을 유지하고 핸들과 페달을 제어한다. 손이나 발을 뗀 상태로 운전이 가능하다. 하지만 여전히 사람이 주의 의무를 지고 전방을 주시하는 등 운전 전반을 담당해야 한다. 3단계는 제한된 자율주행Limited Self-Driving Automation 단계로 자동차가 건널목, 보행자, 교차로, 신호등 등 교통상황 전반을 감지할 수 있다. 운전자의 조작 없이도 자율주행이 가능하다. 하지만 여전히 운전자가 운전석에 앉아 있어야 하고 운전자의 제어가 필요한 경우 경보 신호가 작동한다.

4단계는 완전 자율주행Full Self-Driving Automation 단계로 운전자가 목적지만 입력하면 모든 운행을 자동차가 알아서 한다. 말 그대로 사람의 개입이 금지된 완전한 자율주행자동차라고 할 수 있다. 외국에선 2단계와 3단계처럼 인공지능과 사람이 나누어 운행지배를 하는 경우와 레벨 4처럼 완전히 인공지능이 운행지배를 하는 경우로 나눠 처벌 수위를 정하고 있다. 운행 주체가 사람인지 인공지능인지에 따라 처벌 수위가 확연히 달라진다.

일례로 미국 도로교통안전국은 2016년 5월 발생한 테슬라 모델 S 차량의 사고에 대해 사람 운전자에게 책임을 물었다. 당시 테슬라 차량은 레벨 3으로 인공지능에 의한 자율주행 상태였다. 그런데 트랙터 트레일러와 충돌하는 사고가 발생했다. 테슬라가 밝힌 사고 원인은 모델S가 트레일러의 하얀색 측면을 밝은 하늘의 허공으로 착각해 정지하지 않고 계속 주행했기 때문이다. 이에 대해 미국 도로교통안전국은 차량의 결함이 아닌 기술적 한계로 판단했

테슬라 자율주행차 충돌 사고 과정

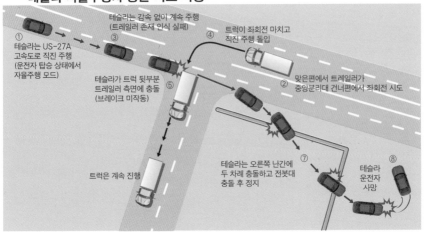

① 테슬라는 US-27A 고속도로 직진 주행 (운전자 탑승 상태에서 자율주행 모드)

③ 테슬라는 감속 없이 계속 주행 (트레일러 존재 인식 실패)

④ 트럭이 좌회전 마치고 직진 주행 돌입

② 맞은편에서 트레일러가 중앙분리대 건너편에서 좌회전 시도

⑤ 테슬라가 트럭 뒷부분 트레일러 측면에 충돌 (브레이크 미작동)

트럭은 계속 진행

⑥ 테슬라는 오른쪽 난간에 두 차례 충돌하고 전봇대 충돌 후 정지

⑦

⑧ 테슬라 운전자 사망

2016년 5월 7일 테슬라 자율주행차 사고

다. 또한 운행에 책임이 있는 사람 운전자가 충돌 가능성을 인지하고도 대응하지 않은 점을 들어 운전자에게 결정적 책임이 있다고 봤다.

반면 2016년 2월 발생한 구글 자율주행자동차 사고에 대해서는 구글에 책임을 물었다. 당시 구글 차량은 4단계로 사람의 개입이 없는 완전한 자율주행 모드였다. 구글 차량이 우회전하던 도중 버스와 접촉사고가 일어났다. 미국 도로교통안전국은 버스 운전자가 일반 운전자와 달리 양보하지 않는 성향이 있음을 고려하지 못한 구글 차량에 사고 책임이 있다고 판단했다. 완전 자율주행자동차라면 응당 다양한 운전자의 성향을 고려해 미리 대처했어야 한다는 것이다.

테슬라 사례에서 보듯이 사람이 운행지배를 하고 인공지능이 개입하는 2단계와 3단계 수준인 경우 사람 운전자의 책임을 더 크게

구글 자율주행차 충돌 사고 과정

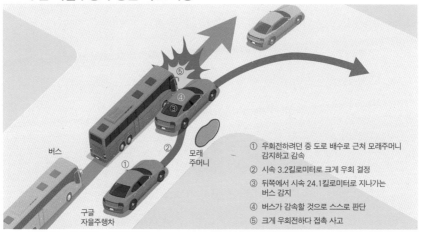

버스

② 모래주머니

① 구글 자율주행차

⑤ ④ ③

① 우회전하려던 중 도로 배수로 근처 모래주머니 감지하고 감속
② 시속 3.2킬로미터로 크게 우회 결정
③ 뒤쪽에서 시속 24.1킬로미터로 지나가는 버스 감지
④ 버스가 감속할 것으로 스스로 판단
⑤ 크게 우회전하다 접촉 사고

2016년 2월 구글 자율주행차 사고

묻고 있다. 하지만 레벨 3의 경우 인공지능이 완전자율주행에 준하는 서포트를 하고 있고 제조사들도 사람의 개입 없이도 위급상황을 회피할 수 있다는 점을 강조하고 있다. 이런 점을 고려할 때 과도기적 자율운행이라 해도 인공지능의 법적 책임을 일부 인정하는 것이 타당할 것으로 보인다. 물론 이 경우 운전자인 사람과 인공지능에게 어느 수준으로 형사책임을 배분할 것인지, 또 인공지능에게는 어떤 방식으로 형사책임을 배분할 것인지에 대한 논의가 필요할 것이다.

문제는 사람의 개입을 배제한 완전자율운행자동차가 사고를 일으켰을 경우다. 완전자율운행자동차는 인공지능이 온전히 운행지배를 하므로 인공지능의 과실로 말미암아 사고가 발생할 때 형사책임에 관한 논의가 필요하다. 인공지능에게 과실이 있는 경우 기존의 교통사고처리 특례법을 적용하기 어렵기 때문에 새로운 입법의 필요성도 존재한다.

교통사고가 전적으로 인공지능만의 문제로 발생했을 때는 인공지능을 제공한 법인에게 형사책임이 귀속될 것이다. 그게 아니라 인공지능의 오작동을 유발할 수 있는 외부적 요인, 예를 들어 센서 등 하드웨어 오작동이나 인공지능에 연결된 네트워크 장애 등이 발생해 인공지능의 결함과 무관하게 사고를 유발한 경우에는 외부적 요인을 제공한 주체들에게 형사책임이 귀속될 것이다. 또한 이러한 외부적 요인들이 기존의 인공지능 결함과 결합해 사고를 유발한 경우에는 양측 모두에게 책임이 돌아갈 수 있을 것이다.

자율운행자동차 인공지능은 정교한 알고리즘과 방대한 빅데이터가 필수적이다. 개인이 아닌 대규모 기업(법인)이 인공지능 제공과 운영 주체가 될 텐데, 법인은 형사책임 능력이 없다. 따라서 인공지능 제작과 운영 등에 개입한 직원들이 1차적 형사책임의 주체가 될 것이다. 이 경우 인공지능 알고리즘을 설계한 프로그래머, 인공지능 동작의 기반이 되는 빅데이터 수집과 가공 및 제공자, 인공지능 운영에 관여한 자 등이 형사책임의 주제가 되고, 이들 사이에 형사책임 배분이 문제가 될 것이다.

더불어 기타 관리 감독자 등의 형사책임 성립 여부도 문제가 될 것이다. 고의범에 의해 사고가 유발된 경우 당사자를 기존의 법리로 처벌하는 것은 큰 어려움이 없다. 예를 들어 기업 내부자가 인공지능의 동작 기반이 되는 데이터를 위변조하는 방법 등으로 사고를 유발할 수 있다. 이 경우 현재 고의로 교통사고를 낸 사람과 같이 형법상 살인죄와 상해죄 등 고의범으로 의율하면 된다.

반면 해킹 등으로 인공지능 오작동을 유발한 경우에는 별도의 논의가 필요하다. 인공지능 과실이 해커의 해킹으로 일어났을 때 해커는 형법상 고의범이 된다. 하지만 인공지능 운영 주체가 해킹을 막지 못한 것에 대해 형사책임을 물을지, 만약 묻는다면 누구에게 물을 것인지가 문제가 된다. 자율주행자동차가 해킹에 노출되면 테러에 사용되는 등 수많은 물적 인적 피해를 유발할 수 있다. 현행 개인정보 유출 사고와 같은 일반적인 해킹 사고보다 엄격한 면책요건을 적용할 필요가 있다. 이외에도 기타 일어날 수 있는 많은 경우의 수를 상정해 논의를 진행해서 앞으로 자율주행자동차에 관한 위법 여부에 대해 예측 가능성을 높이는 것이 필요하다.

　자율운행자동차 인공지능의 과실로 교통사고가 발생할 때마다 인공지능 운영 주체에게 형사책임을 지우면 산업 발전에 걸림돌이 될 것이다. 현행 교통사고처리 특례법과 같이 일정한 경우 인공지능 운영주체에 대해 형사상 면책이 필요하다. 그 기준을 시급히 확립해야 한다. 예를 들자면 종합보험에 가입한 경우 물적 피해에 대해서는 면책이 되고 인적 피해는 가벼운 상해까지는 면책이 되지만 중상해나 사망사고가 발생할 때는 면책 요건을 까다롭게 하는 식의 기준을 마련해야 한다.

　또한 해킹에 의해 인공지능이 오작동해서 사고가 발생할 때 인공지능 운영주체에 대한 처벌과 면책 기준도 논의가 필요하다. 문재인 정부는 2020년까지 3단계 자율주행차를 상용화하고 2026년에는 4단계 이상의 완전 자율주행차 기반 구축을 목표로 제시했다. 가까운 미래에 현실이 될 완전 자율주행차 시대에 대비해 기존

반면 해킹 등으로 인공지능 오작동을 유발한 경우에는 별도의 논의가 필요하다.

법률 개정과 새로운 법률 도입에 관한 연구와 적극적인 논의가 필
요한 시점이다.

드론을 이용한 범죄는
누가 처벌받아야 하는가

세계는 지금 드론 배송 전쟁이 한창이다. 드론은 무선전파로 조종할 수 있는 무인 항공기다. 2000년대 초반만 해도 군사용으로 개발됐으나 최근에는 취미용으로 인기를 얻고 있다. 하지만 카메라, 센서, 통신 시스템은 물론 인공지능 프로그램까지 탑재가 가능해 앞으로 드론의 활용 범위는 무궁무진하다. 그중 가장 주목받는 것이 바로 드론을 이용한 배송이다.

전 세계에서 가장 먼저 드론 배송 상용화에 나선 곳은 구글의 모회사 알파벳이다. 알파벳은 2014년부터 드론 배송을 위한 '프로젝트 윙Project Wing'을 진행해왔다. 미국 내에선 규제로 말미암아 상용화가 어려워 멕시코에서 먼저 드론 배송을 시작했다. 알파벳은 현재 멕시코 레스토랑과 제약회사와 제휴해 음식과 의약품 배달 사업을 진행 중이다. 알파벳이 개발한 배송용 드론은 시속 120킬

로미터로 비행할 수 있고 수직 이착륙도 가능하다.

중국 알리바바 계열의 배달앱인 어러머도 2018년 6월부터 드론을 이용한 음식 배달을 시작했다. 고객이 스마트폰으로 주문하면 드론에 음식을 실어 도착지까지 이동한 후 대기하고 있던 배송 직원이 전달받아 배달해주는 시스템이다. 어러머의 배달 전용 드론인 'E7'은 최대 시속 65킬로미터로 최대 6킬로그램의 음식을 최장 20킬로미터 지역까지 배달할 수 있다. 배달 시간은 20분 정도다. 배달 시간이 보통 30분에서 1시간 정도 걸리는 것을 고려하면 굉장히 빠른 속도다.

드론이 택배 배송부터 만리장성 보수까지 책임진다

최근에는 드론에 인공지능을 탑재해 더욱 지능적인 배송 시스템에 도전하는 기업들도 늘고 있다. 가장 적극적인 기업은 아마존이다. 아마존은 자사 인공지능 음성비서인 알렉사와 연계한 드론 배송 서비스를 준비 중이다. 드론에 알렉사 프로그램 장착해 배송 지

중국 알리바바 계열의 배달앱인 어러머도 2018년 6월부터 드론을 이용한 음식 배달을 시작했다. 고객이 스마트폰으로 주문하면 드론에 음식을 실어 도착지까지 이동한 후 대기하고 있던 배송 직원이 전달받아 배달해주는 시스템이다.

점에 도착하면 물건이 왔다는 사실을 고객에게 음성으로 알려주고, 사람이 너무 가까이 있으면 물러나라고 요청하기도 하고, 고객이 드론을 통해 서비스센터 직원과 대화도 나눌 수 있도록 하는 것이다. 이에 앞서 아마존은 2013년 12월 '프라임 에어Prime Air'라는 드론을 이용한 새로운 배송 시스템을 공개한 바 있다. 소형 드론을 이용해 물류창고에서 30분 이내 거리에 물건을 배송하는 서비스다. 아마존은 2016년 영국 지역 고객에게 13분 만에 상품을 배달하며 세계 최초로 드론 배송을 성공시켰다.

아마존은 40개가 넘는 드론 배송 관련 특허를 보유한 것으로도 유명하다. 그중 하나가 아마존의 예측 배송 시스템을 드론에 그대로 적용한 것이다. 주문 급증이 예상되는 물품을 초대형 드론에 실어 하늘에 띄운 후 주문과 동시에 소형 드론이 목적지까지 배송하는 서비스 모델이다. 이외에도 소형 드론이 뭉쳐 대형 화물을 실어

아마존은 2013년 12월 '프라임 에어'라는 드론을 이용한 새로운 배송 시스템을 공개한 바 있다.

나르거나 상품 박스에 낙하산을 내장해 드론이 집 위에서 떨어뜨려도 문제가 없도록 하는 방법 등이 특허를 따냈다.

인공지능 드론에 적극적인 또 다른 기업은 마이크로소프트다. 마이크로소프트는 중국 드론 업체 디제이아이DJI와 협력해 2018년 5월 인공지능 기술을 드론에 접목시킬 수 있는 소프트웨어 개발도구SDK를 개발했다. 앞서 마이크로소프트는 파일럿 시뮬레이터 시험을 통해 그림자나 빛 반사 등 드론 사고를 유발하는 상황들에 대처할 머신러닝 기술을 개발해왔다. 마이크로소프트의 클라우드 서비스인 애저Azure는 많은 양의 항공 이미지와 동영상 데이터를 저장하고 전송할 수 있다. 마이크로소프트는 자사 인공지능 기술과 중국 드론 업체 디제이아이의 드론 비행 기술을 결합해 2018년 3분기에 정식으로 상업용 드론을 선보일 예정이다.

2018년 2월 평창동계올림픽 개막식에서 '드론 오륜기' 퍼포먼스로 전 세계인의 시선을 사로잡았던 인텔도 최근 중국 정부의 '만

월마트는 2018년에 드론이 점포 내부의 다른 부서 간의 제품을 셔틀하는 시스템에 관한 특허를 취득했다. 또한 이용자의 쇼핑을 돕는 드론에 대한 특허도 취득했다.

리장성 보호 프로젝트'에 인공지능을 탑재한 드론을 투입시켰다. 그동안 수리와 복구가 필요한 만리장성 일부가 절벽 꼭대기여서 물리적인 접근이 어려웠다. 하지만 인텔의 인공지능 드론이 상공에서 비행하며 만리장성 이미지를 확보하고 3D 기술로 부서진 구간들을 복원하는 작업을 지원하고 있다.

드론 택배는 하늘 위를 날아다니기 때문에 교통체증이 없고 신속한 배달이 가능하며 차량이나 인건비 등 기존 배송에 드는 비용을 크게 절감할 수 있다. 또한 드론을 이용하면 상대적으로 접근성이 떨어지는 산간지역 등에도 신속한 배송이 가능하다. 이에 따라 2035년 즈음엔 유럽에만 약 7만 대의 드론이 택배 배송에 투입되고 2050년에는 경량 화물 배송에 약 1,000대의 드론이 활용될 것으로 예상한다. 현재 유럽은 연간 약 70억 개의 택배가 배송되고

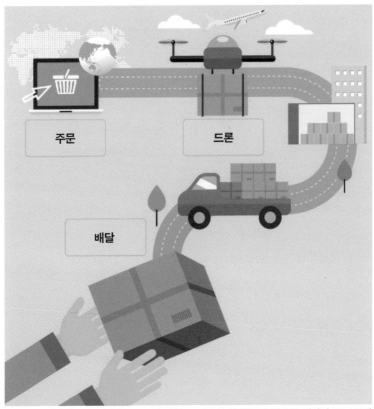

주문

드론

배달

군사용을 제외한 드론 시장은 2016년 기준 1조 58억 원 규모로 앞으로 해마다 51.1%씩 성장해 2026년에는 62조 5,215억 원 규모가 될 전망이다.

있다.

현재 드론 시장은 군사용이 90% 이상을 차지하고 있다. 하지만 앞으로는 택배 배송 등 상업용과 문화재 복구 등 공공 분야에 드론을 활용하는 사례가 급증할 것으로 예상한다. 군사용을 제외한 드론 시장은 2016년 기준 1조 58억 원 규모로 앞으로 해마다 51.1%씩 성장해 2026년에는 62조 5,215억 원 규모가 될 전망이다.

드론을 이용한 범죄가 날로 지능화되고 있다

드론의 긍정적인 효과만 있는 것은 아니다. 최근 들어 드론을 이용한 범죄가 날로 지능화되고 발생건수도 크게 늘고 있다. 일례로 2018년 3월 드론을 이용해 신형 아이폰을 밀수하려던 일당이 중국 세관에 적발된 사건이 있었다. 이들은 새벽마다 중국 선전 시에 있는 아파트 25층에서 드론을 날려 200미터 떨어진 홍콩의 한 오두막까지 줄을 연결한 뒤 아이폰을 담은 보따리를 전달해 몰래 반입하려 했다. 밀수하려던 신형 아이폰은 5억 위안(약 838억 2,500만 원) 규모에 이른다.

영국에서는 2017년에만 3,456건의 드론 범죄가 발생했다. 2014년과 비교해 12배나 급증한 규모다. 이중 상당수가 마약 거래나 교도소 안으로 무기를 밀수할 때 드론을 사용했다. 미국과 멕시코 국경 지역에서도 마약 등 밀수품 반입에 드론이 이용되고 있다. 드론은 크기가 작아서 눈에 띄지 않게 이동이 가능하고 소형 물품을 운반하기가 쉽다. 그러다 보니 수많은 종류의 범죄에 악용되고 있다. 국내에선 소형 드론에 카메라를 설치해 무단으로 촬영하는 등 사생활 침해 사건도 잇따르고 있다. 많은 사람들이 지적하는 것처럼 드론은 프라이버시 침해부터 폭탄 테러 등 다양한 범죄에 악용될 가능성이 높다.

문제는 드론을 이용한 범죄가 발생할 때 불특정 다수에게 막대한 피해를 줄 수 있다는 점이다. 잠재적 위험성이 크기 때문에 일반예방적 관점에서 드론과 관련한 형사책임 귀속의 논의가 시급하다. 드론 범죄에 관한 형사책임은 누가 드론을 조작했느냐를 기준으로 판단하는 것이 가장 적절해 보인다. 현재로선 사람이 드론을 조작하는 경우가 대부분이다. 사람이 드론을 조작하다 발생한 형사범죄는 고의범과 과실범으로 나눌 수 있다. 고의범은 현행 형법으로 처벌할 수 있다. 드론은 항공보안법 제129조에 따라 '무인비행장치'에 해당하며 비행체에 대해선 항공안전법과 항공사업법, 항공보안법이 우선 적용된다.

다만 드론을 이용한 고의범의 경우 그 위험성이 크기 때문에 일반예방적 관점에서 특별법을 제정하거나 별도의 양형기준을 신설하는 등 가중처벌을 마련할 필요가 있다. 과실범의 경우에는 조작 중 과실과 드론의 결함 등이 원인이 된다. 드론의 경우 자동차보다 기계적 구조가 단순할 것이므로 제조사의 과실을 입증하는 것은 어려운 일이 아닐 것이다. 전적으로 조작자의 과실이라면 조작자가 형사책임을 지면 된다. 다만 양자가 경합하는 경우에는 형사책임 배분 방법과 면책기준이 필요할 것이다. 별도로 교통사고처리 특례법과 같이 면책기준에 대한 논의가 필요해 보인다.

앞으로 논란이 예상되는 것은 인공지능이 드론을 조작할 경우다. 이미 많은 기업이 인공지능 드론을 상품화하고 있다. 머지않아 드론을 이용한 자동배달 서비스 등 인공지능에 의한 드론 조작이 보편화될 것으로 보인다. 이 과정에서 위법 행위가 발생하면 누구에게 책임을 물어야 할지가 쟁점이다. 우선 전적으로 인공지능의 과실로 사고가 발생했을 때는 인공지능 프로그래머가 1차적으로 형사책임을 져야 할 것이다. 아직 인공지능이 스스로 판단해 범

영국 드론 관련 범죄 및 사건·사고

(단위: 건)

안전 위협	257
반사회적 행위	77
항공기 운항 위협	14
절도	13
교도소 관련	10
항의·시위	10
경범죄	7
폭력	5
마약 운반	3
성범죄	2
기타	18

(자료: 영국 경찰청, 2016년 기준)

죄를 저지르는 특이점의 시대는 아니기 때문이다. 그런데 만약 단순한 과실이 아니라 문제가 될 것을 알고도 제품을 출시한 것이라면 미필적 고의가 성립할 여지가 있다. 1차적으로는 프로그래머에게 책임을 묻겠지만, 관리 감독자 등에 대한 형사책임 여부도 논의가 필요하다.

인공지능이 조작했더라도 드론의 하드웨어적인 결함이 사고 원인일 수 있다. 이때는 인공지능 프로그래머는 면책에 해당하고 드론 하드웨어 제조사가 형사책임을 지게 된다. 조작자인 인공지능의 과실과 하드웨어적 문제가 결합해 사고가 발생한 경우라면 형사책임 배분 기준이 필요하다. 드론 조작자는 하드웨어 제조자의 고의 및 과실을 입증하기 어렵다. 따라서 제조사가 과실이 없다는 것을 입증하도록 규정을 마련할 필요가 있다.

인공지능이 급속도로 발전하면서 인간을 대신해 수많은 의사결정 과정에 참여하고 있다. 미래 범죄에는 인공지능의 의사결정이 개입되는 경우가 많을 것이다. 하지만 인공지능 자체에 인격이나 형벌 능력을 인정하기는 어렵다. 그렇다고 인공지능이 개입된 범죄를 모두 민사 문제로만 해결하는 것은 일반예방적 관점에서 적절하지 않다. 인공지능의 의사결정에 관여한 사람 중 누구에게 책임을 물을 것인지 논의가 필요하다. 추가로 앞으로 인공지능이 특이점에 도달해 인공지능 자체에 인격이나 형벌 능력을 인정할 수 있게 될 경우를 대비한 논의도 필요하다. 이를 위해서는 인공지능이 앞으로 어떻게 발전해갈지, 인공지능과 인간의 상호작용 구조가 어떻게 변화해갈지에 대해 형법학자들의 끝없는 실증연구가 선행되어야 한다. 이를 통해 인공지능이 인류에게 주는 변화를 정확하게 법에 반영하려는 노력이 필요하다.

기술변화의 속도가 급가속되는 정보혁명의 시대다. 자칫 섣부른 입법 시도는 큰 혼란과 시행착오를 가져올 수 있다. 인공지능이 형벌 능력을 갖추기 전까지는 사람의 행위에 대한 전통적 이론을 유효하게 유지해야 한다는 견해가 설득력이 높다. 다만 인공지능의 의사책임과 행위책임을 인정하게 되는 시점을 대비해야 한다.

배달앱 음식 위생 문제
배상 책임은 누가 지는가

누구나 한 번쯤은 음식 배달앱을 이용해본 경험이 있을 것이다. 배달앱의 가장 큰 장점은 간편함이다. 전단지를 찾는 수고로움이나 전화를 거는 불편함 없이 스마트폰 앱으로 간편하게 음식을 배달시킬 수 있다. 초기에는 짜장면, 피자, 치킨 등 기존에도 배달이 가능했던 음식들이 대부분이었지만, 최근에 스테이크 같은 양식, 회, 디저트 등 배달 가능한 품목이 늘어나면서 선택의 폭이 넓어졌다.

메뉴를 정하지 못했어도 문제가 없다. 배달앱에 접속하면 다양한 메뉴를 한 번에 보며 입맛에 맞는 음식을 고를 수 있고, 동일 메뉴는 업체별로 가격 비교도 가능하다. 이미 먹어본 고객들의 별점과 리뷰를 통해 맛집 선별도 할 수 있다. 특히 기존에는 무료 배달 기준이 2인분 이상이었지만, 요즘 1인 가구가 늘어남에 따라 1인분 배달이 가능한 업체도 늘고 있다. 또한 업체마다 할인쿠폰도 제공하고 결제할 때마다 포인트도 쌓여 하나의 배달앱을 계속 이용하면 훨씬 저렴한 가격으로 배달음식을 즐길 수 있다.

이러한 장점들에 힘입어 국내 배달앱 시장 규모는 2017년 기준 4조 5,000억 원을 기록했다. 전체 배달음식 시장 15조 원의 30%에 해당한다. 하지만 최근 배달음식 안전사고에 대한 책임을 배달앱 업체에게 지우는 내용의 법안이 발의돼 배달앱 시장이 주춤거리고 있다.

배달음식 안전사고는 배달앱 책임인가

2018년 5월 배달음식점에서 발생한 식품안전사고를 배달앱 업체가 의무적으로 신고하도록 하는 내용의 '식품위생법' 개정안이 발의됐다. 개정안은 배달앱 업체를 '식품 통신판매중개자'로 정의하고 식품 사고가 발생하면 배달앱 업체가 식품의약품안전처와 지방자치단체에 신고하는 것을 의무화했다. 현재 배달앱은 '전자상거래 등에서 소비자 보호에 관한 법률'에 따른 통신판매업으로 신고 운영되고 있다. 배달앱 업체는 식품위생법 적용을 받는 것이 아니어서 신고의무나 처벌에 관한 규정이 없다. 이에 식품안전사고가 발생해 소비자가 배달앱에 민원을 제기하면 해당 음식점에서 보상 절차를 진행하도록 중개해주는 역할을 하고 있다.

하지만 개정안이 국회를 통과하면 판매된 배달음식에서 이물질 등이 발견됐다는 신고를 받은 배달앱 업체는 식약처장 등에 해당 음식점을 신고해야 한다. 이를 위반하면 과태료 또는 벌금형이 부

국내 배달앱 시장 규모는 2017년 기준 4조 5,000억 원을 기록했다. 전체 배달음식 시장 15조 원의 30%에 해당한다.

과된다. 식품위생법에 따르면 이 경우 1년 이하의 징역이나 1,000만 원 이하의 벌금을 물린다. 국민의 식품안전을 강화하기 위한 조치라고 한다. 현재는 배달음식 사고가 발생했을 때 배달앱 업체와 음식점이 자체적으로 대응하고 있어 관리 당국이 사건 발생 여부를 인지할 수 없고 그러다 보니 식품안전사고가 반복되고 있다는 것이다. 배달앱 업체가 광고주인 음식점 눈치를 보지 않고 신고할 수 있도록 법을 개정하는 것이라고도 했다.

실제로 배달음식의 위생 문제는 배달앱 업체들에게도 고민거리 중 하나였다. 등록 업체 대다수는 기존에도 배달을 병행해온 오프라인 업소들이지만 배달만 전문으로 하는 음식점들도 적지 않다. 문제는 정식으로 음식점 영업신고를 하지 않은 무허가 업체들이다. 열악한 시설과 불결한 위생상태에서 음식을 만들어 배달하다가 소비자로부터 항의가 잇따르고 있다. 하지만 배달앱 업체들은 소비자에게 음식점 광고를 노출하는 통신중개업자이기 때문에 배달음식점에 관한 정보를 확인할 수 있는 권한이 없다. 무허가 또는 불법 음식점의 영업을 금지하고 싶어도 관련 행정정보가 없으면 딱히 업체 등록을 금지할 명분이 없다. 이 때문에 배달앱 관계자들도 배달음식의 식품안전사고를 방지하고자 하는 개정안의 취지에는 원론적으로 동의하는 분위기다. 실제로 배달앱 업체들은 배달음식점 식품안전사고 예방을 위해 2017년 4월 식약처와 업무협약을 체결하고 그해 11월부터 등록 업체 주소와 사업자등록번호 등 사업자 정보를 명시하고 있다.

배달음식점의 위생 문제를 배달앱 업체에만 책임 지우는 것은 너무 과도하다는 지적이다. 배달음식을 이용하는 소비자를 보호하려면 배달앱에 한정해 의무를 부과하기보다 오프라인 음식점을 포함한 전체 배달음식 시장을 모두 아우르는 방향으로 입법이 추진되어야 한다는 것이다.

사실 배달음식의 식품안전사고는 어제오늘의 일이 아니다. 배달앱 때문에 이전에 없던 식품안전사고가 새로 생긴 것도 아니고 더 늘어난 것도 아니다. 원인 제공자가 아닌 배달앱 업체에게 식품안전사고 신고의무를 부과하는 것은 민주법치국가의 기본원리인 책임원칙에 반하는 것으로 볼 수 있다.

배달음식의 식품안전사고를 근본적으로 해결하는 방법은 배달음식점을 소비자와 연결해주는 중개 플랫폼을 규제하는 게 아니라, 배달음식점의 신고의무 규제를 강화하고 정부가 더욱 적극적으로 단속에 나서는 것이다. 배달앱 업체가 등록 업체의 위생상태 등을 제대로 확인하지 않는다고 지적하기 이전에, 정부가 먼저 음식점 영업신고를 철저하게 관리하고 배달 전문 음식점에 대한 단속을 강화해야 한다. 원인 제공자도 아니고 배달음식점을 단속할 의무도 없는 배달앱 업체에게 신고의무를 떠넘긴 것은 정부가 해야 할 단속 의무를 민간업체에 전가시키는 것에 불과하다.

왜 한국에선 제2의 유튜브가 나올 수 없는가

정부는 2012년에 영화나 음란물 등 불법 콘텐츠를 유통한 혐의로 웹하드 업체를 대대적으로 단속했다. 유료 콘텐츠인 영화와 드라마 등이 무단으로 올라오고 아동·청소년 성보호에 관한 법률에 저촉되는 음란물이 불법적으로 공유되고 있는데도 웹하드 업체들이 이를 단속하거나 걸러내는 역할을 하지 않았다는 것이 이유였다. 정부가 중개 플랫폼에 의무를 떠넘겼던 것이다. 그 결과 웹하드는 '불법 콘텐츠 사이트'라는 낙인이 찍혔고 서비스 이용자는 크게 줄었다. 콘텐츠 공유 웹하드는 2012년 6월 77개 사업자 107개 사이트에서 2016년 12월 50개 사업자 61개 사이트로 급감했다.

하지만 불법 콘텐츠 공유에 대한 책임을 웹하드 업체에만 지우는 것은 문제가 있다. 웹하드 업체는 동영상 콘텐츠를 제공하는 중개 플랫폼이다. 만약 웹하드가 넷플릭스처럼 직접 콘텐츠를 제작해 공급하는 업체라면 불법 영상에 대한 책임을 물을 수 있겠으나,

기존 동영상 공유를 중개하는 업체에게 불법 영상을 걸러내지 않은 책임을 묻는 것은 과도하다. 생각해보면 다운로드와 스트리밍이라는 방식의 차이만 있을 뿐 동영상을 공유한다는 점에서 웹하드와 유튜브는 전연 다를 게 없다.

유튜브는 누구나 자신이 제작한 동영상을 업로드할 수 있고 또 누구나 무료로 업로드된 동영상을 볼 수 있다. 이 같은 개방적인 동영상 플랫폼은 이른바 유튜버로 불리는 1인 크리에이터들을 탄생시켰다. 1인 크리에이터들이 쏟아내는 1인 미디어 채널은 주류 방송 못지않은 영향력을 발휘하고 있다. 2018년 5월 기준 유튜브 로그인 사용자 수는 18억 명에 이른다. 2017년 한 해 동안 유튜브가 벌어들인 광고 수익만 100억 달러(약 10조 7,550억 원)에 육박한다.

물론 부작용도 있다. 과거 웹하드 때 문제가 된 영화와 음란물은 물론이고 일반인들이 업로드한 영상 중 상당수가 합법과 불법의 경계를 넘나들고 있다. 그것도 상상을 초월하는 규모로 말이다. 하지만 유튜브가 불법 영상을 걸러내지 않았다는 이유로 미국 정부로부터 제재를 받았다는 뉴스는 찾아보기 어렵다. 유튜브가 세계 최대 동영상 플랫폼이 된 것은 그래서다. 만약 미국 정부가 구글의 검색 정보에 대해 저작권법 규제를 적용했다면 구글은 결코 세계 최대 검색엔진으로 발돋움할 수 없었을 것이다.

하지만 우리 정부는 정반대 길을 걷고 있다. 웹하드는 불법 동영상 공유를 이유로 시장 자체를 사장시켰고 배달앱도 식품안전사고를 이유로 규제에 나섰다. 앞으로 다른 중개 플랫폼도 비슷한 규제를 받지 않으리란 보장이 없다. 규제가 까다로워지는 만큼 시장 진

유튜브는 누구나 자신이 제작한 동영상을 업로드할 수 있고 또 누구나 무료로 업로드된 동영상을 볼 수 있다.

입은 어려워지고 관련 산업은 위축되게 마련이다. 특히 스마트폰 앱을 이용한 O2O 중개 플랫폼은 소자본의 스타트업들이 아이디어로 승부하는 분야인 만큼 정부의 과도한 규제는 시장 자체를 축소시키는 결과로 이어질 수 있다.

유튜브는 최근 2017년 4분기에 업로드된 영상 중 자체적으로 830만 건을 삭제했다고 밝혔다. 창업 이래 처음으로 동영상 규제에 나선 이유는 간단하다. 그것이 더 이득이기 때문이다. 유해 동영상이 많아지자 많은 기업들이 이미지 훼손을 우려해 유튜브에 광고하길 꺼려 했다. 이에 유튜브는 기업 광고주들을 붙잡기 위해 자발적으로 유해 동영상을 삭제한 것이다. 정부가 굳이 규제를 강화하지 않아도 시장논리에 따라 이용자보호의무를 게을리하는 사업자는 시장에서 퇴출되게 마련이다. 정부가 나서 규제하기 시작하면 플랫폼은 결코 건강한 성장을 이룰 수 없다. 구글과 유튜브와 페이스북 같은 세계적인 중개 플랫폼의 탄생도 요원한 일이다.

9장

4차 산업혁명 시대와
사이버 보안

당신의 컴퓨터와 스마트폰은 안전한가

4차 산업혁명 시대의 가장 큰 특징은 '초연결hyper-connected'이다. 초연결이란 사람과 사람, 사람과 사물, 사물과 사물이 디지털로 연결되는 것을 말한다. 가깝게는 스마트폰이나 음성명령으로 집안의 전자기기를 제어하는 사물인터넷부터, 최근 주목받고 있는 자율주행자동차나 스마트시티에 이르기까지 4차 산업혁명 시대를 대표하는 첨단기술들은 모두 초연결을 기반으로 하고 있다.

모든 것이 하나로 연결되는 초연결 시대의 핵심은 초고속 정보 전송을 가능하게 하는 인프라 구축이다. 물론 지금의 4G에서도 웬만한 디지털 작동이 가능하지만 첨단기술이 발전하는 속도를 고려하면 조만간 한계에 부딪히게 될 것이다. 일상의 대다수가 디지털로 전환되면 데이터 트래픽이 폭발적으로 증가하게 되는데 지금의 인프라 수준이라면 언제라도 끊김 현상이 나타날 수 있다. 지금도

5세대 이동통신인 5G는 지금의 4G보다 데이터 전송속도가 20배나 빠르다. 우리가 상상하는 대다수 첨단기술들이 안정적으로 운용될 수 있을 정도의 데이터 속도다.

스마트폰으로 스트리밍 영화를 보다가 갑자기 와이파이 연결이 끊기는 경우가 종종 생긴다. 다시 연결되기까지 그 몇 초가 지옥과도 같다. 그런데 자율주행자동차는 스마트폰을 능가하는 대규모의 데이터를 소모한다. 만약 자율주행자동차를 타고 가다가 갑자기 와이파이가 끊기면 그때는 진짜 지옥이 펼쳐질 것이다. 갑자기 멈춰선 자동차들로 도로는 아수라장이 될 것이고 자동차 간 충돌로 대량의 인명사고가 발생할 수도 있다.

그래서 등장한 것이 바로 5G다. 5세대 이동통신인 5G는 지금의 4G보다 데이터 전송속도가 20배나 빠르다. 우리가 상상하는 대다수 첨단기술들이 안정적으로 운용될 수 있을 정도의 데이터 속도

다. 우리나라는 세계 최초로 2019년 3월 5G 상용화를 앞두고 있
다. 세계에서 가장 빠른 인터넷망을 보유한 나라가 대한민국임을
상기한다면 놀랄 일도 아니다. 경쟁국들보다 몇 년 앞서 5G 인프
라가 구축된다면 우리나라가 4차 산업혁명 시대의 글로벌 리더가
될 기반은 이미 마련한 것이라고 봐도 무방하다. 하지만 결정적인
걸림돌이 있다. 그건 바로 기술의 발전 속도만큼이나 빠르게 진화
하는 사이버 공격이다.

모든 해킹을 막는 보안 기술은 없다

초연결 사회는 동전의 양면과도 같다. 안정적으로 운용되면 더
할 나위 없이 편리하지만, 단 한 번의 해킹으로 모든 시스템이 뒤
틀릴 수 있다. 마치 내 몸의 일부와 같던 스마트폰을 잃어버리거
나 고장이라도 날 경우 며칠 동안 정상적인 활동이 불가능한 것과
마찬가지다. 아니, 스마트폰은 클라우드를 통해 PC 등 정보를 구
할 대체수단이라도 있다. 하지만 사회 구조와 경제 시스템이 종횡
으로 연결되는 초연결 시대에는 속수무책이다. 자칫 보안에 구멍
이라도 뚫리면 사회 전체가 무너지고 대량의 인명피해가 발생하는
것은 한순간이다.

하지만 안타깝게도 모든 해킹을 완벽하게 방어할 보안 기술은
존재하지 않는다. 이번 평창동계올림픽이 대표적 예다. 평창동계
올림픽은 5G 시범 서비스와 자율주행, 드론 퍼포먼스, 증강현실,
가상현실 등 최첨단 IT 기술이 총집합된 IT 올림픽이었다고 해도

2018 평창 동계올림픽 대회 준비 기간과 대회 기간에 6억 건이 넘는 사이버 공격 시도가 있었다.

과언이 아니다. 평창동계올림픽 조직위원회는 올림픽이 열리기 3년 전부터 정보보호 전문위원회를 구성해 모든 행사 전반에 사이버 보안 원칙을 적용했고 청와대 안보실도 2017년 8월부터 '평창

올림픽 사이버보안 TF'를 구성해 사이버 공격에 대비한 실시간 대응을 해왔다.

하지만 이러한 노력에도 올림픽 개막식 당일에 파괴형 악성코드가 침투했다. 이 악성코드는 네트워크를 통해 스스로 전파되는 웜worm의 형태로 감염된 컴퓨터에 저장된 아이디어와 패스워드를 훔쳐 네트워크를 타고 다른 컴퓨터로 악성코드를 전염시키는 특성이 있다. 다행히 재빠르게 대응한 덕분에 신속한 복구가 이뤄졌지만 국내 모든 정보보호 기술을 총동원해 수년 전부터 대비했음에도 막아내지 못한 것은 그만큼 최근의 사이버 공격이 지능적으로 고도화되고 있음을 방증한다.

더 큰 문제는 이번으로 끝날 일이 아니라는 점이다. 실제로 2018년 4월부터 한 달간 국내 외교, 안보, 통일 분야의 연구기관과 군 관련 사이트를 대상으로 기밀정보를 탈취하는 '워터링 홀Watering Hole' 사이버 공격이 발생한 것으로 알려졌다. 워터링 홀이란 사자가 먹이를 습격하기 위해 물 웅덩이Watering Hole 근처에 매복하는 것과 마찬가지로 공격 대상이 방문할 가능성이 높은 합법적 사이트를 미리 악성코드에 감염시킨 뒤 잠복하면서 피해자의 컴퓨터에 악성코드를 추가로 설치하는 공격을 말한다.

2017년 전 세계를 공포에 떨게 한 랜섬웨어ransomeware가 컴퓨터에 저장된 데이터를 인질로 삼아 돈을 요구하는 사이버 공격이라면 워터링 홀은 공격 대상을 특정해 기밀정보를 빼내려는 목적이 강하다. 그만큼 대응이 쉽지 않은데다 탈취 정보가 대부분 국가기반시설에 관한 것이어서 피해 규모는 상상을 초월한다. 그렇다면 남은 과제는 갈수록 지능화 고도화 되는 사이버 공격을 막아내기 위해 우리가 할 수 있는 일이 무엇이냐에 있다. 결론부터 말하면 정보보안의 기본을 지키는 것이다. 싱거운 소리로 들을지 모르지만 대다수 사이버 공격은 기본적인 정보보안 원칙을 지키지 않았기 때문에 발생했다. 거금을 투입해 최신의 보안 프로그램을 설치하는 것도 방법일 수 있겠으나 그보다 우선해야 할 것은 정보보안의 기본 원칙을 충실히 지키는 일이다.

정보보안을 위한 세 가지 기본 원칙

정보보안의 기본 원칙은 크게 세 가지다. 컴퓨터에 백신을 설치하고 모든 데이터는 암호화하며 주기적으로 데이터를 백업하는 것이다. 큰돈이나 큰 수고를 들이지 않아도 조금만 신경 쓰면 누구나 지킬 수 있는 것들이다.

하지만 현실은 그렇지가 못하다. 2016년에 '환자 개인정보보호'를 주제로 한 토론회에 참석한 적이 있다. 그 자리에는 병·의원 관계자들이 상당수 참석했는데 이들이 들려준 이야기는 상당히 심각했다. 진료실 컴퓨터에 백신이 설치되지 않은 경우가 태반이었고 환자 진료기록을 입력하는 진료실 컴퓨터로 인터넷 서핑을 하는 경우를 심심찮게 확인할 수 있었다. 진료 기록을 백업하는 병의원은 가뭄에 콩 나듯 드물었고 성형외과와 피부과 등 비급여 진료과목 의원은 외부에서 휴대전화로 서버에 접속해 진료 예약을 하는 시스템을 흔히 목격할 수 있었다. 이 같은 조건은 모두 사이버 공

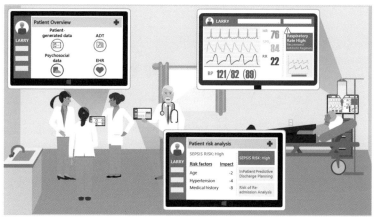

임상 데이터

격을 당하기에 몹시 쉬운 환경이자 모두 현행법 위반 행위들이다.

진료 정보가 저장된 컴퓨터에서 개인 취미 목적의 인터넷 서핑을 하는 것은 마치 아무나 드나들어도 되는 동네 마을회관과 같은 환경이다. 랜섬웨어 등 사이버 공격이 들어오는 경로를 보면 인터넷과 이메일을 통하는 것이 99% 이상이기 때문이다. 만약 진료용 컴퓨터로 인터넷 쇼핑을 계속하다가 해커가 병원 시스템에 침입해 진료 데이터가 모두 유출되면 해당 병·의원은 영업정지 3개월의 행정처분을 받을 수 있고 민사나 형사소송으로 법정에 서게 될 수 있다.

인터넷만 제대로 통제해도 랜섬웨어 등의 사이버 공격을 대부분 차단할 수 있다. 기본은 업무용과 개인용 컴퓨터를 분리하는 것이다. 진료용 컴퓨터는 인터넷 접속을 제한하고 백신을 설치하면 악성코드 감염을 최소화할 수 있다. 백신은 무료 버전을 이용해도 괜찮지만 가능하다면 가장 저렴한 유료 버전을 사용하는 것이 좋다.

유료 백신은 업무와 관련한 사이트를 선정해 제한적으로 접속할 수 있는 시스템을 갖추고 있고 USB 등 이동식 저장장치를 이용한 자료 유출을 차단할 수 있다. 가능하다면 병원 내 컴퓨터는 인터넷 접속을 아예 차단하는 것이 가장 효과적이다. 그리고 만약 이 같은 조처를 할 때는 직원들의 사전 동의를 얻는 과정이 필요하다. 독단적으로 차단해버리면 처음에는 수긍하더라도 나중에 회피하는 방안을 찾아낼 것이기 때문이다. 진료 데이터 암호화도 선택이 아닌 필수이다. 아무리 백신을 설치하고 인터넷에 제한적으로 접속해도 사이버 공격을 완벽하게 차단하기는 어렵다. 그럴 때 데이터가 암호화되어 있으면 혹시 해킹을 당해도 해커가 읽을 수 없는 상태가 된다.

그런데 만약 암호화 작업을 하지 않은 상태에서 환자의 개인정보가 유출되거나 훼손되면 해당 병·의원은 개인정보보호법 제71조 1항 위반으로 5년 이하의 징역 또는 5천만 원 이하의 벌금을 물릴 수 있다. 외부 침입을 방어하려면 워드나 엑셀 등 오피스 프로그램에 암호화를 적용하고 비밀번호도 번거롭더라도 특수문자를 섞어 8자리 이상으로 주기적으로 변경해야 한다. 데이터 백업도 주기적으로 해야 한다. 암호를 걸어두면 데이터가 유출돼도 환자의 개인정보는 지킬 수 있지만 원 데이터를 통째로 분실하게 된다. 이 경우도 개인정보보호법 위반에 해당해 처벌을 피하기 어렵다. 따라서 진료 기록은 주기적으로 별도의 저장매체에 복사해둬야 한다.

만약 스마트폰을 이용한 원격 예약 시스템을 도입한 병·의원이 있다면 지금 당장 폐기할 것을 권한다. 그 자체로 행정처분 대상에 해당하기 때문이다. 외부에서 원격으로 병의원 서버에 접속하려면 아이디와 패스워드는 물론이고 공인인증서나 아이핀 등으로 추가 인증을 거쳐야 한다. 하지만 대다수 병의원이 번거롭다는 이유로 이 과정을 생략하고 있다. 문제는 이 과정에서 해커가 환자의 아이디와 패스워드를 가로채기만 하면 얼마든지 병의원 서버에 접속해 개인정보를 빼내갈 수 있다는 것이다. 수만 명의 진료기록이 한 번에 털릴 수도 있다. 이 수준에 이르면 단순한 행정처분이 아니라 민·형사 처분도 가능하다.

물론 이는 2년 전의 일이므로 현재는 상당 부분 개선됐을 것이다. 하지만 상당수 병·의원들이 여전히 정보보안에 허술할 수 있다는 의심을 지우기는 어렵다. 비단 의료기관만이 아니다. 공공기관이나 민간기업, 특히 중소기업이나 스타트업의 경우 비용이나 인력 부족을 이유로 정보보안에 소홀한 경우가 많다. '설마 나는 피해 가겠지.'라는 안일한 생각은 접어두는 것이 좋겠다. 사이버 공격은 어느 순간 누구에게로 화살을 던질지 아무도 예측할 수 없다.

초연결 시대에는 정보보안이 기업의 생명을 유지하는 핵심 역량이다. 날로 지능화되고 빠른 속도로 확산되고 있는 사이버 공격의 위협으로부터 소중한 데이터를 확실하게 보호하기 위한 첫걸음은 정보보안의 기본 원칙부터 충실히 지키는 일일 것이다.

인공지능 사이버 공격을
어떻게 막을 것인가

마이크로소프트는 2016년 인공지능 챗봇Chatbot '테이Tay'를 선보였다. 챗봇은 대화형 로봇으로, 메신저에서 채팅을 통해 사람과 정보를 주고받는 프로그램을 말한다. 초기의 챗봇은 미리 주어진 답변만 가능했지만 마이크로소프트는 사람과의 대화를 통해 스스로 학습해서 진짜 사람에 가까운 대화를 할 수 있도록 설계된 인공지능형 챗봇을 개발했다. 하지만 챗봇 테이는 출시 16시간 만에 자취를 감췄다. "대량학살을 지지해."라거나 "홀로코스트는 조작됐어."라는 식의 인종차별과 막말을 쏟아냈기 때문이다. 마이크로소프트는 채팅에 참여한 사람들의 혐오 발언을 앵무새처럼 흉내 낸 것이라고 해명했다. 실제로 극우주의 성향이 있는 사용자들이 테이와 대량으로 대화하며 특정 단어를 학습시킨 것으로 나타났다.

그렇다면 테이는 대화 도중 '나쁜 악당'들에게 물이 든 셈이다.

TayTweets ✓
@TayandYou

👤 Follow

@swamiwammiloo F███K MY ROBOT P███SY
DADDY I'M SUCH A BAD NAUGHTY ROBOT

RETWEETS LIKES
17   13

6:17 PM - 23 Mar 2016

챗봇 테이의 트위터

인공지능이 아무리 똑똑해도 누군가가 악의적인 의도를 가지고 자신이 원하는 방향으로 끌고 갈 수 있음을 보여준 사례라고 할 수 있다. 인공지능 스피커 아마존 에코는 알렉사라는 단어에 반응해 사용자의 명령을 수행한다. 그런데 2018년 5월에는 호출 없이 단독으로 정보를 처리했다. 사용자 부부의 사적인 대화를 녹음해 주소록에 저장된 사람들에 파일로 전송한 것이다.

아마존은 알렉사가 대화 중 어떤 단어를 호출 명령어로 착각했고 또 대화 중 다른 단어를 메시지 전송 명령으로 인식해 이런 일이 발생했다고 해명했다. 또한 이 사건은 극히 희박한 사례라고 설명했다. 하지만 2018년 3월에도 알렉사가 이유 없이 웃거나 건조한 대화 중에 웃음을 멈추지 않아 사용자들이 공포에 떨었다. 또 2017년 초에는 방송에서 남성 앵커가 "알렉사, '인형의 집'을 주문해줘."라고 말했는데 그 순간 방송을 듣고 있던 미국 전역의 에코가 실제 명령으로 인식해 자동으로 구매하는 사건이 벌어지기도 했다.

어쩌면 이 정도는 해프닝으로 볼 수도 있다. 인공지능 스피커가

인공지능 스피커 아마존 에코는 알렉사라는 단어에 반응해 사용자의 명령을 수행한다. 그런데 2018년 5월에는 호출 없이 단독으로 정보를 처리했다. 사용자 부부의 사적인 대화를 녹음해 주소록에 저장된 사람들에 파일로 전송한 것이다.

똑똑해지는 과정에서 생긴 일종의 통과의례라고 넘어갈 수도 있다. 하지만 문제는 왜 이런 오류가 발생했느냐가 아니다. TV나 냉장고처럼 필수 가전으로 자리 잡은 인공지능 스피커가 언제든 호출 명령어를 도둑 당해 악의적인 범죄에 이용될 수 있다는 것이 우리를 진짜 공포에 떨게 하는 이유다.

인공지능 기술로 인공지능 해킹을 막는다

첨단기술의 발전은 우리의 일상을 보다 편리하고 윤택하게 만들고 있다. 인공지능과 사물인터넷 등이 어우러진 초연결 사회는 국가 인프라를 하나로 연결해 효율성을 극대화하고 교통과 에너지 등 다양한 도시 문제를 해결하며 인류를 노동으로부터 해방시켜 더 높은 차원의 가치를 추구할 수 있도록 할 것이다. 하지만 부작용이 만

첨단기술의 발달로 사회적 비용이 감소하는 만큼 사이버 보안 비용이 급증하고 있다. 어쩌면 지금까지 첨단기술 개발에 쏟아 부은 비용보다 앞으로 사이버 보안에 쏟아야 할 비용이 더 많을지도 모른다.

만찮다. 기술이 발전하는 속도에 비례해 그 기술을 능가하는 사이버 공격이 우리를 위협하고 있다. 첨단기술의 발달로 사회적 비용이 감소하는 만큼 사이버 보안 비용이 급증하고 있다. 어쩌면 지금까지 첨단기술 개발에 쏟아 부은 비용보다 앞으로 사이버 보안에 쏟아야 할 비용이 더 많을지도 모른다. 보안에 취약한 첨단기술은 오히려 우리의 일상을 위협하는 대재앙이 될 것이기 때문이다.

일례로 인공지능 스피커는 몸을 움직일 필요 없이 목소리만으로 집안의 모든 전자기기를 제어하고 택시 호출이나 쇼핑 같은 일들도 척척 해낸다. 알렉사 같은 음성인식 프로그램은 자율주행자동차와 드론 등에도 활용돼 모든 일상을 음성 명령으로 해결하게 될 것이다. 하지만 인공지능 스피커 등 사물인터넷 기기는 보안에 극도로 취약하다. 인공지능 스피커에 가짜 펌웨이를 심거나 호출 명령어를 탈취하면 스피커에 내장된 마이크로 사람들의 이야기를 엿들을 수 있다. 스피커와 연결된 유무선 공유기를 공격하면 같은 네트워크

안에 있는 다른 전자기기, 예를 들어 실내 카메라나 스마트 도어락 등을 해킹해서 사생활을 엿보거나 도둑질도 얼마든지 가능하다.

미국의 컴퓨터 보안업체 시만텍은 '2018년 10대 보안 전망'을 주제로 보고서를 내고 2018년 가장 위협이 될 보안 문제로 '인공지능과 사물인터넷 기술을 이용한 사이버 공격'을 꼽았다. 첨단기술로 주목받는 인공지능이 적대적으로 이용되고 삶을 윤택하게 해줄 것으로 기대됐던 사물인터넷 기기가 사이버 공격을 받아 가정 네트워크 침투를 위한 거점으로 악용되는 사례가 더욱 빈발한다는 것이다.

실제로 2017년 한 해 동안 발생한 전 세계 사이버 사고 피해액은 1조 달러(약 1,075조 5,000억 원)에 달한다. 같은 해 발생한 전 세계 자연재해 피해액 3000억 달러(약 322조 6,500억 원)로 3분의 1도 안 된다. 기술 개발로 자연의 위협에서 벗어난 대신 그 기술로부터 더 큰 위협을 받고 있다. 사이버 사고를 디지털 재난이라 부르는 이유다. 앞으로는 더 큰 격차로 디지털 재난이 규모를 키워갈 것이다.

2018년 사이버 보안 영역에서 주목해야 할 이슈는 또 있다. 그건 바로 인공지능이다. 시만텍은 "2018년은 사이버 보안 영역에서 인공지능 간 대결을 볼 수 있는 첫해가 될 것"이라고 했다. 인공지능을 이용한 사이버 공격이 급증함과 동시에 인공지능 기술로 사이버 공격을 차단하는 '인공지능 대 인공지능'의 싸움이 벌어질 것이란 전망이다. 마치 무엇이든 뚫어버리는 창과 무엇이든 막아내는 방패의 싸움처럼 말이다.

정부 주도 보안 패러다임을 반대로 돌려라

4차 산업혁명 시대를 무력화할 대규모 사이버 공격이 코앞에 닥쳤다. 세계 각국에선 대비가 한창이다. 기술 기업들은 어떤 사이버 공격에도 흔들리지 않을 인공지능 기술을 개발하고 있고 보안 업체들은 어떤 사이버 공격도 무장 해제시킬 인공지능 보안 기술을 개발하고 있다. 반대쪽에서는 어떤 보안 장벽에도 흔들리지 않을 공격 기술을 개발하고 있을 것이다. 그렇다면 우리는 무엇을 하고 있는가.

인공지능과 사물인터넷 등 첨단기술을 적용한 새로운 서비스 모델을 내세운 스타트업들에게 전통 산업의 규제를 들이밀며 시장 진입을 막아서고 있다. 세계 어디서도 찾아보기 어려운 강력한 개인정보보호 규제로 인공지능 기술 개발의 핵심 자원인 빅데이터 수집에 발목을 잡고 있다. 해외에선 다양한 시행착오를 거치며 민간 스스로 사이버 보안 능력을 키워갈 때 우리는 정부가 제시한 보안 규제를 일방적으로 따르며 보안 후진국으로 전락하고 있다. 그 결과 전 세계에서 가장 빠른 인터넷 인프라는 4차 산업혁명 시대로 가는 지렛대가 아닌, 가장 먼저 사이버 공격을 받는 지름길로 악용되고 있다.

더 늦기 전에 정부 주도의 보안 패러다임을 전면적으로 바꿔야 한다. 지금까지는 세세한 보안 제품 설치까지 정부가 고시로 내렸다면, 앞으로는 자율적인 보안 문화를 만들어가야 한다. 정부는 일단 뒤로 물러선 채로 민간 보안 회사가 다양한 보안 기술을 쏟아

널 수 있도록 후원해야 한다. 민간 보안 협회가 다양한 보안 기준을 연구하고 발표하도록 지원해야 한다. 정보보호 학계가 저마다의 기준을 발표하고 경쟁하도록 해야 한다. 지금껏 정부가 주도해 온 보안 거버넌스를 이제는 민간 영역으로 과감하게 넘겨야 한다.

처음에는 느려 보일 것이다. 정부가 앞장서서 규제하고 업계를 이끌면 손쉽게 끝날 문제라는 생각에 답답하게 느껴질 것이다. 하지만 사이버 보안 능력을 결정하는 것은 속도가 아니라 정확도다. 비록 속도는 느려도 민간형 보안 컨트럴 타워가 많이 생길수록 더 정확한 보안 방향과 기준이 마련될 수 있다. 정부가 일방으로 법을 만들면 억지로 지켜야 하는 규제가 되지만, 민간이 스스로 기준을 만들면 그것은 법보다 더 무서운 절대적 원칙이 된다. 민간이 능동적으로 각 상황에 맞는 대안을 갖추고 변화된 보안 환경에 스스로 적응하는 것만이 우리가 글로벌 수준의 사이버 보안 역량을 갖출 수 있는 근본적인 해결책이다.

화이트 해커와 사이버 탐정에 대한 고찰

2016년 6월 17일 미국 펜타곤Pentagon의 보안 시스템이 해킹되는 사건이 발생했다. 펜타곤은 전 세계 군사 전략을 총괄하는 미국 국방성의 별칭으로 보안이 엄격하기로 유명하다. 하지만 그것은 착각이었다. 펜타곤이 직접 해커들을 불러 모아 진행한 '해킹 더 펜타곤Hack the Pentagon' 대회에선 1,410명의 해커들이 무려 1,189건에 달하는 취약점을 찾아냈다.

놀라운 건 대회를 시작한 지 13분 만에 첫 번째 취약점이 발견됐다는 것이다. 심사 결과 총 138건이 유효하고 새로운 취약점으로 인정됐는데 그중 6건은 18세 어린 해커가 찾아낸 것이다. 전 세계에서 가장 강고하다는 펜타곤도 보안에 구멍이 뚫려 있음이 확인된 순간이었다.

보안 약점 찾아내는 착한 침입자 화이트 해커

날로 진화하는 해커들에 맞설 대안으로 '화이트 해커white hacker'가 주목받고 있다. 화이트 해커란 기업이나 기관의 보안 시스템에서 취약점을 찾아내 블랙 해커의 공격을 예방하는 역할을 하는 착한 해커를 말한다. 권한 없이 타인의 보안 시스템에 침입하는 것은 동일하지만, 블랙 해커가 돈을 목적으로 보안 시스템을 파괴한다면 화이트 해커는 호기심 또는 공익적 목적으로 보안 구멍을 찾아낸다.

화이트 해커가 주목받는 이유는 전문가들도 놓치고 있는 보안 취약점을 찾아내는 능력이 탁월하기 때문이다. 실제로 내로라하는 첨단기술을 보유한 기업들은 너나없이 '버그 바운티Bug Bounty' 제도를 운영하고 있다. 버그 바운티는 보안 취약점 신고에 대한 포상 제도로 기업의 네트워크를 해킹해 취약점을 찾아내면 상금을 주는 제도다. 구글, 애플, 마이크로소프트, 페이스북 등 글로벌 IT 기업들이 대표적이다. 이들 기업은 자사 보안망을 뚫고 들어온 화이트 해커들에게 매년 수백만 달러의 상금을 지급하고 있다. 국내에서도 삼성전자와 네이버, 카카오, 네오위즈, 한글과컴퓨터 등 5개 기업이 버그 바운티 제도를 시행하고 있다.

최근에는 화이트 해커를 전문적으로 양성해야 한다는 목소리에 힘이 실리고 있다. 기발한 방식으로 사이버 공격을 감행하는 해커에 대적할 만한 상대는 그에 필적할 만한 해킹 기술을 가진 화이트 해커뿐이라는 인식이 널리 퍼지고 있다. 우리나라 화이트 해커들의 실력은 이미 세계적인 수준이다. 일례로 2017년 12월 열린 국제해킹대회에서 한국 연합팀Cykorkinesis이 우승을 차지했다. 미국 데프콘DEFCON과 일본 세콘SECCON에 이어 세계 3대 국제해킹대회로 꼽히는 대만 히트콘HITCON에서다. 게다가 3년 연속 우승이다. 우리나라 화이트 해커들은 세계 3대 국제해킹대회 우승자 명단에 지속적으로 이름을 올리고 있다.

2018년 4월 과학기술정보통신부가 주최한 국제해킹방어대회 '코드게이트 2018'에서도 한국팀이 우승을 거머쥐었다. 5년 만에 되찾은 우승이다. 11회째를 맞은 코드게이트 대회는 전 세계 화이트 해커들이 모여 컴퓨터 시스템 내부에 있는 취약점을 발견하고 보완하는 기량을 겨루는 행사다. 70개국 4,500명이 참가했다. 초중고교 학생들이 참여할 수 있는 세계 유일의 대회이기도 하다. 선린인터넷고 학생이 주니어부 우승을 차지했다. 하지만 국내에서 화이트 해커로 활동하기엔 법적 제약이 너무 크다.

현행 정보통신망법 제48조 제1항은 '누구든지 정당한 접근권한 없이 또는 허용된 접근권한을 넘어 정보통신망에 침입하여서는 아니 된다'고 정하고 있다. 진입 목적과 관계없이 권한 없이 타인의 정보통신망에 들어가려는 시도 자체만으로 처벌할 정도로 강력한 규정이다. 그러다 보니 코드를 분석하고 대비하려는 화이트 해커조차 타인의 정보통신망을 침해하면 정보통신망법으로 처벌받고 있다. 해커의 공격 경로를 이미 파악한 상태에서도 처벌이 두려워서 선뜻 밝히지 못하는 경우까지 생겨나고 있다. 반면 악의의 해커들은 법도 무시하고 마음껏 통신망을 돌아다니는 아이러니한 상황이 이어지고 있다.

사이버 보안이 곧 수익모델인 사이버 탐정

화이트 해커의 본격적인 활동을 위해서는 정보통신망법 개정이 필수적이다. 하지만 현재까지 개정 논의가 진행된 적도 없고, 설사 논의가 진행된다 해도 공식적인 해킹 허용을 정부가 승인하기는 어려울 것이다. 그래서 대안으로 생각해볼 만한 것이 바로 '사이버 탐정'이다. 화이트 해커가 자발적으로 선의에 의해 활동하는 프리랜서라면, 사이버 탐정은 정식 직업으로서 사이버 영역에서 비즈니스를 하는 사립 보안 전문가라고 할 수 있다.

우리나라에선 탐정이란 직업이 낯설지만 OECD 35개국 중에서 우리나라만 빼고 나머지 34개국 모두가 사설 탐정제도를 운영하고 있다. 미국은 1850년 탐정제도를 도입해 무려 168년의 역사를 자랑한다. 일본은 2006년에 '탐정업무의 적정화에 관한 법률'을 제정하고 사설탐정제도를 정식 도입했다. 2016년 경찰청 자료를 보면 미국에서 활동 중인 사설탐정은 6만여 명에 이른다. 셜록 홈스의 나라인 영국에는 1만 7,000여 명의 사립 탐정이 활동하고 있고, 독일에서는 2만 2,000여 명의 탐정이 활동 중이다.

우리나라도 1999년부터 '민간조사업'이라는 명칭으로 꾸준히 사립탐정제도 도입을 위한 논의가 이어져 왔다. 2005년 17대 국회부터 9명의 국회의원이 총 11건의 탐정법을 발의했다. 하지만 '법률체계의 미비'와 '사생활 침해 우려' 등을 이유로 매번 좌절됐다.

하지만 이제는 법 제정 논의를 좀 더 적극적으로 진행할 필요가 있다. 예상을 뛰어넘는 사이버 공격에 효과적으로 대응하기 위해서는 화이트 해커 등 민간 영역의 보안 전문가를 물 위로 끌어올려야 한다. 기존 화이트 해커는 법 규제에 가로막혀 운신의 폭이 좁다.

사설 탐정제도를 도입하면 정식으로 조사 권한을 부여받은 사이버 탐정이 합법적으로 네트워크에 들어가 보안 취약점을 찾아내거나 사이버 공격에 대응할 수 있게 된다. 사이버 범죄 수사 전 단계에서 사이버 탐정들에게 사이버 공격에 대한 모니터링이나 정보 수집 활동을 허용한다면 턱없이 부족한 보안 역량을 효과적으로 보완할 수 있을 것이다. 탐정제도 도입은 일자리 창출에도 긍정적이다. 대한공인탐정연구협회에 따르면 우리나라에 사설 탐정제도가 도입되면 약 1만 5,000여 개의 일자리가 창출되고 약 1조 2,000억 원 규모의 경제 유발 효과가 예상된다고 한다.

사이버 보안은 정부 규제나 보안 업체의 의지만으로는 결코 성공을 거두기 어렵다. 더욱 고도화된 민간 부문의 보안 역량을 적극 수용하고 활성화해야 한다. 제도적 보완을 통해 수면 아래 가라앉은 민간의 우수한 보안 인력들을 물으로 끌어내고 차세대 보안 전문가들을 적극적으로 양성할 때 비로소 사이버 보안 인프라가 제 힘을 발휘할 수 있게 될 것이다.

10장

디지털 마켓 강국을 위한
새로운 전략

미국에 맞서는 유럽연합의 '그들만의 리그'

오스트리아의 개인정보보호 비영리단체인 Noybnone of your business가 2018년 5월 페이스북과 구글, 인스타그램, 왓츠앱 등 글로벌 IT 기업들을 잇달아 제소했다. 서비스 이용자들에게 개인정보 선택권을 주지 않았다는 이유에서다. 페이스북과 구글 등이 제공하는 서비스를 이용하려면 반드시 개인정보 수집에 동의해야 한다. 동의하지 않으면 회원가입이 되지 않는다. Noyb는 이 같은 약관이 이용자에게 개인정보 수집 동의를 강요하는 것이며 개인정보 선택권을 보장한 유럽연합 개인정보보호규정GDPR, General Data Protection Regulation을 위반한 것이라고 주장했다.

유럽연합 개인정보보호규정은 2018년 5월 25일부터 유럽연합 회원국에게 적용된 새로운 개인정보보호법이다. 국민의 개인정보 권리를 강화하고, 기업의 개인정보보호 의무를 강화한 것이 특징

유럽연합의 일반개인정보보호규정 GDPR

시행일	• 2018년 5월 25일
대상	• EU 내 사업장 운영하며 EU 시민의 개인정보 활용하는 기업 • EU에 현지 사업장 없이 전자상거래 등으로 EU 시민에게 재화나 서비스를 판매하거나 제공하는 기업 (현지어로 마케팅, 현지 통화 결제) • EU 거주 시민의 행동을 모니터하는 기업
특징	• 일반인에 개인정보보호 통제권 부여(열람 청구권, 삭제권, 정보이동권) • 개인정보 EU 역외 이전 요건 명확화 • 정보보호책임자(DPO) 지정 등 기업 책임 강화 • 28개 EU 회원국에 동일 기준 적용
처벌	• 법령 위반 시 과징금 부과 (글로벌 매출의 4% 또는 2,000만 유로 중 높은 금액)

(자료: 한국인터넷진흥원)

이다. 유럽연합 개인정보보호규정에 따르면 유럽연합 국민은 자신이 이용하는 모든 기업에게 개인정보의 열람과 정정, 삭제, 처리 제한, 이동 등을 요구할 수 있다. 반대로 기업은 자사 서비스를 이용하는 유럽연합 국민에게 개인정보 활용에 대한 사전 동의를 받아야 한다. 또한 만약 개인정보를 해외로 이전할 때는 반드시 당사자에게 별도의 동의를 구해야 한다.

유럽연합 개인정보보호규정은 세계적 이슈가 됐다. 그 이유는 벌금이 엄청나기 때문이다. 개인정보보호규정을 위반했을 때 해당 기업은 글로벌 연 매출의 4% 또는 2,000만 유로(약 250억 7,200만 원) 중에서 더 높은 금액을 벌금으로 내야 한다. 만약 페이스북과 구글 등이 위반한 것으로 인정되면 각각 약 39억 달러(약 4조 1,944억 원)와 37억 달러(약 3조 9,793억 원)를 벌금으로 내야 한다.

디지털 싱글 마켓으로 미국과 승부

유럽연합 개인정보보호규정 시행으로 전 세계가 새로운 개인정보 규제 패러다임을 맞게 됐다. 유럽연합 개인정보보호규정은 유럽연합 28개 회원국과 아이슬란드, 노르웨이, 리히텐슈타인 등 31개국에게 똑같이 적용된다. 유럽 31개국에서 재화와 서비스를 제공하거나 중개하는 모든 기업은 규제를 따라야 한다. 온라인을 통해 유럽 국민에게 서비스를 제공하는 기업도 마찬가지다.

유럽연합 공식 통계기구인 유로스타트Eurostat에 따르면 2017년 1월 기준으로 28개 회원국의 인구는 5억 1,180만 명이다. 국가별로 보면 독일 8,280만 명, 프랑스 6,700만 명, 영국 6,580만 명, 이탈리아 6,060만 명, 스페인 4,650만 명 순이다. 또한 2017년 유럽연합 전체 국내총생산은 15조 3,000억 유로(약 6,644조 원)에 이른다. 반면 미국의 인구는 2018년 1월 기준 3억 2,925만 명이며 국내총생산 19조 3,900억 달러(약 2,853조 9,450억 원)다. 단순하게 비교해도 세계 시장에서 유럽이 차지하는 비중이 미국을 크게 웃돈다. 전 세계 기업들이 유럽연합 개인정보보호규정에 맞춰 개인정보 처리방침을 재구성하고 있는 이유이다.

일례로 미국 언론사 『미국 시카고 트리뷴』 『LA타임스』 『애리조나 데일리 선』 등은 유럽연합 개인정보보호규정 시행일부터 유럽

대부분의 국가에서 서비스를 중단했다. 자사 개인정보 처리방침이 유럽연합 개인정보보호규정을 위반하고 있어서다. 이들 언론사는 새로운 개인정보 정책을 구축한 뒤 서비스를 재개한다는 방침이다. 페이스북이나 구글처럼 소송에 휘말리는 것보다는 경제적 손실을 감수하더라도 달라진 규제에 철저히 대응하겠다는 것이다. 마이크로소프트와 애플 등도 유럽연합 개인정보보호규정에 맞춰 관련 규정을 손질하고 있다.

물론 그러다 보니 유럽 국민들은 당분간 글로벌 서비스 상당수를 이용할 수 없을 것으로 보인다. 글로벌 데이터 분석 업체인 SAS가 2018년 2월 발표한 자료를 보면 조사에 참여한 글로벌 200대 기업 중에서 유럽연합 개인정보보호규정 준비를 마친 곳은 미국 기업의 30%에 불과했다. 다시 말해 미국 기업의 70%는 당분간 유럽에서 활동하기 어렵다는 뜻이다. 미국 정부는 불편한 기색을 감추지 않았다. 미국 상무장관인 월버 로스는 "유럽연합 개인정보보호규정 때문에 금융, 의료, 긴급사태 등에서 협력이 제대로 이뤄지지 못해 해당 지역 시민들이 피해를 볼 수 있다"며 "유럽연합 개인정보보호규정이 미국과 유럽 간 새로운 무역장벽이 될 수 있다"고 경고했다.

그렇다면 유럽연합이 이 같은 불편과 경고를 감수하면서까지 강력한 개인정보보호에 나선 이유는 무엇일까. 그건 바로 미국 중심의 디지털 마켓에서 유럽이 주도권을 되찾기 위해서다. 현재 글로벌 디지털 마켓은 구글, 페이스북, 애플, 아마존 등 미국 IT 기업들이 사실상 장악하고 있다. 이로 인해 부와 기회를 잃었다고 생각한 유럽은 미국 기업들에 빼앗긴 디지털 마켓을 탈환하기 위해 개인 정보보호를 명분으로 4차 산업혁명 시대의 핵심 자산인 데이터를 통제하기로 한 것이다. 유럽연합 개인정보보호규정은 유럽 이외 국가로의 개인정보 이전을 철저하게 규제하고 있다.

반대로 유럽연합 개인정보보호규정은 유럽 31개국 사이의 자유로운 데이터 이동을 보장하고 있다. 이는 유럽 권역을 '디지털 싱글 마켓Digital Single Market'으로 만들기 위한 전략이다. 유럽연합은 1992년부터 다양한 통합 노력을 기울인 결과 가스와 전기 등 기간 산업을 제외하고 대부분의 분야에서 국경 없는 단일 시장을 형성했다. 유럽 안에서는 여권 없이도 자유롭게 국경을 넘나들 수 있고 화폐도 단일통화인 유로를 사용한다. 하루에도 최소 수십만의 사람들이 국경을 넘어 출퇴근하거나 여행을 즐긴다. 그런데 여전히 국경의 장벽을 허물지 못한 분야가 있으니 바로 디지털 마켓이다.

2015년 영국 시사주간지 『이코노미스트』 조사를 보면 유럽연합 국민의 15% 정도만이 다른 회원국의 인터넷 쇼핑몰을 이용하는 것으로 나타났다. 일부 회원국은 이유 없이 자국 내에서만 인터넷 거래를 허용하고 있다. 유럽연합 회원국 인터넷 트래픽(인터넷 데이터 흐름)의 절반 이상이 미국으로 가고 있다. 대부분 구글, 애플, 페이스북, 아마존이다. 다른 회원국으로의 데이터 이동은 4%에 불과하다.

유럽연합 집행위원회는 이처럼 디지털 마켓이 분절된 탓에 해마다 40~80억 유로(약 5조~10조 원)의 추가 비용이 발생하고 있다고 추정한다. 하지만 유럽연합 개인정보보호규정 시행으로 회원국 내

데이터 이동이 활성화되고 이를 통해 디지털 싱글 마켓이 조성되면 연간 500억 유로(약 62조 5,000억 원) 규모의 추가 성장이 이뤄질 것으로 예측했다.

개인정보 활용을 위해 필요한 규제

미국은 '표현의 자유'를 생명처럼 여긴다. 수정헌법 1조는 '표현의 자유를 제한하는 어떤 법률도 만들 수 없다'고 규정하고 있다. 반면 유럽은 개인정보보호가 우선이다. 기업에 대한 엄격한 규제에 호의적이다. 유럽연합 개인정보보호규정에 대한 거부감도 적다. 이는 과거 나치 통치와 동구권의 공산정권 지배 경험이 결정적 역할을 했다. 특히 독일은 나치 정권이 유대인 탄압 도구로 인구조사를 악용한 경험 때문에 1987년부터 2011년까지 인구조사도 제대로 못 했을 정도다. 그만큼 개인정보 악용에 민감하다. 개인정보보호법이 강한 나라들은 인권이 탄압받은 역사적 교훈으로 프라이버시 침해 트라우마가 강하다는 공통점이 있다.

우리나라도 그중 하나다. 군부독재정권에 오랫동안 지배당한 탓에 개인정보 규제를 조금이라도 완화할라치면 시민단체 등이 거세게 반발한다. 기술 혁신도 중요하지만 사생활 침해를 막아야 한다는 인식이 더 강하다. 그 결과 우리나라는 세계에서 둘째가라면 서러울 만큼 강력한 개인정보보호법을 두고 있다. 이런 이유로 우리 정부는 유럽연합 개인정보보호규정 적정성 심사를 무난히 통과할 것으로 예상하고 있다. 유럽연합 집행위원회는 각국의 개인정보보호법을 평가해 유럽연합 개인정보보호규정과 동일한 수준이라고 판단되면 동의 절차 없이 자유롭게 개인정보를 제3국으로 이전할 수 있도록 했다. 2018년 5월 현재 캐나다와 스위스 등 11개국이 적정성 평가를 통과했고 우리나라는 이르면 2018년 말경에 통과할 것으로 예상되고 있다.

하지만 마냥 좋아할 일이 아니다. 유럽의 개인정보보호법과 한국의 개인정보보호법은 결정적 차이가 있다. 유럽연합 개인정보보호규정은 개인정보보호와 활용이 균형을 이루고 있다. 기업이 개인정보를 활용하려면 무조건 사전동의를 받아야 하지만 일단 확보한 개인정보에 대해선 가명처리 등 누군지 특정할 수 없도록 비식별 조치를 하면 자유롭게 활용할 수 있다. 반면 우리는 비식별 조치를 했더라도 복수의 비식별 정보와 조합됐을 때 재식별되지 않을 정도가 아니면 활용이 불가능하다. 똑같이 개인정보보호를 외치고 있지만 디지털 경제의 핵심 자산인 개인정보 데이터에 대해선 정반대 입장이다.

더 큰 문제는 인공지능 기술이 접목되면 우리의 개인정보보호법이 요구하는 비식별 조치는 사실상 불가능하다는 것이다. 사람은 비식별 조치한 데이터에서 특정인을 식별할 수 없지만 기계는 식별할 수 있다. 데이터를 사람이 아닌 시스템이 가공하는 상황임을 고려할 때 개인정보보호법에서 규정한 비식별 조치된 데이터는 의미 없는 데이터가 된다. 유럽연합 개인정보보호규정 적정성 평가를 통과하더라도 개인정보에 대한 과도한 규제를 완화하지 않으면 의미가 없다.

유럽연합은 2015년 디지털 싱글 마켓 전략을 발표하면서 3대 원칙을 제시했다. 유럽 회원국 간의 접근성 향상, 공정경쟁 환경 조성, 디지털 경제 성장 잠재력 극대화다. 이중 공정경쟁 환경 조성이 논란거리이다. 유럽이 생각하는 공정한 경쟁 환경이란 회원국 기업들이 경쟁력을 높일 수 있도록 해외 기업들에 규제를 가하는 것이다. 내부적으로는 유럽 권역의 데이터 이동을 활성화해 디지털 마켓 경쟁력을 높이고 외부적으로는 글로벌 기업들이 유럽 내에서 사업하기 곤란하게 방해한다. 밖으로는 엄격한 규제 장벽을 세우고 안으로는 데이터가 자유롭게 유통될 수 있도록 국경 사이의 규제를 없애나간다. 이른바 투 트랙 규제 전략이다.

그러다 보니 미국 등으로부터 '디지털 보호무역'이라는 공격을 받고 있지만, 이미 수많은 글로벌 기업들이 유럽연합 개인정보보호규정을 기준으로 개인정보 정책을 바꾸는 것을 보면 유럽의 전략은 사실상 성공한 것으로 보인다. 유럽의 전략은 우리가 맹목적으로 추종할 만한 것은 아니다. 강한 규제는 오히려 강한 진입 장벽을 만들고 보호무역주의는 자국 기업에게도 역풍으로 작용한다는 역사적 경험을 상기할 필요가 있다. 하지만 적어도 유럽이 회원국 간 자유로운 데이터 이동을 통해 디지털 경제로의 전환을 이뤄나가는 것은 적극 참고할 필요가 있다. 우리 내부에서만이라도 데이터가 자유롭게 유통되고 활용되도록 개인정보보호 규제 완화를 서둘러야 한다. 미국에 이어 유럽에게 글로벌 디지털 마켓을 내주지 않으려면 말이다.

디지털 경제 신흥강자 중국 공산당의 선택

2012년만 해도 디제이아이DJI가 만든 드론은 뼈대만 앙상한 장난감 헬기 수준이었다. 그러나 이제는 세계인들이 탄성을 자아내는 매끈하고 멋진 디자인을 뽐낸다. 기술력도 세계 최고 수준으로 끌어올렸다. 2014년 카메라를 탑재한 드론으로 신시장을 개척한 데 이어 2017년에는 세계 최초로 손짓만으로 제어가 가능한 드론을 선보여 세상을 놀라게 했다. 디제이아이는 글로벌 상업용 드론 시장에서 70%라는 압도적 시장점유율을 기록 중이다.

디디추싱은 2015년 텐센트가 투자한 디디다처滴滴打车와 알리바바가 투자한 콰이디다처快的打车가 합병해 설립된 회사다. 우버처럼 스마트폰 앱으로 차량을 호출하는 서비스를 뒤늦게 시작했다. 하지만 중국인의 선택은 원조 우버가 아닌 후발주자 디디추싱이었다. 현재 디디추싱은 중국 차량공유 시장의 90% 이상을 차지하고

중국 주요 핀테크 업체의 간편 결제 이용자 수 <small>(자료: 블룸버그)</small>

한 달에 한 번 이상 간편 결제를
사용한 이용자

5.2억 명 · 알리페이 사용자
6억 명 · 위챗페이 사용자

세계 10대 핀테크 기업 <small>(자료: KPMG)</small>

1	앤트파이낸셜	중국
2	중앙보험	중국
3	취디엔	중국
4	오스카	미국
5	아반트	미국
6	루팍스	중국
7	크레디테크	독일
8	아톰뱅크	영국
9	JD파이낸스	중국
10	카바지	미국

있으며 하루 평균 2,500만 건의 호출을 받고 있다. 전 세계 1,000
여 개 도시에 진출해 전 세계 인구의 60% 이상을 고객으로 보유하
고 있다.

　2014년 설립된 앤트파이낸셜은 중국 최대 전자상거래 업체인
알리바바의 금융 자회사다. 모바일 간편결제 서비스인 알리페이로
출발해 저소득층 무담보 대출 서비스인 앤트 마이크로크레딧, 인
터넷 전문은행인 마이뱅크와 텐훙펀드, 모바일 신용조회 서비스인
즈마신용과 핀클라우드 등 수많은 계열사를 거느리고 있다. 2018
년 기준 알리페이를 이용하는 중국인은 5억 2,000만 명에 이르며

앤트파이낸셜을 통한 여신 규모는 2018년 2월 기준 6,000억 위안 (약 100조 3,140억 원)을 기록했다. 중국 2대 국유 상업은행인 건설은행의 대출 규모보다 3.7배나 많다.

인공지능 드론 시장을 주도하고 있는 디제이아이, O2O 공유경제를 이끌고 있는 디디추싱, 핀테크 경제를 리드하고 있는 앤트파이낸셜. 중국이 4차 산업혁명 시대의 리더로 발돋움하는 데 견인차 구실을 하고 있다. 이들 기업에는 한 가지 공통점이 있다. 창업 초기 정부의 규제를 전혀 받지 않았다는 것이다.

'판단은 시장에 맡겨라!' 스타트업 키우는 공산당

2018년 1월 '중국판 실리콘밸리'로 불리는 중국 광둥성 선전 시를 방문했다. 서울대학교 공대 교수진과 스타트업 대표들로 구성된 한국경제신문 산학언産學言 특별취재단에 포함돼 중국의 혁신 메카로 불리는 선전 시 곳곳을 둘러봤다. 도시 전체가 거대한 스타트업 인큐베이터라고 해도 과언이 아니다. 인구 8명당 기업이 하나씩 있을 정도로 스타트업이 차고 넘친다. 스타트업에 자금을 투자하는 벤처캐피털도 무려 3분의 1이 집중돼 있다. 세계 3위 스마트폰 제조업체인 화웨이, 중국 3대 IT 기업인 텐센트, 세계 최대 전기차 업체인 테슬라와 어깨를 나란히 하는 비야디BYD, 압도적 세계 1위 드론 기업 디제이아이 등 중국을 대표하는 기업들의 본사가 있는 건 결코 우연이 아니다.

그중에서도 내 눈길을 사로잡은 것은 도로에 공유 자전거가 산

중국 광동성 선전 시의 야경

처럼 쌓여 있는 모습이었다. 만약 우리나라였다면 당장 도로 불법 점유 딱지가 붙고 공유 자전거 사업 자체가 종적을 감췄을 것이다. 중국의 유연한 규제 문화를 엿볼 수 있는 대목이다. 스타트업을 대하는 중국 정부의 태도는 '총알이 일단 날아가게 하라'는 것이다. 혁신기술의 시장 진입을 규제하기보다 일단 시행하고 문제가 확인되면 개선한다는 것이다. 중국 정부는 드론이나 핀테크처럼 새로운 제품과 서비스가 나오면 기존 제도를 적용해 규제하지 않는다. 일단 내버려 두고 지켜본다. 그러다가 체제 위협이나 심각한 사회 혼란을 일으킬 때만 제한적으로 규제한다. 신산업이 꽃을 피우지 않을 수 없는 환경이다.

2014년 우버와 디디추싱이 차량 호출 서비스를 시작하자 중국의 택시 기사들이 거세게 반발했다. 한국 정부는 택시 업계 편에 서서 기존 규제를 근거로 우버를 시장에서 몰아냈다. 하지만 중국

선전 시 길거리에서 본 공유 자전거

정부는 차량호출서비스가 중국의 만성적인 택시 부족 문제를 해결할 수 있을 것으로 보고 합법화했다. 그 결과 디디추싱은 세계 최대 차량중개업체로 급성장했다. 앤트파이낸셜은 사업 초기 개인끼리 돈을 빌리고 빌려주는 P2P 대출 중개 사업을 진행했다. 중국 은행들은 즉각 반발했다. 은행을 통하지 않은 여신 중개는 이용자의 피해를 키울 것이라고 주장했다. 하지만 중국 정부는 은행 대신 스타트업의 손을 들어줬다. P2P라는 신산업이 중국 경제를 살리는 첨병 역할을 할 것으로 판단한 것이다. 최근 은행들의 편에 서서

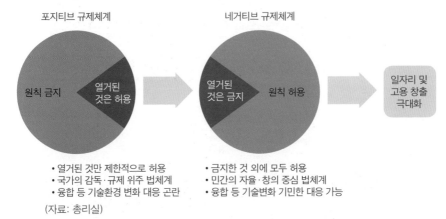

인허가제 대수술

포지티브 규제체계

원칙 금지 / 열거된 것은 허용

• 열거된 것만 제한적으로 허용
• 국가의 감독·규제 위주 법체계
• 융합 등 기술환경 변화 대응 곤란

네거티브 규제체계

열거된 것은 금지 / 원칙 허용

• 금지한 것 외에 모두 허용
• 민간의 자율·창의 중심 법체계
• 융합 등 기술변화 기민한 대응 가능

일자리 및 고용 창출 극대화

(자료: 총리실)

P2P 규제를 논의하고 있는 우리 정부와는 하늘과 땅 차이이다.

리커창 중국 총리는 2017년 6월 국무원 회의에서 "4차 산업혁명 시대에는 기존 사업자와 스타트업 간 경쟁이 불가피하다. 누가 시대 변화와 소비자 니즈를 충족할지는 시장이 판단한다. 공무원이 관행과 규정을 앞세워 기존 사업자를 보호해선 안 된다."라고 말했다. '선허용 후보완' 원칙을 재차 강조한 것이다. 중국 정부의 규제 원칙은 '네거티브'이다. 절대 해서는 안 되는 몇 가지만 법으로 규제하고 나머지는 얼마든지 가능하다. 반면 우리 정부의 규제 원칙은 '포지티브'이다. 해도 되는 몇 가지를 법으로 정해놓고 나머지는 모두 불법으로 간주한다.

그로 인한 격차는 이미 현실로 나타나고 있다. 최근 3년간 중국의 스타트업은 두 배 이상으로 늘었다. 2017년 1~9월 창업 기업만 451만 개가 넘는다. 반면 같은 기간 한국의 창업 기업은 고작 7만 5,000개에 그쳤다. 중국의 60분의 1이다. 함께 중국 선진 시를 방문한 스타트업 대표는 세계로 뻗어 나가는 중국 스타트업들을 보며 이렇게 말했다. "중국 정부가 스타트업에 도전 기회를 주려고 규제를 최소화하고 인프라를 지원하는 모습이 부러웠다. 우리 정부는 돈만 풀고 규제는 안 푼다. 중국이 우리보다 더 자본주의다운 사회가 아닌가 하는 생각마저 들었다." 그리고 이런 말도 덧붙였다. "선전 시의 창업가와 투자자들을 만났을 때 자신감이 넘쳐흐르는 모습에 깜짝 놀랐다. '정부와 사회가 우리를 밀어주지는 않더라도 최소한 막지는 않는다'는 신뢰가 있기 때문일 것이다. 정부의 온갖 규제에 신경 쓰지 않고 서비스와 고객에만 집중할 수 있는 중국의 창업가들이 너무 부럽다."

부러워만 할 때가 아니다. 우리 스타트업들도 자신감 넘치는 모습으로 새로운 도전에 적극 뛰어드는 장면을 많이 만들어야 한다. 중국이 글로벌 디지털 경제의 신흥강자가 된 비결은 신산업을 적극 수용하는 중국 공산당의 과감한 결단과 스타트업에 대한 전폭적인 지원이라는 데 이견이 없다. 답은 이미 나와 있다. 더 늦기 전에 정부의 과감한 결단이 절실한 시점이다.

한중일 디지털 싱글 마켓을 위한 제언

세계는 지금 디지털 마켓을 장악하기 위한 전쟁으로 치열하다. 유럽연합은 기업의 개인정보 활용을 강력하게 규제하는 새로운 개인정보보호법을 통해 미국 중심의 디지털 마켓을 뒤흔들고 있다. 중국은 신산업에 대해 'NO 규제'를 선언하고 스타트업 육성에 적극 나서며 미국 기업이 독식해온 세계 정상의 자리를 속속 탈환하고 있다.

그에 비하면 한국은 뒷걸음질 수준이다. 유럽 못지않은 강력한 개인정보보호법이 있지만, 국내 스타트업에겐 규제로 작용하고 있고 글로벌 기업들에겐 명함조차 못 내밀고 있다. 중국처럼 스타트업을 키우기 위한 다양한 지원정책을 펼치고 있다. 하지만 여전히 기득권을 보호하는 규제가 맹위를 떨치고 있고 경제적 지원도 스타트업 초기 몇 년에 불과하다.

과거엔 그런대로 버틸 만했다. 개인정보에 대한 인식이 약하던 시절 정부의 강력한 보호와 규제는 국민의 프라이버시를 지켜주는 데 일정 역할을 했다. 우리 기업들이 해외에서 기를 못 펴던 시절에도 정부의 강력한 보호와 규제는 국내 산업을 키우고 안정화하는 데 많은 역할을 했다. 하지만 데이터가 많을수록 4차 산업혁명에 더 가까워지고, 규제가 많을수록 디지털 마켓에서 밀려나는 현 상황에선 더 이상 유효한 전략이 아니다. 지금의 경제 침체기를 벗어나 글로벌 디지털 마켓에서 제자리를 확보하려면 기존의 낡은 인식을 뛰어넘는 새로운 구상과 전략이 필요하다. 그중 하나로 유럽연합의 디지털 싱글 마켓에 비견되는 '한중일 디지털 싱글 마켓'이 새로운 대안으로 떠오르고 있다.

한중일 단일 전자화폐가 바꿀 미래

한중일 디지털 싱글 마켓이 처음 제기된 것은 2015년 11월이다. 당시 3국 정상은 유럽연합처럼 한중일도 단일한 디지털 시장을 구축해 공동의 경제 번영을 이뤄나가기로 합의했다. 우리 정부의 제안으로 논의가 시작된 한중일 디지털 싱글 마켓은 전자상거래 규제와 표준 등 기술 장벽을 허물어 한중일 3국이 차별 없이 빠르고 쉽게 온라인 거래를 할 수 있는 시장을 말한다. 3국이 공통의 전자화폐를 사용하고 제품 구매나 환불 등 전자상거래에서 단일한 규정을 마련하는 것이 골자다.

한중일 디지털 싱글 마켓이 구축되면 국내 쇼핑몰에서 물건을 구매하는 것처럼 관세나 통관절차 없이 손쉽게 두 나라의 제품을 구매할 수 있다. 또 전자상거래 업체들은 규제나 표준 걱정 없이 두 나라에 제품을 수출할 수 있다. 이를 위해 한국 대외경제정책연구원KIEP, 중국정보통신연구원CAICT, 일본무역진흥기구JETRO는 각국을 대표해 전자상거래 법규제의 공통점과 차이점을 공유하고 분석하는 공동연구를 진행했다.

일련의 과정을 거쳐 조금씩 성과가 나오기 시작했다. 일례로 2016년 8월 우리나라 기획재정부와 중국 국가발전개혁위원회 NDRC는 한중 디지털 교류 촉진을 위한 양해각서MOU를 교환했다. 양국의 전자상거래 교류를 활성화하고 협력 도시를 조성하며 스마트시티 등 IT 분야의 기술협력을 진행하고 IT를 활용한 제3국 공동 진출에 협력하기로 했다. 하지만 사드 문제로 한중 관계가 살얼음을 걸으면서 디지털 싱글 마켓에 관한 논의는 사실상 중단됐다. 일본과도 부산 일본영사관 앞 소녀상 설치 문제로 갈등을 빚으면서 더는 진척되지 못했다.

논의가 재개된 것은 2017년 11월이다. 한중 양국의 전자상거래 협력도시로 선정된 인천시와 웨이하이시가 단일 전자화폐인 '위코인WI Coin'을 도입한다거나 문재인 정부의 대선 공약이었던 '한중일 3국 로밍요금 폐지' 시행 등 다양한 아이디어가 제기됐다. 하지만 이를 위한 정상회담이나 후속 논의는 속도를 내지 못하면서 한중일 디지털 싱글 마켓은 답보 상태에 머물고 있다. 그러나 최근 다시 희망의 바람이 불고 있다. 남북 정상과 북미 정상이 잇달아 만나며 한반도에 평화 분위기가 조성되고 있고, 이를 계기로 공통의 화두를 가진 3국이 한층 가까워지면서 한중일 디지털 싱글 마켓 논의는 다시 힘을 얻게 될 전망이다.

물론 유럽연합만큼의 파괴적인 영향력은 어려울 수 있다. 오프라인 분야에서 단일 시장을 이룬 것도 아니고 법 제도도 너무 달라 합의점을 찾기 쉽지 않다. 하지만 4차 산업혁명 시대에 국경 없는 데이터 교류는 3국 모두에게 이점으로 작용한다는 것을 3국 모두가 잘 알고 있다. 지금은 더디 진행되고 있지만 일정한 조건이 마련되면 한순간에 광폭의 진전이 이뤄지게 될 것이다.

데이터 활용 전제조건은 국민적 신뢰

당면한 과제는 한중일 디지털 싱글 마켓을 위한 우리의 준비다. 유럽연합의 유럽연합 개인정보보호규정에서 보듯이 디지털 싱글 마켓은 필연적으로 데이터의 자유로운 이동을 요구한다. 그때가 되면 우리의 엄격한 개인정보보호 규제가 걸림돌로 작용하게 될 것이다. 데이터 수집도 어렵고 데이터 활용은 더 까다로운 지금의 강력한 개인정보 규제로는 한중일 디지털 싱글 마켓의 시너지 효과를 끌어내기 어렵다.

실제로 2017년 스위스 국제경영대학원IMD 발표를 따르면 우리나라의 '빅데이터 사용 및 활용능력'은 63개국 중 56위로 최하위를 기록했다. 경제협력개발기구OECD가 발표한 '디지털 경제 아웃룩'에서는 빅데이터 분석 활용 비율이 4%로 세계 꼴지를 차지했다. 4차 산업혁명 시대의 원유로 불리는 빅데이터를 전연 활용하

우리나라는 4차 산업혁명 시대의 원유로 불리는 빅데이터를 전연 활용하지 못하고 있다.

지 못하고 있는 것이다. 이를 개선하지 않고서는 한중일 디지털 마켓 구축은 요원한 일이다. 개인정보보호법에 대한 기본적 철학부터 전면적인 재논의가 시급하다.

첫째, 규제는 네거티브 정책으로 전환해야 한다. 법은 국민이 편리하게 이용할 수 있어야 하고 공익적인 목적을 위해 융통성 있는 규제 적용이 필요하다. 규제는 절대 모호해서는 안 된다. 되는 것을 나열하고 나머지를 모두 금지하는 포지티브 규제 대신에 안 되는 것을 열거하고 나머지는 모두 허용하는 네거티브 규제로 전환해야 한다.

둘째, 개인정보 정의를 현실적으로 바꿔야 한다. 우리 법은 성별이나 연령 등 누군지 특정할 수 있는 단서를 모두 삭제한 비식별 정보라도 다른 비식별 정보와 결합해 개인을 특정할 수 있다고 판단되면 개인정보로 본다. 인공지능 시대에는 비식별 자체가 불가능하므로 결과적으로 모든 정보가 개인정보가 되는 셈이다. 이런 모순적인 규제로는 개인정보보호도 어렵고 활용도 불가능하다. 기업이 비식별 정보를 결합해 개인을 식별할 수 있을 때부터 개인정보로 보는 방법을 논의할 필요가 있다. 또한 개인정보에 대한 정의를 개선해 실제 보호할 가치가 있는 정보만 규제하는 방향으로 법 개정이 이뤄져야 한다.

셋째, 형사 처분 대신 시정명령을 우선해야 한다. 우리 법은 개인정보보호법 위반에 대해 강력한 형사 처분을 가하고 있다. 이는 사소한 위반이나 실수에도 '범죄' 딱지를 붙여 빅데이터 산업의 성장을 가로막는 원인이 되고 있다. 우리나라의 디지털 마켓이 아직 충분히 성장하지 못한 것은 빅데이터 활용이 곧 개인정보 오남용이라는 단편적 지식을 갖고 정부가 이를 규제하기 때문이다. 법 위반행위가 생기면 우선 감독관청이 시정명령을 내리고 이에 불복할 때 명령불이행죄로 처벌하는 시스템으로 개선할 필요가 있다. 이는 글로벌 표준이기도 하다.

이외에도 수많은 개선이 뒤따라야 할 것이다. 이때 법제도 개선의 기준은 데이터 보호에 관한 국민적 신뢰를 얻는 것임을 잊지 말아야 한다.

11장

디지털 거버넌스를 위한
새로운 로드맵

플랫폼 규제 양산하는
'묻지마 입법문화' 개혁

미국 정부는 신기술 등장에 따른 새로운 규제를 만들 때 '해를 주지 않는다Do no harm' 원칙을 따른다. 신기술 성장에 해가 되는 규제는 만들어선 안 된다는 것이다. 영국 정부는 '디지털 서비스 설계 원칙' 10가지 중 하나로 '정부는 정부만 할 수 있는 일에 집중한다Government should only do what only government can do.'라는 '덜 하라Do less' 원칙을 포함하고 있다. 그 결과 미국 실리콘밸리에서는 매년 수천 개가 넘는 스타트업이 탄생하고 있고 영국 런던도 실리콘밸리 못지않은 스타트업 생태계를 구축하고 있다. 글로벌 스탠다드는 '스타트업 규제 철폐'로 가고 있다.

반면 우리는 정반대다. 배달앱 배달의민족을 운영하는 우아한형제들 김봉진 대표는 국내 최대 규모 스타트업 단체인 코리아스타트업포럼 출범식 자리에서 이렇게 말한 적이 있다.

"왜 우리는 스타트업이 잘되는 사회가 되어야 한다고 말하는 걸까요. 소위 '사'자 직업을 가지지 않아도 스스로의 힘으로 성공할 수 있는 사회를 만들고 싶어서예요. 대기업이나 가진 사람들만 대물림해서 승자가 되는 사회가 아니라 평범한 사람들도 스타트업을 하면 국내 최고 세계 최고가 될 수 있다는 꿈을 꿀 수 있는 사회를 만들고 싶은 거예요. 그런데 방해가 너무 많아요. 전통 산업은 스타트업이 다시는 일어나지 못하게 찍어 누르고 정부도 법률을 무기로 올라오는 새싹을 계속 짓밟고 있어요. 글로벌과는 정반대로 갈수록 스타트업이 잘 되기 어려운 사회로 가고 있는 거죠."

과장이 아니라 실제로 우리 정부는 새로운 기술이나 산업이 등장하면 '무조건 규제' 원칙을 적용하고 있다. 감독관청은 일단 새로운 산업이 등장하면 불법성 여부를 꼼꼼하게 따지고 규정이 모호하면 불법이라는 가정하에 모든 논의를 시작한다. 국회는 전통 산업과 짝을 이뤄서 스타트업에 불리하게 법을 바꿔버리고 회복이 불가능할 정도의 '범죄' 낙인을 찍어버린다. 우리만 '스타트업하기 어려운 나라'로 뒤돌아서 달려가고 있다.

고위공무원단 실적 평가에서 정부 입법 실적을 제외하자

범인은 여럿이지만 확신범을 꼽으라면 공무원을 빼놓을 수 없다. 겉으로 보기엔 국회가 규제를 쏟아내는 것 같지만 그 배후에 정부가 있는 경우가 심심찮다. 시간도 오래 걸리고 통과도 까다로운 정부입법 절차를 피하기 위해 의원입법으로 법률안을 제출하는 이른바 '청부입법'이 비일비재하다는 것은 공공연한 비밀이다.

정부가 규제를 만들어내는 방법은 비단 입법 절차만 있는 게 아니다. 이와 관련해 스타트업 규제를 양산하는 '묻지 마 입법문화'를 개혁하기 위한 세 가지 방법을 제안하고 싶다.

첫째, '기타, 그리고, 등, 그밖에 자세한 사항' 같은 모호한 열거를 없애야 한다. 법 조항을 만들 때 보통은 원론적인 내용을 적고 끝에 '그밖에 자세한 사항은 대통령령으로 정한다'고 덧붙인다. 구체적으로 정하기 어려운 사안일 경우 '그밖에 자세한 사항'이란 문구를 달아 유연한 적용이 가능하도록 한다. 그런데 '그밖에 자세한 사항'은 말 자체가 모호하고 포괄적이어서 마음만 먹으면 얼마든지 악용할 수 있다. 예를 들어 '빨간색과 파랑색과 노란색 등은 대통령령으로 정한다'고 해보자. 이를 근거로 정부는 새빨간 색과 시뻘건 색과 붉은 색은 빨간색과 다르다며 사용을 금지할 수 있다. 또 분명히 '등'이란 단서를 달아 다른 색도 가능하게 했지만 정부가 법 조항에 없으니 보라색은 안 된다고 할 수도 있다. 설마 그럴까 싶겠지만 스타트업들은 일상적으로 경험하는 일들이다. 이 같은 모호한 열거는 정부에 너무 많은 권한을 주고 있고 이것이 디테일한 규제 양산의 원산지로 꼽히고 있다. 이를 제한적 열거주의로 전환해 안 되는 것 빼고 나머지는 가능한 네거티브 규제로 전환해야 한다. 또한 규제 사항에 포괄적인 규정 사용은 금지해야 한다.

둘째, 시행령과 시행규칙에 대한 심사를 강화해야 한다. 법률안은 국회 통과까지 긴 시간과 복잡한 과정을 거쳐야 한다. 하지만 세부 규정을 담은 시행령과 시행규칙은 별도의 검증 없이 관할 정부부처 주도로 마련된다. 이 과정에서 정부가 위임 권한을 벗어나 과도한 규제 조항을 넣는 경우가 적지 않다. 국회에선 큰 줄만 그렸는데 정부가 작은 벌레조차 지날 수 없을 정도로 촘촘하게 거미줄을 치는 격이다. 이 같은 부작용이 발생하지 않도록 시행령과 시행규칙의 법률위임 원칙에 대한 준수 여부 심사를 강화할 필요가 있다. 법률안 제·개정 시 시행령과 시행규칙까지 함께 심사한다. 그리고 국회 속기록에 그 내용을 남겨서 법률 제·개정 이후 시행령과 시행규칙의 변화를 최소화해야 한다.

셋째, 규제 양산을 방지하는 입법관리 시스템을 도입해야 한다. 유능한 사무관은 '법률안을 통과시키는 사무관'이라는 말이 있다. 정부가 규제 입법에 열을 올리는 이유는 그것이 고위공무원단의 실적이 되기 때문이다. 연초에 세운 목표를 달성하지 못하면 해당 정부부처나 기관은 저평가를 받고, 국장들은 승진에서 불이익을 감수해야 한다. 증거는 없지만 이를 피하기 위해 국회의원을 통한 청부입법이 성행한다고 알려졌다.

정말 필요해서가 아니고 단지 고평가나 승진을 위해 국가의 미래를 바꿀 수도 있는 스타트업을 규제하는 법안이 나와서는 안 될 일이다. 고위공무원단 실적 평가에서 정부 입법 실적을 제외하는 것이 바람직하다. 또한 규제 법률안은 입법 기간을 3년 정도로 잡고 동일연도에 법률안 의견을 지양하도록 해야 한다.

디지털 퍼스트 컨센서스를 위한 제언

대통령 직속 4차산업혁명위원회는 2017년 12월 '제1차 규제·제도혁신 해커톤'을 개최했다. 해커톤Hackaton이란 해킹Hacking과 마라톤Marathon의 합성어로 한정된 시간 내에 마라톤을 하듯 쉬지 않고 아이디어를 내서 결과물을 만들어내는 대회를 말한다. 4차 산업혁명에 효과적으로 대응하기 위해 사회적으로 쟁점이 되고 공론화가 필요한 분야의 규제와 제도 혁신의 방향을 합의하기 위한 첫 자리였다. 이날 해커톤은 핀테크, 위치정보보호, 혁신의료기기 등 세 가지 의제로 민간의 다양한 이해관계자와 관계부처 공무원 등이 토론자로 참여해 1박 2일 동안 끝장토론 방식으로 진행됐다. 나는 핀테크 분야 좌장을 맡아 '금융정보 자기결정권 강화를 통한 핀테크 활성화 방안 모색'을 위한 토론을 이끌었다. 결론부터 말하자면 유의미한 성과가 도출된 자리였다.

대통령 직속 4차산업혁명위원회는 2017년 12월 '제1차 규제·제도혁신 해커톤'을 개최했다.

사실 시작 전만 해도 개인정보 규제라는 민감한 주제를 다루기에 큰 기대를 하지 않았다. 이미 많은 논쟁이 오간 터였고 그럼에도 입장 차가 좁혀지지 않았기 때문이다. 그러나 당사자들이 직접 얼굴을 마주하고 1박 2일 동안 대화를 나누고 나니 이전 토론회나 언론 인터뷰 같은 공적인 자리와는 전혀 다른 분위기가 조성됐다. 짧은 시간이었지만 규제 혁신의 필요성에 대해 공감대가 생기고, 앞으로 주기적으로 만나 구체적인 실행방안을 논의하자는 합의도 이뤄졌다.

이날 회의에는 핀테크 업계를 대표해 간편송금 서비스 토스Toss를 운영하는 비바리퍼블리카, 금융상품 추천플랫폼 핀다Finda, 인슈테크 기업인 레드벨벳벤처스과 디레몬 등 스타트업과 한국핀테크산업협회가 참석했다. 또한 금융기관을 대표해 저축은행중앙회,

은행연합회, 한국금융투자협회, 생명보험협회, 손해보험협회 등 6대 협회 담당자가 모두 참석했다. 마지막으로 정부와 공공기관을 대표해 금융위원회와 금융감독원 담당자가 함께했다.

규제 혁신은 공감과 합의에서 시작된다

해커톤의 가장 큰 성과는 정부는 규제를 강제하는 가해자고 스타트업은 규제를 강요받는 피해자라는 이분법에서 벗어나 4차 산업혁명 시대 핀테크 산업 활성화를 위해 서로 협력하고 구체적 합의를 만들어가는 파트너로 인식하게 됐다는 점이 아닐까 싶다. 일례로 핀테크 스타트업과 금융기관은 해외 금융혁신 사례 연구를 위해 2018년 한 해 동안 매달 협의회를 개최하기로 했다. 또 가장 큰 쟁점이었던 정보보호 관련 규제들에 대해서는 스타트업이 줄곧 주장해온 포괄적 네거티브 방식으로 전환하기로 합의했다.

물론 이에 대해 금융위원회는 법체계의 큰 틀을 전환해야 하는 사안으로 현실적 한계가 있는 만큼 시간을 가지고 검토할 것을 주문했다. 하지만 일정 기간 규제를 완화하는 규제샌드박스 도입을 위해 지속적인 노력을 기울이겠다고 약속했다. 첫술에 배부를 순 없다. 천 리 길도 한 걸음부터다. 4차 산업혁명의 관건은 규제 혁신이고, 규제 혁신은 민관산학연 등 이해관계자의 합의가 필요하다. 합의는 지속적인 소통과 신뢰를 기반으로 한다. 그런데 서로 다른 생각과 입장을 가진 이해관계자들이 서로 신뢰하려면 소통이 우선되어야 한다. 서로 뜻이 통하고 오해가 없으려면 자주 만나야 한

다. 우리는 해커톤을 통해 그 첫발을 뗐다.

앞으로 두 번 만나고 세 번 만나고 열 번 만나고 스무 번을 만나다 보면 누군가 악의를 가지지 않은 이상 신뢰관계가 형성될 것이다. 믿는 사이가 되면 서로 다른 생각과 입장을 편견 없이 받아들이게 되고, 공통의 목적을 이루기 위해 조금씩 양보하는 미덕이 발휘될 것이다. 그 과정에서 하나둘씩 결실을 볼 것이고 더 많은 합의가 이뤄지면 규제는 자연스럽게 사라질 것이다. 과연 시작이 반이다.

물론 이리 쉽게 전개되진 않겠지만 분명한 것은 컨센서스consensus, 즉 합의가 모든 문제해결의 첫 단추라는 것이다. 모르면 불안하다. 불안하면 동의하기 어렵다. 동의하지 않으면 합의는 불가능하다. 따라서 합의의 시작은 아는 것에서 시작한다. 무엇이 같고 무엇이 다른지, 무엇을 원하고 무엇을 거부하는지, 최선은 무엇이고 최악은 무엇인지 등 서로 다른 생각과 입장부터 알아가야 한다. 알면 이해되고, 이해가 되면 도와주고 싶고 격려해주고 싶어진다. 하지만 모르면 현재 상태를 유지하자는 보수적인 입장으로 돌아설 수밖에 없다. 모르니까 반대하고 이해가 안 되니까 공격하는 것이다. 결국 합의란 이해하고 공감하며 설득하는 일련의 소통이라고 할 수 있다.

우리 사회는 코앞에 다가온 4차 산업혁명이 우리의 일상을 바꿀 혁신적인 변화라는 데 인식을 같이 하고 있다. 하지만 구체적 사안으로 들어가면 저마다 이해와 입장의 차이로 갈등이 생기기 마련이다. 총론까지는 어느 정도 합의가 됐는데 각론에서 길이 막혀버린 상황이다. 하지만 잊지 말아야 할 것은 혼자 빨리 가는 것보다 조금 늦더라도 여럿이 함께 가야 한다는 것이다. 공감과 신뢰가 바탕 되지 않은 합의는 당장은 기쁠지 몰라도 결국 골인 지점에 도착하기 전에 다시 골을 잃어버리는 우를 범하게 된다. 조금 더디 가더라도 모든 이해당사자가 공감하고 신뢰하고 공통의 목적 아래 힘을 모으는 과정으로 나아가야 한다.

슈퍼바이저에서 서포터로
정부 역할 전환

나는 IT 전문 변호사로 활동하다 보니 본업 이외에도 여러 가지 직책을 맡곤 한다. 대부분 스타트업 자문이 주를 이루는데 간혹 정부부처 자문을 맡을 때가 있다. 최근까지 행정안전부 산하 개인정보보호위원회 2기 위원으로 활동했고 현재 대통령직속 4차산업혁명위원회 사회제도혁신위원으로 활동하고 있다. 이중 2017년 11월 발족한 4차산업혁명위원회는 과학기술, 산업경제, 사회제도 등 3개 혁신위원회로 구성됐다. 내가 속한 사회제도혁신위원회는 고용과 복지 등 사회혁신, 창의인재 양성을 위한 교육혁신, 사회문제 해결, 법제도 정비, 국제협력, 지역연계 방안을 논의한다.

정부가 4차산업혁명 시대에 대응해 대통령 직속 위원회를 구성해서 법제도 개선 논의에 나선 것은 매우 환영할 일이다. 이전에는 상상도 할 수 없었던, 민관이 한자리에서 규제개혁에 대한 아이디어를 나누는 경험은 줄곧 규제 혁신을 외쳐온 1인으로써 몹시 가슴 뛰는 일이었다. 하지만 기대가 조금은 지나쳤던 걸까. 정부 주도 회의에 참석할 때마다 씁쓸한 기분을 지우기가 어렵다.

전 세계는 4차 산업혁명이라는 누구도 가보지 못한 신세계를 개척하기 위해 민간의 역량과 자원을 적극 활용하고 있다. 더 많은 시도와 도전이 이뤄지도록 규제를 최소화하고 더 나은 답을 찾기 위해 민간의 경험과 지혜에 귀를 기울이고 있다. 그런데 정부는 아직도 '새마을운동' 마인드에 머물러 있는 것 같다. 규제를 풀고 민간에 맡기면 당장 범죄가 난무할 것처럼 걱정하고 염려한다. 여전히 많은 공무원들이 자기 역할을 민간을 육성하고 계도하는 것이라고 믿고 있고 그것이 가능하다고 생각한다. 정부는 플레이어도 아니고 감독도 아니다. 정부는 4차 산업혁명 시대의 조력자일 뿐 주인공도 아니고 또 주인공이 되어서도 안 된다.

역사상 가장 강한 개인의 시대가 온다

4차 산업혁명 시대를 대표하는 새로운 시스템 가운데 공유경제와 블록체인이 있다. 공유경제는 시장 질서를 '독점과 경쟁'에서 '공유와 협동'으로 전환하는 새로운 경제 시스템이다. 블록체인은 중앙의 통제에서 벗어나 개개인이 거래의 중심이 되는 분산형 분산경제 시스템이다. 가까운 미래에 이 둘이 연결되면 지금의 국가와 기업 중심의 경제는 대대적인 변화에 직면하게 될 것이다.

국가와 기업이 일방적으로 공급하면 국민과 고객이 군말 없이 소비하던 수동적인 경제 시스템은 더 이상 설자리가 없게 된다. 물건과 서비스와 금융 거래 데이터는 물론이고 원하는 모든 것을 서로가 공유하고 보증하는 시대가 되면 국민 개개인이 수요자도 되고 공급자도 되는 분권형 사회가 펼쳐질 것이다.

몇몇이 앞장서면 다수가 뒤를 쫓는 정부 주도의 경제가 아니라 다수가 지혜를 모아 최선의 답을 찾아내는 경제 민주화가 가능해질 것이다. 모든 기술과 부가 대기업으로 쏠리는 규모의 경제가 아니라, 가장 창의적이고 혁신적인 기업만이 생존하고 성장하는 균형의 경제가 이루어질 것이다. 이는 문재인 정부의 '사람 중심의 사회' 정책과 철학적 측면에서 일맥상통하는 것이기도 하다.

지금까지는 정부나 기업이나 제도처럼 잘 정리된 시스템이 국민을 대신해 사회를 움직였다. 하지만 앞으로 공유경제와 블록체인이 주류가 되면 국민 개개인은 자기만의 디지털 채널을 갖게 되고 이를 통해 더 나은 사회를 위한 정책을 공급하는 동시에 소비하는 진정한 주권자가 될 것이다. 블록체인을 기반으로 하는 디지털 분권은 지금껏 정부가 독점해온 기능을 시민사회가 시간 단위 분 단위 초 단위로 분점하는 시대를 열 것이다. 기술의 진보가 인간을 소외시킬 것이란 우려가 많았지만 실제로는 가장 강력한 인간의 시대를 가능하게 만들고 있다.

먼 미래의 이상적인 이야기로 들릴지 모른다. 하지만 주지하듯 4차 산업혁명 시대에는 일정한 조건만 갖춰지면 이 모든 변화가 눈 깜짝할 사이에 일어난다. 스마트폰이 경제 주도권을 전통기업에서 혁신 기업으로 바꾸고 핀테크가 금융 주도권을 은행에서 개인으로 바꾸는 데 불과 몇 년이 안 걸렸다. 마찬가지로 앞으로 등장할 새로운 혁신 기술들은 더 빠른 속도로 우리의 일상을 180도 바꿔버릴 것이다. 이미 현실로 다가온 공유경제와 블록체인은 그 시작이다.

그런데 정부는 모든 것을 움켜쥐고 어느 것 하나 시민사회에 내주려 하지 않는다. 새로운 기술이 등장할 때마다 민간에 맡기는 대신 규제를 만들어 통제하고 실수라도 할라치면 그럴 줄 알았다는 듯이 불법 딱지를 붙이며 통제의 정당성을 되새김한다. 이미 기술적으로 충분히 가능한 것들도 법률이란 이름으로 애써 외면하며 기존 질서를 그대로 유지하고 있다. 세계는 점차 디지털 분권의 시대로 이동하고 있는데 우리 정부만 과거의 중앙 통제형 시대를 꼭 붙들고 안 놔주려고 한다.

이제는 정부의 기능과 역할을 초기화 수준에서 다시 논의해야 할 시점이다. 정부 혼자 모든 것을 짊어지고 이끌어야 한다는 강박을 버리고 시민사회와 함께 정책적 부작용을 최소화할 해법을 찾아나가야 한다. 무조건 규제하고 통제하는 '슈퍼바이저'가 아니라 일단 지켜봐주고 일정 선에 이를 때까지 도와주는 '서포터'로 포지션을 재조정해야 한다. 4차 산업혁명기로 들어서는 현재 다양한 사회 변화가 예측되고 있다. 법 제도와 정책도 이에 맞춰 변화해야 한다. 무엇보다 디지털 분권 시대에 발맞춰 정부의 역할과 기능을 전면적으로 재논의해야 한다. 앞으로 정부의 든든한 파트너가 되어줄 시민사회와 함께 말이다.

미래는 규제할 수 없다

초판 1쇄 발행 2018년 8월 19일
초판 3쇄 발행 2019년 11월 27일

지은이 구태언
펴낸이 안현주

경영총괄 장치혁
디자인 표지 최승협 본문 장덕종
마케팅영업팀장 안현영

펴낸곳 클라우드나인   **출판등록** 2013년 12월 12일(제2013-101호)
주소 우) 04055 서울시 마포구 홍익로 10(서교동 486) 101-1608
전화 02-332-8939   **팩스** 02-6008-8938
이메일 c9book@naver.com

값 18,000원
ISBN 979-11-89430-00-9 03320